BIBLIOTHEE<BR
Centrale Bibliothee
Molenstraat 6
4811 GS Breda

Will Adams

Exodus

Oorspronkelijke titel: *The Exodus Quest*
Vertaling: Piet Verhagen
Omslagontwerp: HildenDesign, München
Zetwerk: Mat-Zet bv, Soest

BIBLIOTHEEK·BREDA
Centrale Bibliotheek
Molenstraat 6
4811 GS Breda

Eerste druk september 2009

ISBN 978-90-8968-145-4 / NUR 330

© 2008 by Will Adams
© 2009 voor de Nederlandse taal: De Boekerij bv, Amsterdam
Mynx is een imprint van De Boekerij bv, Amsterdam

Niets uit deze uitgave mag worden verveelvoudigd en/of openbaar gemaakt door middel van druk, fotokopie, microfilm of op welke andere wijze ook, zonder voorafgaande schriftelijke toestemming van de uitgever.

Proloog

De zuidelijke oever van het meer van Mariut, 415 n.Chr.
Het pleister was eindelijk droog. Marcus raapte handenvol stof en zand van de grond en smeerde die uit over het verse witte oppervlak tot het dof en donker werd en vrijwel niet meer te onderscheiden was van de rest van de muur. Hij lichtte het resultaat bij met zijn olielamp en voegde waar nodig meer stof toe tot hij tevreden was, hoewel dit werk eigenlijk de ogen van een jongere man vereiste. Een laatste wandeling door de oude, vertrouwde gangen en vertrekken om afscheid te nemen van zijn vrienden en voorzaten in de catacombe, van een leven van herinneringen, en vervolgens de trap op en naar buiten.

Het was al laat in de middag. Geen tijd te verliezen.

Hij liet het houten luik vallen en begon het gat te vullen. Het ploffen en ratelen van stenen en zand, het ruisen van een lang gewaad, het krassen van zijn met ijzer beslagen schop. Geleidelijk aan meende hij boven deze geluiden het verre zingen van een menigte te horen. Het werd harder, en zo echt dat hij zijn werk even onderbrak om te luisteren. Maar afgezien van zijn amechtige ademhaling, het bonken van zijn hart, het verschuivende zand, hoorde hij alleen maar stilte.

Gewoon de angst van een eenzame, oude man.

De zon hing laag in het westen, neigend naar oranje. Meestal kwamen ze 's nachts, als alle boosdoeners, maar ze werden steeds brutaler. Die morgen had hij vreemde gezichten in de haven gezien. Voormalige vrienden mompelden tegen elkaar. Mensen wier aandoeningen hij zonder acht te slaan op zijn eigen veiligheid behandeld had, keken naar hem alsof hij besmettelijk was.

Hij begon opnieuw te scheppen, sneller en sneller, om de paniek te onderdrukken voordat die hem kon overweldigen.

Hij had gedacht dat ze het wel zouden doorstaan. Hun gemeenschap had immers al zo veel pogroms en oorlogen overleefd. Hij was zo dwaas geweest om te denken dat hun ideeën uiteindelijk zouden zegevieren omdat ze zo veel overtuigender en rationeler waren dan de vrome, wrede onzin van het zogenaamde correcte denken. Maar hij had zich vergist. Dat was de menselijke natuur: als de angst toesloeg, stond de rede volstrekt machteloos.

Arme Hypatia! Die mooie, wijze, zachtaardige vrouw. Men zei dat paus Cyrillus persoonlijk opdracht gegeven had haar te lynchen. Epiphanes had alles zien gebeuren. Een jongen nog, veel te jong om van zoiets getuige te zijn. De meute werd aangevoerd door dat schijnheilige monster Peter de Lezer. Dat was geen verrassing. Ze hadden haar van haar wagen gesleurd, met geweld uitgekleed, naar hun kerk gesleept, met oesterschelpen verminkt en ten slotte verbrand.

Mannen van God noemden ze zich. Hoe was het mogelijk dat ze niet konden zien wat ze werkelijk waren?

De zon was onder gegaan. Het werd koeler. Zijn tempo vertraagde. De kracht van zijn jeugd lag ver achter hem. Maar hij zette door. Hoe eerder hij klaar was, hoe sneller hij weg kon om zijn gezin en metgezellen in te halen die op weg waren om hun toevlucht te zoeken in Hermopolis of misschien zelfs Chenoboskion, afhankelijk van hoe ver deze waanzin zich verspreid had. Hij had ze vooruitgestuurd met alle rollen en andere gekoesterde bezittingen die ze mee konden nemen – de verzamelde wijsheid van eeuwen. Maar zelf was hij achtergebleven. Ze waren laks geweest, de afgelopen jaren. Hij wist dat het geen geheim was dat ze hier een ondergronds complex hadden, niet in het minst omdat de absurde geruchten over hun rijkdom en verborgen schatten ook hem ter ore gekomen waren. Als deze schurken lang en hard genoeg zochten, was de kans groot dat ze deze trap zouden vinden, hoe goed hij hem ook verborgen had. Daarom had hij de ingang tot de doopkamer dichtgemetseld, in de hoop dat zelfs als het ondergrondse complex zelf ontdekt werd, een klein deel van hun kennis het zou overleven. En misschien zou het gezond verstand op een goede dag zegevieren en konden zij terugkeren. En zo niet hij zelf, dan misschien zijn kinderen of kleinkinderen. En zo niet zij, dan misschien de mensen van een toekomstig tijdperk – een rationeler, verlicht tijdperk. Misschien zouden ze de wijsheid van de muren waarderen in plaats van haar te haten en te vervloeken.

Hij vulde de schacht en trapte de grond aan tot de plek amper te onderscheiden was van de omgeving. Het vooruitzicht vervulde hem met ontsteltenis. Hij was te oud voor zulke avonturen, te oud om opnieuw te

6

beginnen. Het enige waar hij in zijn leven naar gestreefd had was rust om zijn teksten te bestuderen, de aard van de wereld te doorgronden. Maar dat werd hem nu onmogelijk gemaakt door die wrede, branieachtige bullebakken die zelfs denken tot een zonde verklaard hadden. Je kon het zien in hun ogen, aan het plezier dat ze schepten in de willekeur van hun macht. Ze zwolgen in hun schurkachtigheid. Ze hieven hun handen ten hemel alsof het bloed dat erop blonk een teken van deugdzaamheid was.

Hij had weinig bagage – alleen maar zijn gewaad, een kleine buidel met mondvoorraad, een paar munten in zijn beurs. Maar al na tien minuten lopen zag hij een gloed aan de andere kant van de heuvelkam. Hij was te diep in gedachten verzonken om de betekenis ervan te beseffen. Toen drong het tot hem door. Toortsen. Uit de richting van de haven. Het briesje sloeg om en toen hoorde hij ze. Zingende, schreeuwende mannen en vrouwen die zich jubelend verheugden op een nieuwe slachtpartij.

Met bonkend hart haastte hij zich terug naar de plek waar hij vandaan gekomen was. Hun nederzetting lag op een laag heuveltje dat uitzag op het meer. Toen hij boven kwam, zag hij de gloed aan alle kanten, als een zojuist aangestoken brandstapel waarvan de vlammen begerig aan het aanmaakhout likken. Een kreet rechts van hem. Een dak ging in vlammen op, gevolgd door een tweede, een derde. Hun huizen! Hun leven! Het lawaai nam toe, kwam dichterbij. Dat boosaardig gebulk! Wat hielden die mensen van hun werk. Hij keek om zich heen, zoekend naar een pad, maar overal waar hij ging dwongen toortsen hem terug te keren, hem opsluitend in een steeds kleinere cirkel.

Uiteindelijk klonk er een kreet. Iemand had hem gezien. Hij draaide zich om en vluchtte, maar het ontbrak zijn oude benen aan kracht, hoewel hij heel goed wist welke prijs hij zou betalen als ze hem te pakken kregen. En toen waren ze overal, met gezichten die gloeiden van bloeddorst, en kon hij alleen nog maar waardig en moedig zijn en proberen hen zo te beschamen dat ze medelijden kregen. Of anders dat ze, als ze morgen wakker werden, met zo'n afschuw en weerzin op hun daad van de avond daarvoor zouden terugkijken dat anderen gespaard zouden blijven.

Dat zou in ieder geval iets zijn.

Onbedaarlijk bevend viel hij op zijn knieën op de rotsachtige grond. Terwijl de tranen over zijn wangen stroomden begon hij te bidden.

1

Bab Sedrastraat, Alexandrië

Daniel Knox liep door Sharia Bab Sedra en zag de aardewerken schaal op het uitgeklapte tafeltje van de straathandelaar staan. Hij was gevuld met luciferboekjes en pakjes witte servetten en hield een rij gehavende Arabische schoolboeken overeind. Zijn hart begon sneller te kloppen en hij had een déjà vu. Hij wist zeker dat hij zo'n schaal eerder gezien had. En op een interessante plek ook. Heel even schoot het antwoord hem bijna te binnen, maar toen verdween het weer. Langzaam vervaagde de herinnering, een ietwat onbehaaglijk gevoel achterlatend. Hij vroeg zich af of zijn geheugen hem parten speelde.

Hij bleef staan, liet zich op zijn hurken zakken en pakte een felgekleurde plastic vaas met slappe gele kunstbloemen van de grond. Daarna pakte hij een tot op de draad versleten aardrijkskundeboek waar alle bladzijden uitvielen, zodat verouderde topografische kaarten van Egypte als een door een goochelaar gespreid spel kaarten over het tafelkleed fladderden.

'*Salaam aleikum*,' knikte de handelaar. Hij kon hoogstens vijftien geweest zijn en leek nog jonger in zijn zeker twee maten te grote afdankertjes.

'*Wa aleikum es salaam*,' antwoordde Knox.

'Vindt u dit boek mooi, meneer? Wilt u kopen?'

Schouderophalend legde Knox het boek terug en keek om zich heen alsof de jongen niets had wat hem interesseerde. Zwijgend ontblootte de jonge straatventer een mond vol scheve tanden. Hij was niet op zijn achterhoofd gevallen. Besmuikt grinnikend legde Knox een vinger op de aardewerken schaal. 'Wat is dit?' vroeg hij.

'Meneer heeft een goed oog,' zei de jongen. 'Een prachtig antiek stuk uit de rijke geschiedenis van Alexandrië. De fruitschaal van Alexander de Grote zelf! Jazeker! Alexander de Grote! Geen woord van gelogen.'

'Alexander de Grote?' zei Knox. 'Dat lijkt me sterk.'

'Geen woord van gelogen,' hield de jongen vol. 'Ze vinden zijn lijk, snapt u. Dit vinden ze in zijn graf. Jazeker! De man die Alexander vindt is een man met de naam Daniel Knox. Een goeie vriend van me, hij geeft me deze schaal zelf!'

Knox lachte. Sinds dat avontuur was hij ieders goede vriend. 'En je verkoopt dat ding hier op straat?' vroeg hij plagend. 'Als het echt van Alexander geweest is, hoort het immers eerder thuis in het museum van Caïro!' Hij pakte de schaal, opnieuw met dat déjà vu, een vreemde, tintelende gewaarwording in zijn borst, een droge mond, een drukkend gevoel onder zijn schedel. Hij draaide hem om en om, genietend van de aanraking. Hij was geen expert op het gebied van keramiek, maar als veldarcheoloog wist hij er wel iets vanaf, al was het alleen maar omdat negen van de tien artefacten op elke willekeurige opgraving een soort aardewerk waren – een scherf van een bord, kop of kruik, een stukje van een olielamp of parfumfles, soms, met een beetje geluk, zelfs een potscherf.

Maar dit was geen scherf maar een volledige schaal, ongeveer zeventien centimeter in doorsnee en zeven centimeter diep, met een platte bodem en gebogen wanden en vrijwel zonder rand, zodat je hem met beide handen vast kon houden om uit te drinken. Hij was glad, wat inhield dat de klei voor het bakken gezuiverd was van stukjes en steentjes. De klei was rossig grijs van kleur maar afgewerkt met een laagje lichtere vernis dat er een sluier over leek te leggen, als koffie waar melk in geroerd werd. Misschien van plaatselijke herkomst, misschien ook niet. Daar zou hij een deskundige voor moeten raadplegen. Het dateren ging hem makkelijker af. Fijn aardewerk als olielampen en duur vaatwerk was altijd aan verandering onderhevig geweest, alsof de eigenaren met hun rijkdom wilden pronken door met elke nieuwe mode mee te gaan, maar dit soort dagelijkse gebruiksvoorwerpen bleef vaak lange tijd hetzelfde – eeuwen soms. Hij schatte hem op 50 n.Chr., plus of minus een paar honderd jaar. Of een paar duizend. Hij zette hem terug met de bedoeling op te staan en door te lopen, maar de schaal liet hem niet los. Nog steeds op zijn hurken bleef hij ernaar kijken, nadenkend over zijn kaak wrijvend terwijl hij probeerde de boodschap ervan te ontcijferen, te ontdekken waarom het ding hem zo fascineerde.

Knox wist hoe zelden je waardevolle artefacten op een straatmarkt vond. De venters waren te uitgeslapen om kwaliteitsproducten op die manier te verkopen en de oudhedenpolitie was te waakzaam. En in de achterstraatjes van Alexandrië en Caïro wemelde het van de handwerkers die in een mum van tijd overtuigende replica konden produceren als ze de kans schoon zagen een lichtgelovige toerist geld uit de zak te kloppen. Maar deze schaal leek hem te onelegant voor zo veel moeite.

'Hoeveel?' vroeg hij ten slotte.

'Duizend dollar,' antwoordde de jongen zonder met zijn ogen te knipperen.

Knox lachte opnieuw. Egyptenaren zijn meesters in het bepalen van de prijs van de koper, niet van die van het stuk. Hij zag er vandaag kennelijk extra welgesteld uit. Welgesteld en dom. Opnieuw wilde hij weglopen en opnieuw hield iets hem tegen. Hij raakte de schaal aan met zijn vingertop. Hij liet zich bij voorkeur niet verleiden tot het spel van loven en bieden. Als je eenmaal begon was het onbeleefd om het niet af te maken, en Knox was er helemaal niet zo zeker van dat hij de schaal wilde hebben, koopje of niet. Als het echt antiek was, mócht hij het volgens de wet immers niet eens kopen. En als het een vervalsing was, zou hij dagenlang de pest in hebben dat hij bedot was, vooral als het zijn vrienden en collega's ter ore kwam. Beslist zijn hoofd schuddend kwam hij nu zelfs overeind.

'Vijfhonderd,' zei de jonge straatventer haastig, duidelijk bang dat deze vette vis hem door de vingers zou glippen. 'Ik zie u eerder. U bent goede man. Ik geef u speciale prijs. Heel speciale prijs.'

Knox schudde zijn hoofd. 'Waar heb je hem vandaan?' vroeg hij.

'Uit het graf van Alexander de Grote, eerlijk waar! Mijn vriend geeft het aan mij omdat hij een heel goeie…'

'De waarheid,' zei Knox. 'Of ik vertrek.'

De jongen kneep zijn ogen tot sluwe spleetjes. 'Waarom zou ik u dat vertellen?' vroeg hij. 'Dat u de politie kunt bellen?'

Knox stak een hand in zijn achterzak en liet hem een stapeltje bankbiljetten zien. 'Hoe kan ik er zeker van zijn dat hij echt is als je niet wilt zeggen waar hij vandaan komt?' vroeg hij.

De jongen trok een gezicht en keek om zich heen om er zeker van te zijn dat niemand hem hoorde. 'Een vriend van mijn neef werkt bij een opgraving,' fluisterde hij.

'Welke opgraving?' vroeg Knox fronsend. 'Onder wiens leiding?'
'Buitenlanders.'
'Wat voor buitenlanders?'
De jongen schokschouderde onverschillig. 'Buitenlanders.'
'Waar?'
'In het zuiden.' Hij maakte een vaag gebaar. 'Ten zuiden van Mariut.'
Knox knikte. Dat kon kloppen. In de oude tijd, voordat de toevoer van de Nijl dichtslibde en het meer kleiner werd, was Mariut omringd door boerderijen en nederzettingen. Langzaam telde hij zijn geld. Als deze schaal inderdaad van een archeologische opgraving afkomstig was, was het zijn plicht hem terug te brengen, of in ieder geval iemand te laten weten dat ze een probleem hadden met de bewaking. Vijfendertig Egyptische ponden. Hij hield ze dubbel gevouwen tussen duim en wijsvinger. 'Ten zuiden van het meer, zeg je?' vroeg hij fronsend. 'Waar precies? Ik moet het precies weten als ik deze schaal koop.'

Met zichtbare tegenzin nam de jongen zijn blik van het geld af om Knox aan te kijken. Een zure uitdrukking kwam op zijn gezicht, alsof hij besefte dat hij al te veel gezegd had. Met een gemompelde vloek pakte hij de vier hoeken van zijn tafelkleed, tilde het op zodat al zijn handelswaar kletterend op een hoop viel en ging er vandoor. Knox wilde hem volgen, maar een reus van een man dook op uit het niets en versperde hem de weg. Knox probeerde hem te passeren, maar de man deed eenvoudigweg een stapje opzij. Hij had zijn armen voor zijn borst geslagen en er speelde een droog glimlachje om zijn lippen, alsof hij Knox uitnodigde iets te proberen. En toen was het toch al te laat. De jongen was opgegaan in de drukte, compleet met zijn aardewerken schaal.

Knox haalde zijn schouders op en liet het erbij. Het stelde vrijwel zeker niets voor.

Inderdaad. Vrijwel zeker.

II

De oostelijke woestijn, Midden-Egypte
Onder het toeziend oog van inspecteur van politie Naguib Hoessein trok de patholoog-anatoom van het ziekenhuis een hoek van het blauwe zeildoek weg en onthulde het uitgedroogde lichaam van het meisje dat eronder lag. Althans, Naguib nam aan dat het een meisje was, afgaande op haar lengte, het lange haar, de goedkope opsmuk en kleren, maar zeker weten kon hij het niet. Ze was al zo lang dood en had al zo lang in het gloeiend hete zand van de Oostelijke Woestijn gelegen. Ze was gemummificeerd terwijl ze verrotte. Haar achterhoofd was ingeslagen en vormde door het geronnen bloed een geheel met het zeildoek.

'Wie heeft haar gevonden?' vroeg de patholoog-anatoom.

'Een van de gidsen,' zei Naguib. 'Een of andere toerist wilde kennelijk een aandenken van de echte woestijn hebben.' Hij gromde geamuseerd. Nou, dat had hij gekregen dan.

'En daar lag ze gewoon?'

'Eerst zagen ze het zeil. Toen haar voet. De rest lag onder het zand.'

'Het onweer van gisteravond moet het zand weggespoeld hebben.'

'Samen met alle sporen,' gaf Naguib hem gelijk. Met zijn armen voor zijn borst keek hij toe terwijl de patholoog-anatoom zijn voorbereidende onderzoek voortzette – haar schedel, ogen, wangen en oren. Hij wrikte aan haar onderkaak om haar mond te openen en schraapte schuim, grind en zand van het uitgedroogde weefsel van haar tong, wangen en keel. Hij deed haar mond weer dicht, bestudeerde haar nek en sleutelbeenderen, de uitpuilende, ontwrichte rechterschouder en haar armen, die onder een ongemakkelijke hoek gevouwen bijna zedig naast haar lichaam lagen.

'Hoe oud is ze?' vroeg Naguib.

'U zult op mijn rapport moeten wachten.'

'Alstublieft. Ik moet iets hebben om mee te beginnen.'

De patholoog-anatoom zuchtte. 'Dertien, veertien. Rond die leeftijd. En haar rechterschouder lijkt na haar dood ontwricht te zijn.'

'Inderdaad,' stemde Naguib in. Professionele ijdelheid dwong hem de patholoog te laten weten dat hij dat al gezien had. Hij zei: 'Ik dacht dat de rigor mortis misschien ingetreden was voor ze haar konden begraven.

Misschien had ze op dat moment haar arm boven haar hoofd. Misschien ontwrichtte degene die haar begroef haar schouder toen hij probeerde haar in het zeildoek te rollen.'

'Wie weet,' zei de patholoog. Kennelijk niet iemand die ervan hield in het wilde weg te speculeren.

'Hoeveel tijd na haar dood zou dat zijn?'

'Hangt er van af,' zei de patholoog. 'Hoe heter het is, hoe sneller de lijkstijfheid begint, maar ook hoe sneller zij weer verdwijnt. En als ze bijvoorbeeld gerend had, of gevochten, zou het nog sneller zijn.'

Naguib haalde diep adem om elk spoor van ongeduld te onderdrukken. 'Ongeveer.'

'De schouders zijn normaal gesproken de laatste spiergroepen die verstijven. Die beginnen pas na minimaal drie uur, vaak zelfs zes of zeven. Daarna...' hij schudde zijn hoofd, '... kan de verstijving van zes uur tot twee dagen aanhouden.'

'Maar minimaal drie uur, ja?'

'Meestal. Hoewel er gevallen zijn...'

'Er zijn altijd gevallen,' zei Naguib.

'Inderdaad.' Met één vinger trok de patholoog-anatoom voorzichtig de broze schakels van een kettinkje om haar nek recht. Er hing een zilveren amulet aan, een koptisch kruis. Hij keek Naguib aan, ongetwijfeld met dezelfde gedachte in zijn hoofd: weer een dood koptisch meisje. Precies wat deze streek op dit moment nodig had.

'Best een mooi sieraad,' mompelde de patholoog.

'Inderdaad,' zei Naguib instemmend. Dat pleitte tegen roof. De patholoog tilde de rokken van het meisje op, maar haar onderkleding, hoewel gerafeld, was intact. Geen spoor van seksueel geweld. Geen spoor van énig geweld zelfs – behalve natuurlijk dat ingeslagen achterhoofd. 'Enig idee hoe lang ze daar gelegen heeft?' vroeg hij.

De patholoog haalde zijn schouders op. 'Dat zou puur een gok zijn. Daarvoor moet ik haar eerst naar de basis brengen.'

Naguib knikte. Dat was redelijk. Iedereen wist hoe moeilijk het was woestijnlijken te dateren. Een maand, een jaar, tien jaar – ze zagen er allemaal hetzelfde uit hier. 'En de doodsoorzaak? De klap op haar hoofd, niet?'

'Te vroeg om te zeggen.'

Naguib trok een gezicht. 'Kom op. Ik zal u er niet aan houden.'

'Dat zeggen ze allemaal. En vervolgens doen ze het toch.'

'Oké. Als het niet de klap op haar hoofd was, had ze dan haar nek gebroken?'

De patholoog tikte met zijn duim tegen zijn knie, met zichzelf overleggend of hij zou antwoorden. 'Wilt u echt horen wat ik denk?' vroeg hij ten slotte.

'Ja.'

'U zult er niet blij mee zijn.'

'Probeer het maar.'

De patholoog stond op. Met zijn handen op zijn heupen keek hij om zich heen naar het dorre gele zand van de oostelijke woestijn, die zich uitstrekte zo ver als het oog reikte, trillend in de hitte en slechts onderbroken door de ruige klippen van Amarna. 'Goed dan,' zei hij glimlachend, alsof hij zich realiseerde hoe zelden een kans als deze zich voordeed. 'Eigenlijk denk ik dat ze verdronken is.'

III

Toen Knox het kantoor van Omar Tawfiq binnenkwam, zag hij Omar op zijn knieën voor de behuizing en ingewanden van een gesloopte computer op de grond zitten. Hij had een schroevendraaier in zijn hand en een veegje vet op zijn wang. 'Heb je al niet genoeg te doen?' vroeg hij.

'Onze computermensen kunnen pas morgen komen.'

'Dan huur je toch gewoon nieuwe in?'

'Nieuwe willen meer geld.'

'Inderdaad. Omdat ze komen als je ze nodig hebt.'

Omar haalde zijn schouders op alsof hij de waarheid daarvan aanvaardde, maar Knox betwijfelde of hij ernaar zou handelen. Omar, een jongeman die nog jonger leek dan hij was, had onlangs promotie gekregen. Hij was benoemd tot tijdelijk hoofd van de ORA, de Opperste Raad voor Antiquiteiten in Alexandrië, hoewel iedereen wist dat hij die positie alleen maar gekregen had omdat Joessoef Abbas, de in Caïro zetelende secretaris-generaal, iemand wilde hebben die makkelijk te lozen was en gedwee genoeg om zich te laten commanderen terwijl hij een van zijn eigen vertrouwelingen in de permanente positie manoeuvreerde. Zelfs Omar wist dit, maar was te bedeesd om zich erover op te winden. In plaats daarvan ontliep hij zijn verbijsterde staf door zich op te sluiten in zijn oude kantoor en zich bezig te houden met dit soort vrijblijvende karweitjes. Hij kwam overeind en veegde zijn handen af. 'En, wat kan ik voor je doen, mijn vriend?'

Knox aarzelde. 'Ik heb een oude schaal op de markt gezien. Gebakken. Fraai gepolijst. Rozeachtig grijs met een witte slip. Met een doorsnee van ongeveer zeventien centimeter.'

'Dat kan van alles zijn.'

'Jawel. Maar hij gaf me zo'n gevoel, weet je wel?'

Omar knikte serieus, alsof hij Knox' gevoelens respecteerde. 'Wil je onze databank nakijken?'

'Als dat kan.'

'Natuurlijk.' Omar was trots op zijn databank. Vóór zijn onverwachte promotie was het opbouwen daarvan zijn belangrijkste taak geweest. 'Gebruik Maha's kantoor maar. Die is er vandaag toch niet.' Ze liepen er samen naartoe. Omar ging aan haar bureau zitten. 'Momentje,' zei hij.

Knox knikte, liep naar het raam en keek naar zijn jeep. De reparatie na die toestand met Alexander had een fortuin gekost, maar de trouwe wagen diende hem al jaren en hij was blij dat hij het gedaan had.

'Nog nieuws van Gaille?' vroeg Omar.

'Nee.'

'Weet je wanneer ze terugkomt?'

'Als ze klaar is, neem ik aan.'

Omar liep rood aan. 'Je kunt beginnen,' zei hij.

'Neem me niet kwalijk,' zuchtte Knox. 'Ik wilde niet onvriendelijk zijn.'

'Geeft niks.'

'Het komt gewoon… iedereen vraagt naar haar, snap je?'

'Omdat we haar allemaal aardig vinden. Omdat we jou aardig vinden.'

'Dank je,' zei Knox. Hij begon de databank te doorzoeken – kleuren- en zwart-witfoto's van bekers, borden, beeldjes, graflampen. De meeste klikte hij weg zonder ze verder een blik waardig te keuren en de oude computer spande zich kreunend en zuchtend in om hem bij te houden. Soms trok een foto even zijn aandacht, maar niets leek er echt op. Dat had je vaak met oude artefacten. Hoe beter je ze bekeek, hoe meer potentiële verschillen je vond.

Omar kwam terug met een karaf water en twee glazen op een dienblad. 'Iets gevonden?'

'Nog niet.' Hij werkte de databank af. 'Is dit alles?'

'Van plaatselijke herkomst, ja,'

'En niet-plaatselijk?'

Omar zuchtte. 'Ik heb naar een aantal musea en universiteiten geschreven toen ik deze databank opzette. Destijds kreeg ik weinig reacties, maar sinds mijn recente aanstelling...'

Knox lachte. 'Wat een verrassing.'

'Maar we hebben de gegevens nog niet ingevoerd. Op dit moment hebben we alleen maar cd's en papieren.'

'Mag ik ze zien?'

Omar trok de onderste la van de dossierkast open en haalde er een kartonnen doos met cd's uit. 'Ze liggen niet op een bepaalde volgorde,' waarschuwde hij.

'Geeft niks,' zei Knox. Hij deed er een in de computer. Het brommen werd luider. Een pagina vol piepkleine footootjes. Fragmenten papyrus en linnen. Hij klikte op de volgende pagina en toen op de derde. Het aardewerk dat hij vond was kleurig en verlucht met patronen, heel anders dan wat hij zocht.

'Ik zal je verder niet storen,' zei Omar.

'Dank je.' De tweede cd bevatte beelden uit de Romeinse tijd, de derde sieraden, de vierde was defect. Knox' gedachten dwaalden af, misschien vanwege Omars eerdere vraag. Een plotselinge herinnering aan Gaille tijdens het ontbijt op de Nile Cornicheboulevard, de manier waarop ze het dunne vetlaagje van het pasteitje van haar bovenlip likte, haar vooroverhangende haar, haar glimlach toen ze hem zag kijken.

De achtste cd was een anatomieles die liet zien hoe je handarbeiders kon onderscheiden van luie rijkaards aan de hand van botdikte en de kromming van de ruggengraat.

Die ochtend in Minya ging Gailles mobiele telefoon over. Ze keek naar het nummer, schoof nerveus op haar stoel, wendde zich af en had een vormelijk gesprek dat ze snel beëindigde door te beloven later terug te bellen.

'Wie was dat?' vroeg hij.

'Niemand.'

'Ik zou snel contact opnemen met de telefoonmaatschappij als je door niet-bestaande mensen gebeld wordt.'

Een onwillige zucht. 'Fatima.'

'Fatima?' Een onverwacht steekje jaloezie. Fatima was zíjn vriendin. Hij had hen amper een week geleden aan elkaar voorgesteld. 'Wat wilde ze?'

'Waarschijnlijk heeft ze gehoord dat Siwa uitgesteld is.'

'Waarschijnlijk?'

'Oké. Dat heeft ze gehoord.'

'En ze belde om je haar medeleven te betuigen, ja?'

'Je weet toch hoe geïnteresseerd ze was in mijn beeldsoftware?'

De elfde cd bevatte islamitische artefacten, de twaalfde zilveren en gouden munten.

'Wil ze dat je voor haar gaat werken?'

'Siwa komt er voorlopig toch niet van, immers?' zei Gaille. 'En ik heb de pest aan niksen, vooral als ik betaald word. Ik heb er de pest aan iemand tot last te zijn.'

'Je bent niemand tot last,' zei hij onthutst. 'Hoe kun je denken dat je iemand tot last bent?'

'Dat gevoel heb ik nu eenmaal.'

De dertiende cd bevatte pre-dynastieke graven. De veertiende bekeek hij op de automatische piloot. Halverwege kreeg hij het gevoel dat hij iets gemist had. Hij keerde terug naar het vorige scherm en het scherm daarvoor. Daar was hij, rechts bovenaan, de replica van de schaal die hij gezien had, alleen ondersteboven, omgekeerd. Zelfde vorm, zelfde kleur, zelfde textuur, zelfde patroon. Maar er stond geen beschrijving bij, alleen maar een aantal verwijzingstekens.

Hij haalde Omar erbij, die een ringmap uit de dossierkast haalde. Knox las de getallen voor, terwijl Omar door de map bladerde, met zijn vingers de getallen afging, het juiste vond, verbaasd zijn wenkbrauwen fronste. 'Maar dat kan niet kloppen,' zei hij. 'Het ís niet eens een schaal.'

'Wat dan wel?'

'Een deksel. Van een voorraadkruik.'

Knox gromde. Nu Omar het zei, zag hij het ook. Niet dat het overigens veel hielp. Egypte was de graanschuur van de antieke wereld geweest. De diverse havens van Alexandrië verwerkten gigantische hoeveelheden landbouwproducten. Het maken van kruiken om ze in op te slaan en te vervoeren was een enorme industrie geweest. 'Mijn fout,' gaf hij toe.

Zijn bekentenis kon Omar niet vermurwen. 'Maar dat ding komt hier niet eens uit de buurt,' zei hij. 'Het komt niet eens uit Egypte.'

'Waar vandaan dan wel?

Omar kneep zijn ogen tot spleetjes en keek Knox aan alsof hij het gevoel had dat iemand hem een smakeloze poets gebakken had. 'Qumran,' zei hij op vlakke toon. 'De Dode Zeerollen zijn erin gevonden.'

2

Spoorwegstation Assiut, Midden-Egypte

Gaille Bonnard begon er spijt van te krijgen dat ze het station binnengegaan was om Charles Stafford en zijn gezelschap af te halen. Normaal gesproken hield ze van mensen, de drukte en kameraadschap, vooral hier in Midden-Egypte, met zijn uitbundige vriendelijkheid die nog niet bedorven was door te veel toeristen. Maar in de afgelopen weken was de spanning voelbaar toegenomen. Die middag zou er elders in de stad een protestmars plaatsvinden, wat waarschijnlijk de reden was dat ze maar drie mannen van de Centrale Veiligheidstroepen op het perron zag in plaats van de gebruikelijke zee van uniformen. Tot overmaat van ramp was een eerdere trein defect geraakt, zodat twee keer zo veel mensen op de volgende wachtten dan normaal, zich stuk voor stuk schrap zettend voor de onvermijdelijke ruzies over zitplaatsen.

De rails begonnen te trillen. Ongedierte zocht een veilig heenkomen. De mensen namen hun positie in. De stokoude trein reed binnen. Raampjes werden omlaag gedraaid, deuren vlogen open, passagiers sprongen naar buiten, beladen met spullen, vochten zich een weg door de drukte heen. Venters liepen langs de trein met doorzichtige zakjes baladibrood, papieren zakjes met zaden, sesamrepen, snoep en frisdrank.

Aan het eind van het perron verscheen een opvallend knappe man van begin dertig in de deur van de eersteklascoupé. Charles Stafford. Ondanks zijn twee dagen oude baard herkende ze hem meteen van de foto's op het omslag van de boeken die Fatima haar vorige avond geleend had. Uit beleefdheid had ze ze even doorgebladerd, hoewel ze dat soort populistische geschiedenis niet uit kon staan – wild giswerk, gebaseerd op schandalig selectief gebruik van de beschikbare aanwijzingen. Overal samenzweringen of geheime genootschappen en onder elk heuveltje begraven schatten. En nooit hoorde je een afwijkende mening, tenzij om belachelijk gemaakt en verworpen te worden.

Hij bleef even staan om een spiegelende zonnebril op te zetten, hing een zwarte leren computertas aan zijn schouder en stapte op het perron.

Een kleine, dikke jonge vrouw in een marineblauw broekpak volgde hem, weerbarstige lokken vuurrood haar onder haar gebloemd hoofddoekje proppend. Achter haar liep een Egyptische kruier, wankelend onder een berg bij elkaar passende bruine leren koffers.

Een oud vrouwtje struikelde tegen Stafford aan toen hij zich een weg baande door de menigte. Zijn tas zwaaide en sloeg tegen het hoofd van een klein jongetje. De jongen, die meteen zag hoe rijk Stafford moest zijn, zette het prompt op een brullen. Een man in een vuilgrijs gewaad zei iets bruusks tegen Stafford, maar Stafford wuifde hem met een arrogant gebaar weg. De jongen brulde nog harder. Stafford slaakte een diepe zucht en keek over zijn schouder naar het roodharige meisje, kennelijk verwachtend dat zij dit oploste. Ze bukte zich, bekeek het oor van de jongen, klikte medelevend met haar tong en gaf hem een bankbiljet. Er amper in slagend zijn grijns te verbergen ging hij er huppelend vandoor. Maar de man in het grijze gewaad voelde zich nog steeds beledigd door Staffords hautaine houding, en de financiële transactie maakte het alleen maar erger. Hij verklaarde met luide stem dat buitenlanders tegenwoordig kennelijk meenden dat ze Egyptische kinderen naar believen konden mishandelen en het vervolgens konden afkopen.

Het roodharige meisje glimlachte onzeker en probeerde weg te lopen, maar de woorden van de man vielen in vruchtbare aarde en de mensen vormden een kordon om hen heen. De sfeer werd dreigend. Stafford probeerde door de kring heen te breken, maar iemand gaf hem zo'n harde duw dat zijn zonnebril afviel. Hij probeerde hem te vangen, maar hij viel op de grond. Even later hoorde Gaille het breken van glas toen iemand erop ging staan. Smalend gelach steeg op.

Gaille keek angstig naar de drie mannen van de CV, maar die waren met gebogen hoofd op weg naar de stationshal en wilden hier duidelijk niets mee te maken hebben. Hete angst welde op in haar borst terwijl ze overwoog wat ze moest doen. Dit was niet haar probleem. Niemand wist zelfs dat ze hier was. Haar fourwheeldrive stond vlak voor het stationsgebouw. Ze aarzelde nog even, draaide zich toen om en haastte zich naar buiten.

'Het is maar een deksel,' protesteerde Omar, terwijl hij achter Knox de trap van de vestiging van de ORA af draafde. 'Daar moeten er duizenden van geweest zijn. Hoe kun je er zo zeker van zijn dat het uit Qumran komt?'

Knox maakte zijn jeep open en klom erin. 'Omdat dat de enige plek is waar ze ooit kruiken met Dode Zeerollen gevonden hebben,' antwoordde hij. 'Dat wil zeggen, er is er nog een gevonden in Jericho, een paar kilometer verder naar het noorden, en misschien nog een bij Masada, ook vlak in de buurt. Maar afgezien daarvan…'

'Maar het zag er zo alledaags uit.'

'Het zag er misschien alledaags uit,' antwoordde Knox, wachtend tot een bestelwagen voorbijgereden was alvorens op te trekken. 'Maar er is iets wat je goed moet begrijpen. Tweeduizend jaar geleden werden potten gebruikt om goederen te vervoeren of in op te slaan. Transportkruiken waren doorgaans amforen, met grote handvatten om ze makkelijker te kunnen verplaatsen, en stevig omdat ze tegen een stootje moesten kunnen, en rond omdat ze dan makkelijker te stapelen waren.' Aan het eind van de straat sloeg hij rechtsaf en draaide vervolgens scherp naar links. 'Maar zodra de goederen hun bestemming bereikten, werden ze in opslagkruiken met een ronde bodem gedaan, die in het zachte zand gedrukt konden worden en makkelijk te kantelen waren als ze leeggegoten moesten worden. En ze hadden een lange hals en een kleine opening om een kurk in te stoppen en de inhoud vers te houden. Maar de kruiken met de Dode Zeerollen waren heel anders. Die hadden een platte bodem en een korte hals en een grote opening, en daar was een heel goede reden voor.'

'Wat dan?'

Zijn remmen piepten toen hij verminderde voor een tram die ratelend het kruispunt overstak. 'Hoeveel weet je over Qumran?' vroeg hij.

'Dat de Essenen daar woonden, toch?' zei Omar. 'Die joodse sekte. Maar ik meen dat er iemand is die beweerd heeft dat het een villa of een fort of zoiets was, klopt dat?'

'Dat idee is geopperd,' beaamde Knox, die sinds hij als kind in Qumran op vakantie geweest was altijd door die plaats gefascineerd was gebleven. 'Maar volgens mij hebben ze ongelijk. Ik bedoel, Plinius schreef dat de Essenen ten noordwesten van de Dode Zee woonden, zo niet in Qumran zelf, dan toch dicht in de buurt, en niemand heeft een overtuigend alternatief gevonden. Eén expert heeft het heel beknopt samengevat: Er zijn twee mogelijkheden: dat zowel Qumran als de rollen Esseens waren of dat we met een verbazingwekkend toeval te maken hebben: twee godsdienstige gemeenschappen die vrijwel op elkaars drempel woonden en er soortgelijke ideeën en rituelen op nahielden, waarvan er één door de antieke auteurs beschreven is maar geen fysieke sporen heeft nagelaten, terwijl de tweede om de een of andere reden door al onze bronnen genegeerd wordt maar een heleboel ruïnes en documenten nagelaten heeft.'

'Dus de Essenen woonden in Qumran,' zei Omar. 'Maar dat verklaart nog niet waarom hun kruiken zo uniek zijn.'

'De Essenen waren fanatiek op het gebied van rituele zuiverheid,' zei Knox. 'Het minste of geringste kon een zuiver vat onrein maken. Een regendruppel, een vallend insect, per ongeluk morsen. En als dat gebeurde, was de ellende niet te overzien, want als een vat bezoedeld werd, was de inhoud ervan natuurlijk ook meteen bezoedeld en moest die weggegooid worden. Maar daar hield het niet mee op. Vloeistoffen en graan worden gegoten, snap je, dus de echte vraag was of de onreinheid tegen de stroom op geklommen was en het opslagvat ook bezoedeld had. De farizeeën en andere joodse sekten namen het niet zo nauw, maar de Essenen geloofden dat op die manier alles bezoedeld zou worden. Daarom durfden ze niet het risico te nemen de inhoud uit een kruik te gieten. In plaats daarvan tilden ze het deksel een stukje op, staken er een maatbeker in en haalden er zo uit wat ze nodig hadden. En omdat ze hun voorraadkruiken niet meer hoefden te kantelen, konden die een platte bodem hebben, wat ze veel stabieler maakte. En ook een korte hals en een grote opening, zodat ze er makkelijker een hand in konden steken.'

'En kruiken met een grote opening hebben een schaal als deksel nodig,' zei Omar.

'Precies,' zei Knox knikkend. Ze kwamen in de buurt van het kruispunt van de Woestijnweg. Hij bukte zich om de richtingborden te kunnen lezen. Een snelle blik in de dossiers in Omars kantoor had duidelijk gemaakt dat er maar vier door buitenlanders geleide opgravingen in de buurt van het meer van Mariut waren, maar dat er op dat moment niets gebeurde bij Philoxinite, Taposiris Magna en Abu Mina, zodat er maar één echte kandidaat overbleef: een groep die zich het Texaans Genootschap voor Bijbelse Archeologie noemde en opgravingen deed in de buurt van Borg el-Arab.

'Waarom zou dat deksel daar dan liggen?' vroeg Omar toen Knox de juiste weg gevonden had.

'Het kan daar best al eeuwen geleden terechtgekomen zijn,' zei Knox schouderophalend. 'In de oudheid was het bestaan van de Dode Zeerollen al bekend. We hebben verslagen uit de tweede, derde en vierde eeuw waarin staat dat er teksten gevonden waren in de grotten van Qumran. Origen gebruikte ze zelfs om zijn *Hexapla* te schrijven.'

'Zijn wat?'

'De bijbel, zes keer geschreven in zes kolommen naast elkaar. De eerste in het Hebreeuws, de tweede in het Grieks en vervolgens een reeks bewerkte versies. Met behulp daarvan konden de geleerden de diverse versies vergelijken en tegen elkaar afwegen. Maar waar het om gaat is dat hij zwaar op de Dode Zeerollen steunde.'

'En denk je dat die hierheen gebracht zijn in die kruik van jou?'

'Dat is zeker een mogelijkheid.'

Omar slikte hoorbaar. 'Je denkt toch niet dat we echt... róllen zullen vinden, niet?'

Knox lachte. 'Daar zou ik maar niet op rekenen. Een van de rollen was in koper gegraveerd... een schatkaart nota bene. Maar alle andere waren op perkament of papyrus geschreven. Daar zou het klimaat van Alexandrië al eeuwen geleden korte metten mee gemaakt hebben. Bovendien is er een andere verklaring. Een verklaring die veel intrigerender is. Voor mij in ieder geval.'

'Ga door.'

'We zijn er vrij zeker van dat de Essenen niet alleen in Qumran woonden,' zei Knox. 'Josephus vermeldt bijvoorbeeld een Esseense Poort in Jerusalem, en diverse rollen bevatten leefregels voor Essenen buiten Qumran. Bovendien weten we dat er verscheidene duizenden Essenen waren, terwijl er in Qumran alleen maar plaats was voor een paar honderd, dus is het duidelijk dat er andere gemeenschappen waren.'

'Hier, bedoel je? In Alexandrië?'

Knox grinnikte. 'Heb je ooit van de Therapeutae gehoord?' vroeg hij.

III

Dominee Earnest Peterson wiste stiekem zijn voorhoofd af. Hij had niet graag dat mensen hem zagen zweten. Hij had er een hekel aan om ook maar het geringste teken van zwakte te tonen. Tweeënvijftig jaar oud, kaarsrecht, grijzend haar, felle ogen, een haviksneus. Nooit zonder zijn koning James-bijbel. Nooit zonder zijn priestergewaad. Een man die er trots in schepte door zijn eigen onwrikbare vastbeslotenheid een flauwe glimp van de onweerstaanbare kracht Gods te laten zien. Maar het zweet bleef komen – niet alleen vanwege de vochtigheid in dit enge ondergrondse labyrint, maar ook door het duizelingwekkende gevoel van wat hij op het punt stond te bereiken.

Ruim dertig jaar geleden was Peterson een boef, een kruimeldief die voortdurend met de politie in aanraking kwam. Toen hij op een avond na zijn arrestatie loom op een bankje in het politiebureau zat en opkeek naar een ets van Christus van Heinrich Hofmann hoog aan de muur, begon zijn hart plotseling als een razende te bonzen, alsof hij een hevige paniekaanval kreeg. Maar de paniek ging over in een zeer intense, serene visie op zijn leven, een verblindend wit licht, een openbaring. Na afloop kwam hij wankelend van zijn bank op zoek naar een spiegelend oppervlak om te zien wat voor afdruk het visioen achtergelaten had – wit gebleekt haar, verzengde huid, albino irissen. Tot zijn verbazing had er geen enkele fysieke verandering plaatsgevonden. Toch had het visioen hem veranderd. Het had hem van binnenuit *getransformeerd*. Want geen mens kon het gelaat van Jezus aanschouwen zonder geraakt te worden.

Opnieuw zijn voorhoofd afwissend wendde hij zich tot Griffin. 'Klaar?' vroeg hij.

'Ja.'

'Vooruit dan.'

Hij deed een stapje achteruit toen Griffin en Michael de eerste steen uit de loze muur verwijderden en de open ruimte die hun scanners erachter aangeduid hadden onthulden. Griffin stak zijn zaklantaarn door het gat, zwaaide ermee en verlichtte een groot vertrek vol schaduwen en kleur dat zijn jonge studenten gemompel en zachte uitroepen ontlokten. Maar Peterson gaf Nathan en Michael alleen maar een knikje ten teken dat ze moesten doorgaan met de muur afbreken.

De bijbel zegt: *Het gaat niet om wat de mens ziet: de mens kijkt naar het uiterlijk, maar de Heer kijkt naar het hart.* De Heer had die avond in het politiebureau naar zíjn hart gekeken. De Heer had iets in hem gezien waarvan hij niet eens geweten had dat het er was.

Het gat was intussen zo groot dat Griffin naar binnen kon, maar Peterson legde een hand op zijn schouder. 'Nee,' zei hij. 'Ik ga eerst.'

'Een archeoloog zou de eerste moeten zijn.'

'Ik ga eerst,' herhaalde Peterson. Hij legde zijn hand op de ruwe, afbrokkelende mortel en stapte het nieuwe vertrek in.

Hij was die avond niet alleen getransformeerd, hij had een doel gekregen. Misschien wel de grootste van al Gods gaven. Het was niet makkelijk geweest. Hij had jaren verspild aan de middeleeuwse zwendel van de lijkwade van Turijn en de sluier van Veronica. Toch had hij nooit twijfel gekend of overwogen de moed op te geven. De Heer gaf je zulke missies niet in een opwelling. En uiteindelijk had hij het juiste spoor gevonden. Hij had het onophoudelijk gevolgd en het was nu binnen handbereik. Dat voelde hij. Dat wíst hij. Het moment van het licht was nabij, net als de zonsopgang.

Hij liet zijn zaklantaarn door het vertrek schijnen. Dertig passen lang, tien breed. Alles onder een dikke laag stof. Een diep, in de grond gemetseld bad, een brede trap die er naartoe leidde, in tweeën gedeeld door een laag stenen muurtje zodat de leden van de gemeenschap aan de ene kant onrein konden afdalen en aan de andere gereinigd weer naar boven konden gaan. Wanden gepleisterd en geverfd in de antieke tijd, pigmenten dof geworden door verwaarlozing, spinnenwebben, vuil en hoopjes van wormen. Hij wreef over de muur, liet zijn zaklantaarn schuin op het onthulde tafereel schijnen. Een vrouw in het blauw met een kind op haar schoot. Hij moest zijn tranen weg knipperen.

'Eerwaarde! Kijk!'

Hij keek om en zag dat Marcia haar zaklantaarn op het gewelfde plafond gericht had. De schildering stelde de hemel voor – een gloeiende oranje zon die bijna op zijn hoogste punt was, constellaties van gele sterren, een roomwitte vollemaan, planeten als gloeiende kolen. Dag en nacht samen. Vreugde welde op in Petersons hart terwijl hij omhoogkeek. Hij viel op zijn knieën van dankbaarheid en aanbidding. 'Laat ons dankzeggen,' zei hij. Hij keek om zich heen tot al zijn jonge studenten op hun knieën gevallen waren. En toen moest zelfs Griffin hun voorbeeld volgen, gedwongen door de macht van de groep.

'Ik weet dat mijn Verlosser leeft,' riep Peterson. Zijn stem schalde door het vertrek. 'En dat hij zal verschijnen op aarde op de dag des oordeels. Al doorknagen wormen mijn vlees, toch zal mijn lichaam God aanschouwen.'

Ja, juichte hij. *Mijn lichaam zal God aanschouwen.*

IV

Naguib Hoessein was op de terugweg naar het politiebureau van Mallawi om zijn rapport te schrijven, maar besloot dat hij net zo goed even om kon rijden via Amarna om de mensen daar te vragen of ze iets over een vermist meisje gehoord hadden, al was het alleen maar vanwege de kans om zich voor te stellen.

Een agent van de toeristenpolitie speelde met zijn motor: snel optrekken en keihard remmen, zodat zijn achterwiel enorme fonteinen stof en zand opwierp – vermaak voor zijn commandant en twee maten die op houten bankjes onder een provisorisch zonnescherm chai zaten te drinken. Naguib zette zich mentaal schrap. De betrekkingen tussen de verschillende diensten waren stroef hier – elke dienst keek neer op de andere. Hij wachtte tot de commandant hem opmerkte, maar de man negeerde hem. Naguibs wangen werden heet. Met een kwaad gezicht ging hij voor hem staan, zodat de man hem wel móést zien. Toch stond hij niet op. 'Ja?' zei hij.

Naguib knikte naar de halvemaan van heuvels in het oosten. 'Ik kom net uit de woestijn,' zei hij.

'Als ze je ervoor betalen…'

'Een van de gidsen maakte gisteren een toer met een paar toeristen. Ze vonden een meisje.'

'Een meisje?' vroeg de commandant fronsend. 'Hoe bedoel je?'

'Ik bedoel dat ze haar lijk vonden. In zeildoek gewikkeld.'

De commandant zette zijn glas neer en stond op – een lange man, piekfijn verzorgd, zorgvuldig geknipt, gemanicuurde nagels, een zijden snorretje, knap in zijn uniform. 'Daar heb ik niets van gehoord,' zei hij, plotseling ernstig. Hij stak zijn hand uit. 'Kapitein Chaled Osman, tot uw dienst.'

'Inspecteur Naguib Hoessein.'

'Bent u nieuw hier, inspecteur? Ik herinner me niet u eerder gezien te hebben.'

'Zes weken,' gaf Naguib toe. 'Voor die tijd was ik in Minya.'

'U moet iets behoorlijk ergs gedaan hebben om hier naartoe overgeplaatst te worden.'

Naguib gromde wrang. Hij had een onderzoek ingesteld naar militaire uitrusting op de zwarte markt, was doorgegaan toen het spoor naar de top leidde, zelfs toen men hem waarschuwde op te houden. Hij haatte de cultuur van corruptie in Egypte. 'Zij noemden het een promotie,' zei hij.

'Inderdaad,' zei Chaled. 'Precies wat ze tegen mij zeiden.' Hij keek om zich heen. 'Wilt u een glas chai met ons drinken?'

Naguib schudde zijn hoofd. 'Ik moet terug naar het bureau. Ik wilde alleen maar even vragen of u iets gehoord had.'

Chaled schudde zijn hoofd. 'Het spijt me. Ik zal informeren als u wilt. Mijn oren openhouden.'

'Dank u,' zei Naguib. 'Dat zou ik erg op prijs stellen.' Hij was opgewekter gestemd toen hij terugliep naar zijn Lada. Zijn vrouw zei altijd dat een druppeltje hoffelijkheid een wereld van problemen kon oplossen. Ze wist waarover ze het had, zijn vrouw.

3

Gaille opende het portier van de Discovery en kroop achter het stuur. Hijgend bleef ze even zitten, zichzelf bestuderend in het achteruitkijkspiegeltje. Haar gebruinde huid, hoofddoek en plaatselijke dracht maakten haar anoniem als ze dat wilde. Ze kon wegrijden zonder dat iemand iets wist. Alleen was dat niet waar. Ze wist het zelf.

Ze pakte haar camera uit het handschoenenkastje, stapte uit en liep haastig terug door de stationshal, waar de politiemannen zich nog steeds schuilhielden. Haar hart bonkte, rillingen trokken over haar huid. Stafford en zijn metgezellen werden nog steeds omsingeld op het perron, vechtend met twee jongens om hun bagage. Ze klom op een bank, zwaaiend met haar camera alsof het een wapen was. 'CNN!' riep ze met luide stem. 'Al Jazeera!' Alle ogen waren meteen op haar gericht – een golf van vijandigheid, die snel overging in angst. Mensen verborgen instinctief hun gezicht, bang om gefilmd te worden. Ze richtte de camera op de mannen van de Centrale Veiligheidstroepen. De officier keek haar kwaad aan en snauwde bevelen. Zijn mannen haastten zich naar het perron en gebruikten hun gummiknuppels om een nauwe doorgang te maken waardoor Stafford, het roodharige meisje en Gaille zich een haastig heenkomen zochten naar de Discovery.

'Waar wacht je nog op?' schreeuwde Stafford, het portier met een klap achter zich dichttrekkend. 'Zorg dat we hier wegkomen.'

'En je kruier dan?'

'Die kan doodvallen,' snauwde Stafford. 'Zorg eerst dat we hier wegkomen, oké?'

'Maar…'

'Hij hoort immers bij hen. Die redt zich wel.'

De mannen van de CV gebaarden dat ze weg moesten rijden, alsof ze niet veel langer voor hun veiligheid konden instaan. Gaille trok met een ruk op. Het verkeer in haar richting zat totaal vast, dus ze sloeg gedwongen linksaf. De straten werden snel smaller en leidden naar een bazaar, zodat ze stapvoets moest rijden, zigzaggend tussen de geïrriteerde winkelende mensen door. Door al het keren en wenden was ze binnen de kortste keren alle gevoel voor richting kwijt, en ze bukte zich en speurde door de voorruit op zoek naar iets om zich op te oriënteren.

II

Kapitein Chaled Osman bleef resoluut glimlachen terwijl hij de inspecteur nawuifde, maar zijn gezicht verstrakte toen hij zich weer tot zijn mannen wendde. 'Tijd voor een patrouille, geloof ik,' zei hij. 'Faisal. Nasser. Abdoellah. Kom mee, alsjeblieft.'

Chaled zat stokstijf naast Nasser, die reed, terwijl Abdoellah en Faisal beduusd op de achterbank zaten. Afgezien van het razen van de motor heerste er stilte. De stilte van woede. Van angst. Ze kwamen bij de noordelijke graven. Chaled stapte uit, gevolgd door zijn mannen. Ze stonden in een slordig rijtje, slap als zakken rijst. Hij probeerde al vanaf het moment dat hij uit het leger was ontslagen en naar de toeristenpolitie was overgeplaatst zijn mannen enige trots op hun uniform bij te brengen, maar het was verspilde moeite. Ze waren geen knip voor de neus waard. Het enige wat ze interesseerde was de toeristen baksjisj uit de zak kloppen. Hij liep voor hen heen en weer. Ze lieten beschaamd hun hoofd hangen als nutteloze onbenullen. 'Ik geef je één karwei!' beet hij hun toe. 'Eén karwei godverdomme! En zelfs dat weten jullie te verprutsen!'

'Maar we hebben precies gedaan wat u…'

Chaled gaf Faisal zo'n harde klap in zijn gezicht dat het geluid weerkaatste tegen de rotswanden achter hen. 'Hoe kan dat?' schreeuwde hij, Faisals gezicht besproeiend met speeksel. 'Ze hebben haar immers gevonden, niet dan?'

Een flauw glimlachje speelde om Abdoellahs lippen – kennelijk opgelucht dat Faisal de volle laag kreeg. Chaled pakte hem bij de keel en kneep zo hard dat Abdoellah rood aanliep en naar adem hapte. 'Als dit verkeerd gaat…' zwoer Chaled. 'Als dit verkeerd gaat…'

'We wilden hier helemaal niks mee te maken hebben, kapitein,' wierp Faisal tegen. 'Het was allemaal uw idee. Luister!'

'Hou je bek!' snauwde Chaled. Hij liet Abdoellah los, en de man begon hijgend zijn keel te masseren. 'Willen jullie je hele leven arm blijven? Is dat wat je wilt? Dit is onze kans om rijk te worden.'

'Rijk!' sneerde Faisal.

'Jazeker, rijk.'

'Er is daar helemaal niks, kapitein! Hebt u dat nog steeds niet door?'

'Je hebt het mis,' zei Chaled beslist. 'Er is wel iets. Ik rúík het. Nog een week en het is van ons.' Hij stak een waarschuwende vinger op. 'Maar geen fouten meer. Begrepen? Geen fouten meer!'

III

Knox reed in westelijke richting over de nieuwe Woestijnweg. Een palet van buitengewone kleuren spreidde zich voor hem uit: de glinsterend witte ijsbergen van de zoutwinnerijen rechts van hem, de chemisch aandoende, bijna paarse weerschijn van het meer van Mariut links, de wolkenflarden in de donkerende hemel als in een schilderij van Jackson Pollock.

'De Therapeutae?' antwoordde Omar fronsend. 'Waren dat geen vroege christenen?'

Knox schudde zijn hoofd. 'Ze hadden een christelijke levenshouding en christelijke gebruiken en een paar vroege kerkvaders rekenden hen ook onder de christenen, en het is zelfs mogelijk dat ze uiteindelijk christenen wérden... Maar ze kunnen niet als christenen begónnen zijn, al was het alleen maar omdat ze in en om Alexandrië woonden voordat Christus begon te prediken. Nee, het waren wel degelijk joden. Philo bewonderde ze immers zozeer dat hij zich bijna bekeerde, en Philo was honderd procent zeker joods. Sterker nog, hij impliceerde dat er een zeer sterke band tussen de joden en de Essenen bestond. De Therapeutae vertegenwoordigden zijn ideaal van een contemplatief leven, de Essenen dat van een actief leven. Maar afgezien daarvan waren hun geloofspunten en gebruiken amper van elkaar te onderscheiden.'

'In welke opzichten?'

'Ze waren allebei uiterst ascetisch ingesteld,' zei Knox, aan het harsachtige roofje van een muskietenbeet op zijn onderarm krabbend. 'Nu is het normaal, maar vóór de Essenen zagen weinig mensen deugd in de armoe. Wie ingewijd wilde worden in hun sekte moest het grootste deel van zijn wereldse bezittingen afstaan, en dat gold ook voor de nieuwe Therapeutae. Ze waren allebei tegen de slavernij en beschouwden het als een eer om andere mensen te dienen. Oude mensen stonden bij allebei in hoog aanzien. Ze waren allebei vegetariër en verwierpen dierenoffers, mogelijk omdat ze allebei in reïncarnatie geloofden. Ze gingen allebei gekleed in wit linnen. Ze stonden allebei bekend om hun medische bekwaamheden. Er zijn mensen die zeggen dat de woorden Esseen en Therapeutae in feite afgeleid zijn van het Aramees en Grieks voor genezers, hoewel het waarschijnlijker is dat ze allebei "Dienaren van God" betekenen.' Hij draaide de lage weg op die door het meer liep en waar een paar vissers hun tijd op de rotsachtige berm verluierden. 'Reinigingsrituelen waren voor allebei enorm belangrijk. Ze waren allebei grotendeels of helemaal celibatair en hielden hun aantal niet op peil door voortplanting maar door het werven van nieuwe leden. Ze hadden allebei antifonale gezangen. Sommige van de bij Qumran gevonden Pascha-hymnes zijn misschien zelfs door de Therapeutae gecomponeerd. Ze gebruikten allebei een zonnekalender en niet de gebruikelijke joodse maankalender. En ze hadden allebei een ritueel jaar van driehonderdvierenzestig dagen, hoewel ze wisten hoeveel dagen een jaar werkelijk had.'

Ze bereikten aan de zuidkant van het meer, een dor landschap van bedoeïnenboerderijen, gigantische industriële complexen, dure, met groen omgeven villa's en grote stukken rotsachtige wildernis waarvoor nog niemand een nuttige bestemming gevonden had. Knox reed de berm in om op de kaart te kijken. Een grijze reiger in het riet keek hem nieuwsgierig aan. Knox knipoogde tegen hem en de vogel wiekte traag weg.

'De Essenen en de Therapeutae,' hielp Omar hem op weg.

'Inderdaad,' knikte Knox, verder rijdend. Hij koerste naar het westen met de kaart op zijn schoot, zo dicht bij het meer blijvend als de wegen toestonden. 'Ze waren allebei zeer geïnteresseerd in de verborgen betekenissen van de heilige schrift. Ze hadden allebei geheimen die ze niet aan buitenstaanders mochten onthullen, bijvoorbeeld de namen van engelen. Meetkunde, getalssymboliek, anagrammen en woordenspel hadden een bijzondere betekenis voor ze, evenals jubilea. De Therapeutae vastten om de zeven dagen, en om de vijftig dagen hadden ze een nog belangrijkere vastendag. Vijftig was namelijk een zeer bijzonder getal omdat het de som was van drie tot de tweede plus vier tot de tweede plus vijf tot de tweede. En drie, vier en vijf zijn de zijden van de rechthoekige driehoek, die ze als de bouwsteen van het universum beschouwden.'

'Rechte driehoeken? Is dat niet meer Grieks dan joods?'

'Jazeker,' beaamde Knox, een smal pad indraaiend met rechts lage akkers en links een vlakte van kalksteen. 'Ze hadden verbazend veel gemeen met de volgelingen van Pythagoras. Eten, kalender, rituelen, geloofsovertuigingen. Alles wat ik net noemde. En ook duidelijke sporen van zonneverering. De antieke bewoners van Alexandrië beweerden zelfs dat Pythagoras al zijn kennis van Mozes had, dat zijn godsdienst in wezen Egyptisch was. Hij heeft hier tenslotte twintig jaar gewoond, dus wie weet had hij het allemaal van dezelfde plaats vandaan als de Therapeutae.'

Links van de weg liep een irrigatiekanaal met grazende geiten op de oevers. Het hele gebied was een netwerk van kanalen die zoet water uit de Nijl aanvoerden. Knox had berekend dat de opgraving ergens aan de overkant moest zijn. Hij reed door tot hij een lemen brug zag die bewaakt werd door twee geüniformeerde mannen die triktrak speelden op een houten vouwtafeltje. Hij draaide links de brug op en stopte naast de mannen. 'Is dit de opgraving van het Texaans Genootschap?' vroeg hij.

'Wat wilt u?' vroeg de oudste bewaker.

'De leidinggevende archeoloog spreken.'

'Bedoelt u meneer Griffin?'

'Als dat zijn naam is.'

'Hebt u een afspraak?'

'Dit is meneer Tawfiq,' zei Knox, met een knikje naar Omar. 'Hij is het hoofd van de Opperste Raad in Alexandrië en wil de leidinggevende archeoloog spreken. Ik stel voor dat u hem laat weten dat we er zijn.'

De bewaker bleef Knox aankijken, maar toen Knox weigerde zijn ogen neer te slaan, stond hij op, draaide zich om en begon in zijn walkietalkie te mompelen. 'Goed,' zei hij nors toen hij uitgepraat was. 'Volg dit pad tot het eind en wacht bij de hut. Meneer Griffin zal naar u toe komen.'

'En?' vroeg Omar. 'Weten we waar die Therapeutae van jou woonden?'

'Niet precies,' gaf Knox toe. 'Maar Philo heeft ons wel een paar aanwijzingen gegeven. Hij zei bijvoorbeeld dat hun nederzetting op een wat hoger gelegen vlakte lag, binnen het bereik van de zeewinden. En dat ze dicht genoeg bij elkaar woonden om elkaar tegen aanvallen te beschermen, maar ver genoeg van elkaar om alleen met hun gedachten te zijn. En o ja, hij zei nog iets.'

'Wat dan?'

Ze kwamen aan het eind van een korte helling en zagen een houten hut met een aanbouw van zeildoek. Ernaast stonden twee gehavende pick-ups en een fourwheeldrive geparkeerd. In de verte zagen ze de uitgestrekte blauwe glinstering van het grote meer van Alexandrië. Met een flauw glimlachje wendde Knox zich weer tot Omar. 'Dat hun nederzetting aan de zuidelijke oever van het meer Mariut lag,' zei hij.

4

Lily Auster keek somber uit het raampje van de Discovery terwijl Gaille langzaam door de smalle, kronkelende straatjes van de bazaar van Assiut reed. Ze was nog maar twee dagen bezig met haar eerste echte overzeese opdracht en nu al ging het mis. Ze balde haar vuisten tot haar nagels bleke halvemaantjes in haar handpalm maakten. *Beheers je, meid*, hield ze zich voor. *Gewoon een tegenslag.* Het was haar taak tegenslagen te overwinnen en door te gaan. Als ze met dit soort dingen geen raad wist, kon ze beter ander werk zoeken. Ze forceerde een glimlach – eerst om haar lippen, daarna in haar ogen – en boog zich over de voorbank door naar voren. 'Dus u bent Gaille Bonnard, ja?' vroeg ze met alle opgewektheid die ze kon opbrengen.

'Inderdaad,' beaamde Gaille.

'Ik heb Fatima vanuit de trein gebeld,' knikte Lily. 'Ze zei dat je ons zou komen afhalen. Hartstikke bedankt voor je hulp daar. Ik was bang dat we het gehad hadden.'

'Laat maar,' zei Gaille.

'Ik ben Lily, tussen haakjes. Lily Auster. En je herkent onze ster Charles Stafford natuurlijk.'

'Natuurlijk,' beaamde Gaille. 'Aangenaam.'

'Verdomde maniakken!' mompelde Stafford. 'Wat mankeerde die lui?'

'De spanning is hier erg hoog opgelopen. Er zijn twee jonge meisjes verkracht en vermoord. Allebei kopten. Dat wil zeggen, Egyptische christenen.'

'Ik weet wat een kopt is, dank je,' zei Stafford.

'Arme meisjes,' zei Lily, in de achteruitkijkspiegel kijkend. Haar ogen gingen instinctief naar haar wang. De laserbehandeling had precies gedaan wat de brochure beloofde en haar opvallende wijnrode moedervlek veranderd in een roodbruine gloed die je amper zag. Maar ze had een onaangename waarheid over misvorming geleerd: als je er lang genoeg mee leefde, werd die onderdeel van wat je was, van je persoonlijkheid. Ze vond zichzelf nog steeds lelijk, ondanks wat de spiegel haar probeerde te vertellen. 'Maar waarom is het van belang dat het kopten waren?'

'De laatste keer dat er zoiets gebeurde – een moord – arresteerde de politie meteen honderden andere kopten, wat een hoop wrijving met het Westen veroorzaakte. Men ging er namelijk van uit dat het godsdienstige discriminatie was. Moslim tegen christen, hoewel dat niet echt het geval was. Zo gaat de politie hier altijd te werk. Ze pakken alle mensen in de buurt op en tuigen ze af tot iemand begint te praten. Maar deze keer hebben ze geen razzia onder de kopten gehouden, maar het voorval als excuus gebruikt om alle plaatselijke islamitische heethoofden te arresteren en die een pak slaag te geven. En hun vrienden en familie schuiven de schuld op mensen als wij. Vanmiddag gaan ze een grote protestmars door de stad houden.'

'Prachtig,' zei Stafford, al niet meer geïnteresseerd. Hij wendde zich tot Lily. 'Welke bagage zijn we kwijt?'

'Alleen maar kleren, geloof ik,' zei Lily. 'Onze apparatuur heb ik gered.'

'Míjn kleren zeker.'

'De mijne ook.'

'En wat moet ik verdomme aantrekken voor de camera?'

'We vinden wel iets. Maak je maar niet ongerust.' Glimlachen viel haar de laatste paar dagen steeds moeilijker. Dat kreeg je als je voor Stafford werkte, vooral als je collega's er de brui aan gaven, zoals de hare. Gisteravond had hij haar onder het eten doorgezaagd over zijn recente uitstapje naar Delphi. *Gnothi Seauton*, had het orakel geadviseerd. *Ken uzelf*. Stafford, onderuitgezakt in zijn stoel, beweerde dat dit zijn recept was voor een bevredigend leven. Tegen wil en dank proestte ze het uit, een nevel van witte wijndruppels over het tafelkleed sproeiend. Ze had nog nooit iemand met zo weinig zelfkennis ontmoet, maar toch had hij absurd goed geboerd, was professioneel geslaagd en gelukkig. O, om een narcist te zijn met een onwrikbaar geloof in je eigen schoonheid en voortreffelijkheid. En er nog om bewonderd te worden ook! Want dat deden de mensen. Het waren zulke dwazen, ze namen anderen zoals die zichzelf zagen. Ze wendde zich weer tot Gaille. 'Fatima zei dat je morgen mee zou gaan. Dat is erg aardig van je.'

'Morgen?' vroeg Gaille fronsend. 'Hoezo?'

'Heeft ze het daar niet over gehad?'

'Nee,' zei Gaille. 'Waarom? Wat gaat er gebeuren?'

'We gaan opnamen maken in Amarna. Onze gids is ervandoor gegaan.'

'Blij toe,' mompelde Stafford. 'Zijn houding beviel me niks.'

'Daarom moesten we met de trein,' zei Lily. 'Je professor zei dat ze mee zou gaan, maar nu is ze kennelijk verhinderd, dus we zitten echt omhoog. Niet alleen omdat we een deskundige nodig hebben voor commentaar bij de beelden, hoewel dat fantastisch zou zijn. Maar we spreken geen van beiden Arabisch. Ik bedoel, onze papieren zijn in orde en zo, maar ik heb er geen idee van hoe de dingen hier gedáán worden. Je weet immers dat elk land zijn eigen gewoonten heeft.'

'Als we terug zijn zal ik met Fatima praten,' zuchtte Gaille. 'Ik weet zeker dat er wel een mouw aan te passen zal zijn.'

'Dank je,' zei Lily, een kneepje in Gailles schouder gevend. 'Dat is fantastisch.' Een steekje van schaamte dat snel onderdrukt werd. Dat was een van de verborgen straffen van lelijk zijn – dat niemand je ooit vrijwillig hulp aanbood. Dat je andere manieren moest zien te vinden om te krijgen wat je nodig had: vleierij, marchanderen, omkoperij, jezelf aan iemands genade overleveren.

Ze kwamen tot stilstand. Lily keek door de voorruit. De weg werd afgesloten door metalen dranghekken en rijen politieagenten in zwart uniform. Achter hen trok de protestmars voorbij – vurige jongemannen in lange gewaden, de volmaakte ovale gezichten van de vrouwen in hun hoofddoek, andere vrijwel geheel bedekt door hun nikab. Een zoet steekje verlangen onder in Lily's maag. Als meisje was ze zo jaloers op islamitische vrouwen geweest die zich achter het heiligdom van de boerka konden verschuilen. 'Neem me niet kwalijk dat ik het vraag,' mompelde ze, 'maar weet je zeker dat dit de juiste weg is?'

II

Knox en Omar leunden tegen de jeep terwijl ze op Griffin wachtten. 'Volgens Maha waren dit kogelgaten van die toestand met Alexander,' zei Omar, over de gerepareerde carrosserie strijkend. 'Maar dat is niet zo, wel?'

'Ik ben bang van wel.'

Omar lachte. 'Jij weet wel te leven, Daniel.'

'Nog maar net.' Hij bukte zich om de grond te onderzoeken. De opgraving lag op een zacht glooiend kalkstenen heuveltje vrijwel zonder teelaarde – waardeloos als akker en onaangeroerd door industrialisatie of nieuwbouw. Als hier in antieke tijden mensen gewoond hadden, was er een goede kans dat hun sporen nog te vinden zouden zijn. Hij keek op toen hij voetstappen hoorde. Twee mannen van middelbare leeftijd kwamen achter de hut vandaan. Hun kleren en haar waren grijs van stof en spinrag. 'Meneer Tawfiq,' zei de eerste, zijn rechterhand uitstekend en een donkere halvemaan van zweet onder zijn oksel onthullend. 'Ik heb begrepen dat u het nieuwe hoofd bent van de ORA in Alexandrië. Gefeliciteerd.'

'O,' zei Omar. 'Ik ben alleen maar tijdelijk hoofd hoor.'

'Uiteraard heb ik uw voorganger ook ontmoet. Een vreselijke tragedie om zo'n goede man zo jong te moeten verliezen.'

'Inderdaad,' beaamde Omar. Hij keek naar Knox. 'En dit is mijn vriend, meneer Daniel Knox.'

'Daniel Knox?' vroeg de man. 'Bekend van Alexanders graf?'

'Inderdaad,' gaf Knox toe.

'We zijn vereerd,' zei hij, Knox een hand gevend. 'Ik ben Mortimer Griffin, leidinggevend archeoloog bij deze opgraving.' Hij wendde zich naar zijn metgezel. 'En dit is dominee Earnest Peterson.'

'Een opgraving met zijn eigen aalmoezenier?' vroeg Knox.

'Dit is meer in het kader van de opleiding,' legde Griffin uit. 'De meesten van onze mensen zijn namelijk erg jong, ziet u. Voor het eerst van huis in veel gevallen. Hun ouders voelen zich geruster als ze een zedelijk leidsman hebben.'

'Natuurlijk,' zei Knox. Hij stak zijn hand uit, maar Peterson bleef met zijn armen voor zijn borst geslagen staan en keek hem met een granieten glimlach aan.

'En wat kunnen we voor u doen, heren?' vroeg Griffin, die net deed alsof er niets gebeurd was. 'Helemaal hier naartoe zonder afspraak. Het moet belangrijk zijn.'

'Inderdaad,' beaamde Knox. 'Dat begin ik intussen zelf ook te denken.'

III

Stafford slaakte een luide zucht toen Gaille voor de dranghekken stopte. 'Vertel me niet dat we verdwaald zijn!'

'Ik moest zo snel mogelijk van het station zien weg te komen,' zei Gaille afwerend. Ze boog zich naar voren. De late middagzon glinsterde als hoofdpijn op haar stoffige voorruit. Ze had er geen idee van wanneer de protestmars voorbij zou zijn en de dranghekken verwijderd zouden worden. Niets aan te doen: onhandig keerde ze in het smalle straatje, reed terug door de bazaar en kwam weer op het plein voor het treinstation, dat nog steeds vol verkeer en treinreizigers was, zodat ze opnieuw bijna stapvoets moest rijden om door de drukte heen te komen.

Twee mannen lachten terwijl ze kissebisten over een strooien hoed. 'Die is van mij,' zei Stafford kwaad. Hij draaide zijn raampje omlaag en griste naar zijn hoed. Onder het slaken van opgewekte beledigingen sprongen de twee mannen weg, zodat ieders aandacht naar de Discovery getrokken werd. Mensen liepen voor de auto langs, zodat Gaille zich gedwongen zag te stoppen. 'Wat doe je?' protesteerde Stafford, zijn raampje weer omhoog draaiend.

'Ik dacht dat je je hoed terug wilde.'

'Zorg dat we hier wegkomen.'

Gaille drukte met haar volle hand op de claxon en liet de motor loeien tot de menigte onwillig ruimte maakte en haar de kans gaf zich door een gaatje te persen en weg te rijden. Maar de verkeerslichten verderop sprongen op rood en een driewielig bestelwagentje belette haar te ontsnappen. Gaille keek over haar schouder. Een lange jongeman kwam zwierig op hen af, waarschijnlijk alleen maar om indruk op zijn vrienden te maken. Maar de seconden tikten voorbij en het verkeerslicht sprong niet op groen en hij kwam steeds dichterbij, zodat Gaille wist dat hij iets moest doen om geen figuur te slaan. Ze vergewiste zich ervan dat alle portieren op slot zaten en keek opnieuw om. De man bukte zich, raapte een steen ter grootte van een ei van de rand van het trottoir en gooide hem zo hard als hij kon naar de auto. De steen kletterde tegen het dak en stuiterde op de grond. Andere mensen kwamen dichterbij. Een kluit aarde spatte uiteen tegen hun achterraam, een vieze bruine vlek achterlatend. Eindelijk sprong het licht op groen. De driewieler deed zijn best om weg te komen. Plotseling waren ze omsingeld en bonkten er mensen op de ramen. Een man stak zijn hand onder zijn gewaad, maar op dat moment klonk er een explosie als van een voetzoeker. Gaille liet van schrik haar stuur los. Een pluimpje rook kringelde verontschuldigend uit de uitlaat van de driewieler toen hij eindelijk in beweging kwam. Geërgerd gaf ze plankgas en scheurde weg.

5

'En,' zei Griffin, 'wilt u ons niet vertellen waarom u hier bent?'

'Ik heb vanmorgen in Alexandrië een artefact aangeboden gekregen,' antwoordde Knox, 'waarvan de verkoper zei dat het afkomstig was van een opgraving ten zuiden van Mariut.'

'U moet niet alles geloven wat die mensen zeggen. Zolang ze maar verkopen.'

'Inderdaad,' gaf Knox hem gelijk.

Griffins ogen vernauwden zich. 'Wat voor artefact precies?'

'Het deksel van een voorraadkruik.'

'Het deksel van een voorraadkruik. Bent u helemaal hierheen gekomen voor het deksel van een voorraadkruik?'

'We zijn helemaal hierheen gekomen omdat we vinden dat diefstal van antiquiteiten een ernstige zaak is,' zei Omar.

'Ja, natuurlijk,' knikte Griffin, op zijn nummer gezet. 'Maar u moet beseffen dat hier vroeger heel veel aardewerk geproduceerd werd. Hier werden namelijk kruiken gemaakt om graan en wijn over het hele Middellandse Zeegebied te exporteren. Goeie wijn ook. Strabo beval hem van harte aan, evenals Horatius en Virgilius. Ze hebben er voor de kust van Marseilles zelfs een paar amforen van gevonden. Kunt u zich dat voorstellen? Langs de oude meeroever hier vind je hopen oude aardewerken scherven. Iedereen kan dat deksel van u daar opgeraapt hebben. Het hoeft niet per se uit een opgraving afkomstig te zijn.'

'Dit deksel was niet gebroken,' zei Knox. 'Bovendien was het… ongewóón.'

'Ongewoon?' zei Griffin, een hand voor zijn ogen houdend tegen de zon. 'Op welke manier?'

'Wat ís dit eigenlijk precies voor een opgraving?' vroeg Omar.

'Een oude boerderij. Van weinig belang, geloof dat maar rustig.'

'Echt waar?' vroeg Knox fronsend. 'Waarom graven jullie hier dan?'

'Dit is in de eerste plaats een opgraving ter opleiding om onze studenten het leven tijdens een echte opgraving te laten ervaren.'

'Wat werd hier verbouwd?'

'Van alles. Graan. Druiven. Bonen. Meekrap. Papyrus. U weet wel.'

'Op kalkrotsen?'

'Daar woonden ze. Hun akkers lagen overal om hen heen.'

'En de mensen?'

Griffin krabde onder zijn boord. Hij voelde zich in het nauw gedreven. 'Zoals ik al zei. Dit was een oude boerderij. Het waren oude boeren.'

'Welke tijd?'

Griffin keek naar Peterson, maar die kwam hem niet te hulp. 'We hebben artefacten gevonden vanaf de Negentiende Dynastie. Maar voornamelijk Grieks-Romeins. Niets later dan de vijfde eeuw na Christus. Een paar munten uit 413 of 414, zoiets. Er schijnt rond die tijd brand geweest te zijn. Goed voor ons.'

Knox knikte. Een goede brand bedekte een gebied met een verkoold laagje dat het beschermde tegen de ergste erosie van de tijd en het weer. 'De christelijke oproeren?' opperde hij.

'Waarom zouden christenen een boerderij afbranden?'

'Goeie vraag,' zei Knox.

'Misschien kunt u ons een rondleiding geven,' stelde Omar voor in de stilte die hierop volgde. 'Om ons te laten zien wat u gevonden hebt.'

'Natuurlijk. Natuurlijk. Wanneer u maar wilt. U hoeft alleen maar een afspraak te maken met Claire.'

'Claire?'

'Onze administratrice. Die spreekt namelijk Arabisch.'

'Dat is mooi,' zei Omar, 'want zelf spreek ik amper een woord Engels.'

Griffin had de beleefdheid om te blozen. 'Neem me niet kwalijk, zo bedoelde ik het niet. Alleen maar voor het geval u een van uw mensen zou vragen de afspraak te maken.'

'Kunnen we haar nu meteen spreken?'

'Ik vrees dat ze er niet is. En dit seizoen zal het niet makkelijk zijn. Een hoop werk. Zo veel te doen. Zo weinig tijd.' Hij maakte een vaag handgebaar naar de woestijn achter hem, alsof ze het zelf konden zien. Maar ze zagen uiteraard niets.

'We zullen u niet in de weg lopen,' zei Knox.

'Ik geloof dat ik dat het best zelf kan beoordelen, denkt u niet?'

'Nee,' zei Omar kortaf. 'Ik geloof dat ík dat het best kan beoordelen.'

'Wij ressorteren rechtstreeks onder Caïro, niet onder u,' zei Peterson, voor het eerst een duit in het zakje doend. 'Het is me niet helemaal duidelijk wat uw rechtsgebied is.'

'Hebt u hier een vertegenwoordiger van de ORA?' vroeg Omar.

'Natuurlijk,' knikte Griffin. 'Abdel Lateef.'

'Kan ik hem spreken?'

'Ah. Die is vandaag in Caïro.'

'Morgen dan?'

'Ik weet niet precies wanneer hij terugkomt.'

Knox en Omar keken elkaar aan. De vertegenwoordiger van de ORA werd geacht altijd aanwezig te zijn. 'U hebt een Egyptische werkploeg, neem ik aan. Kan ik de ploegbaas spreken?'

'Uiteraard,' zei Peterson. 'Als u ons uw machtiging laat zien.' Hij wachtte of Omar die tevoorschijn haalde en schudde met gespeelde teleurstelling zijn hoofd. 'Nee? Goed, dan kunt u terugkomen zodra u die hebt.'

'Maar ik ben het hoofd van de Opperste Raad in Alexandrië,' zei Omar protesterend.

'Tijdelijk hoofd,' riposteerde Peterson. 'Rij voorzichtig.' Waarna hij zich omdraaide en met grote stappen wegliep, Griffin dwingend achter hem aan te draven.

II

Een paar kilometer ten noorden van Assiut werd Gaille aangehouden door een controlepost en kreeg twee politiewagens toegewezen om haar te escorteren op haar rit naar het noorden. Zo ging dat hier. Alleen in de auto met haar hoofddoek op was ze in feite onzichtbaar, maar met zulke opvallende westerlingen als Stafford en Lily aan boord maakte ze weinig kans een escorte vermijden. Gaille had er een hekel aan om in zo'n konvooi te rijden – de politie hier zigzagde met halsbrekende snelheid door het verkeer, wat haar dwong angstaanjagend hard te rijden om ze bij te houden. Maar ze bereikten de grens van hun rechtsgebied zonder brokken gemaakt te hebben, en de twee politiewagens verdwenen even snel als ze gekomen waren.

'Hoe ziet jullie programma eruit?' vroeg Gaille, opgelucht vaart minderend.

'Ik heb een overzicht bij me van dit onderdeel, als je het wilt zien,' zei Lily vanaf de achterbank. Ze maakte haar tas open.

'Dat is vertrouwelijke informatie,' beet Stafford haar toe.

'We vragen Gaille om ons te helpen,' zei Lily. 'Hoe kan ze dat doen als ze niet weet wat we gaan doen?'

'Goed dan,' zuchtte Stafford. Hij pakte het overzicht uit Lily's hand en las het snel door als om zich ervan te vergewissen dat het geen staatsgeheimen bevatte. Daarna legde hij het op zijn knie en schraapte zijn keel. 'In 1714,' begon hij met sonore stem, alsof hij commentaar bij een film gaf, 'vond Claude Sicard, een Franse jezuïet en geleerde, een in de rotsen gehouwen inscriptie op een verlaten plek in de buurt van de Nijl in het hart van Egypte. Het bleek een grensaanduiding te zijn voor een van de opmerkelijkste steden van de antieke wereld, de hoofdstad van een voordien onbekende farao, een farao die een impuls gegeven had aan de geboorte van een nieuwe wijsbegeerte, een nieuwe kunststijl en… vooral… tot stoutmoedige nieuwe ideeën over het wezen van God die de status-quo verbrijzelden en de geschiedenis van de wereld onherroepelijk veranderden.'

In tegenstelling tot haar herroepelijk veranderen, bedoel je? dacht Gaille, met moeite een glimlach onderdrukkend.

Stafford keek haar met vernauwde ogen aan. 'Zei je iets?'

'Nee.'

Hij perste zijn lippen op elkaar, maar besloot het te laten zitten en ging weer verder. 'Maar de nieuwe levenswijze bleek te veel te zijn voor het Egyptische establishment. Opmerkelijk genoeg zou blijken dat deze stad niet alleen verlaten was, maar doelbewust steen voor steen áfgebroken met de bedoeling elk spoor van het bestaan ervan uit te wissen. En in heel Egypte werd elke vermelding van deze man en zijn heerschappij zorgvuldig uitgevlakt, zodat de wateren van de tijd zich boven zijn hoofd sloten zonder een spoor van hem achter te laten. Wie was hij, deze ketterse farao? Welke monsterachtige misdaad had hij begaan dat hij uit de geschiedenis weggevaagd moest worden?' In zijn nieuwste baanbrekende boek en begeleidende documentaire onderzoekt de iconoclastische historicus Charles Stafford de verbazingwekkende reeks mysteries van het Amarna-tijdperk en poneert hij een revolutionaire nieuwe theorie die niet alleen korte metten maakt met onze ideeën over Echnaton maar ook de geschiedenis van het antieke Midden-Oosten zal herschrijven.' Hij vouwde het papier weer op, stak het in de binnenzak van zijn colbert en keek zelfingenomen voor zich uit.

Een ezel stond midden op de weg. Zijn voorpoten waren gekluisterd, zodat hij zich alleen met zwakke huppelsprongetjes kon voortbewegen. Gaille trapte op de rem en ging stapvoets rijden om hem de tijd te geven de berm in te huppen, maar de ezel verroerde zich niet. Bang en verbijsterd bleef hij staan, zodat ze de andere rijbaan moest nemen om er voorbij te komen, wat haar op boos getoeter van de tegenliggers kwam te staan. 'Gaat je programma dat echt allemaal behandelen?' vroeg ze, bezorgd in haar spiegeltje kijkend tot de ezel uit het zicht verdwenen was.

'Nog meer zelfs. Nog veel meer.'

'Hoe dan?'

'Het gaat aanvoeren dat Echnaton een ziekte had,' vertelde Lily haar vanaf de achterbank.

'O,' zei Gaille teleurgesteld, terwijl ze van de hoofdweg langs de Nijl afsloeg en een smal landweggetje in draaide. De groteske afbeeldingen van Echnaton en zijn gezin waren een van de controversieelste aspecten van het Amarna-tijdperk. Hij werd vaak afgebeeld met een gezwollen hoofd, uitstekende kaak, scheve ogen, vlezige lippen, smalle schouders, brede heupen, duidelijk zichtbare borsten, een dikke buik, dikke dijen en spichtige kuiten. Niet bepaald het heroïsche beeld van mannelijkheid dat de meeste farao's nagestreefd hadden. Zijn dochters werden doorgaans eveneens afgebeeld met amandelvormige schedels, verlengde ledematen, lange, dunne vingers en tenen. Sommige geleerden geloofden dat dit gewoon de artistieke stijl van die tijd was, maar andere mensen, bijvoorbeeld Stafford, beweerden dat het de gevolgen waren van een kwaadaardige ziekte. 'Waar hou je het op?' vroeg ze. 'Het syndroom van Marfan? Van Frohlich?'

'Frohlich kan niet,' snoof Stafford. 'Dat veroorzaakt steriliteit. En Echnaton had zes dochters, voor het geval je dat niet wist.'

'Jawel,' zei Gaille, die als teenager twee seizoenen op haar vaders uitgraving in Amarna gewerkt had en aan de Sorbonne drie jaar lang de Achttiende Dynastie bestudeerd had. 'Dat wist ik wel.' Alleen, hoeveel inscripties kon je lezen waarin zo nadrukkelijk van een kind beweerd wordt dat het *van zijn lendenen, alleen de zijne, van niemand anders, alleen de zijne* is zonder je af te vragen of daar niet iets te veel op gehamerd werd.

'Voor we hierheen kwamen hebben we een specialist geraadpleegd,' zei Lily. 'Volgens hem was het syndroom van Marfan de waarschijnlijkste kandidaat. Maar hij noemde ook andere. Ehler's-Danlos. Klinefelter.'

'Het was Marfan,' beweerde Stafford stellig. 'Dat is namelijk autosoom dominant, wat wil zeggen dat als een kind het betreffende gen van één van de ouders meekrijgt, het automatisch ook het syndroom krijgt. Kijk maar naar de dochters: állemaal afgebeeld met de klassieke symptomen van Marfan. De kans dat zoiets zou gebeuren als de aandoening niet autosoom dominant was, is verwaarloosbaar.'

'Wat denk jij, Gaille?' vroeg Lily.

Gaille minderde vaart om over een dik tapijt van suikerrietvezels te rijden dat in de zon te drogen lag – brandstof voor de fornuizen van de melassefabrieken, waarvan de dikke zwarte rookpluimen ondanks de toenemende schemer nog steeds zichtbaar waren. 'Het is zeker aannemelijk,' gaf ze hem gelijk. 'Maar het is niet wat je noemt nieuw.'

'Inderdaad,' zei Stafford glimlachend. 'Maar je hebt het baanbrekende onderdeel ook nog niet gehoord.'

III

'Dit is niet best,' mompelde Griffin, terwijl hij zich met een bleek gezicht achter Peterson aan haastte. 'Dit is een ramp.'

'Hang de Here uw God aan, broeder Griffin,' zei Peterson. 'En niemand zal u kunnen weerstaan.' Het bezoek van Knox en Tawfiq had hem eerlijk gezegd opgevrolijkt, want was Daniel Knox niet ooit een protegé van die schaamteloze zondaar Richard Mitchell geweest? Wat hem zelf ook tot een zondaar maakte, een knecht van de duivel. En als de duivel zijn afgezanten op dit soort missies stuurde, kon dat alleen maar betekenen dat hij zich ongerust maakte. Wat op zijn beurt weer bewees dat Peterson dicht bij de vervulling van zijn doel was.

'Maar als ze terugkomen?' wierp Griffin tegen. 'Als ze de politie meebrengen?'

'Daar betalen we je vrienden in Caïro voor, is het niet?'

'We moeten de schacht verbergen,' zei Griffin, zijn buik vasthoudend alsof hij maagpijn had. 'En het magazijn! Goeie genade. Als ze die artefacten vinden…'

'Doe niet zo paniekerig, oké?'

'Hoe kunt u zo kalm blijven?'

'Omdat we de Heer aan onze kant hebben, broeder Griffin. Daarom.'

'Maar beseft u niet…'

'Luister,' zei Peterson. 'Doe nu maar gewoon wat ik zeg, dan komt alles in orde. Eerst moet je met de Egyptische werkploeg gaan praten. Een van hen heeft dat deksel gestolen. Eis dat zijn collega's hem aangeven.'

'Dat doen ze nooit.'

'Natuurlijk niet. Maar dat gebruik je dan als excuus om ze naar huis te sturen tot ons onderzoek gedaan is. We kunnen ze hier niet meer hebben.'

'O. Heel slim.'

'En vervolgens moet je Caïro bellen. Je vrienden op de hoogte brengen van de situatie, dat we hun hulp nodig hebben. Herinner ze eraan dat als hier een onderzoek naar komt we misschien niet zullen kunnen voorkomen dat hun namen vallen. En daarna moet je alles wat problemen kan veroorzaken uit het magazijn halen en weer in de grond stoppen. Leg ze voorlopig maar in de catacomben.'

'En u? Wat gaat u doen?'

'Het werk van de Heer, broeder Griffin. Het werk van de Heer.'

Griffin werd nog bleker. 'U verweegt toch niet serieus om hiermee door te gaan?'

'Ben je vergeten waarom we hier zijn, broeder Griffin?'

'Nee, eerwaarde.'

'Waar wacht je dan nog op?' Peterson keek de weg sloffende Griffin vol minachting na. En man met een vreselijk zwak geloof. Maar als je het werk van de Heer deed, moest je roeien met de riemen die je had. Hij beende een rotsachtige verhoging op, genietend van de spanning in zijn achillespezen en kuiten, het schroeien van de ondergaande zon in zijn nek, de lange scherpe schaduw die hij op de grond wierp. Hij had geen moment gedacht dat hij ooit zo'n affiniteit met Egypte zou hebben, zo ver weg van zijn kerk en kudde en thuis. Maar het licht hier had een bepaalde hoedanigheid, alsof het eveneens door de vlammen gelouterd was.

Diep inademend vulde hij zijn longen met zuurstof. De eerste christelijke monniken hadden deze plek gekozen in antwoord op de roep Gods. Peterson had dat altijd aangezien als een toevallige samenloop van geschiedenis en geografie maar besefte al spoedig dat er meer achter zat. Dit was een bijzonder spirituele plek, en hoe verder de woestijn in, hoe spiritueler. Je voelde het aan de blakerende zon, aan het zweet en de inspanning van het werk, aan de manier waarop het water heerlijk over je uitgedroogde huid en lippen stroomde. Je zag het in de weelderige gouden omtrekken van de zandheuvels en de glinsterende blauwe hemelen. Je hoorde het in de stilte.

Hij bleef staan, keek om zich heen om zeker te weten dat niemand hem zag en daalde af naar de kleine inzinking in de grond waar ze twee jaar geleden de ingang van de schacht gevonden hadden. Dat eerste seizoen en het seizoen daarop had hij zich tegen laten houden door Griffins ongerustheid en overdag alleen maar het kerkhof en de oude gebouwen uitgegraven. Pas 's avonds, als hun Egyptische werkploeg naar huis was, begonnen ze aan hun echte werk. Maar nu was het gedaan met zijn geduld. Qua temperament was hij een oudtestamentisch prediker met alleen maar minachting voor de goddelijke sociaal werker waar zo veel moderne religieuze leiders zich sterk voor maakten. Zijn God was een jaloerse God, een strenge, veeleisende God, een God van liefde en vergiffenis voor hen die zich onvoorwaardelijk aan Hem overgaven, maar een God van furieuze toorn en wraakzucht voor Zijn vijanden en voor hen die Hem teleurstelden.

Peterson overwoog geen moment om zijn God teleur te stellen. Hij had één nacht om zijn gewijde missie uit te voeren. Hij was van plan die ten volle te benutten.

6

'Het baanbrekende onderdeel?' vroeg Gaille.

Stafford aarzelde, maar was duidelijk trots op zijn idee en wilde indruk op haar maken: de dissidente historicus die het academische establishment voor aap zette. 'Ik zal je niet alles vertellen,' zei hij, 'maar één ding kan ik wel zeggen. Inderdaad, vrijwel elk modern werk over Echnaton heeft het over de mogelijkheid van een of andere ziekte. Maar als bijkomstigheid. Als onbelangrijk detail. In het voorbijgaan. Maar volgens mij kún je er niet aan voorbijgaan. Als het waar is, moet het immers van enorme invloed geweest zijn. Ga maar na. Een jongeman die plotseling getroffen wordt door een verbijsterende, ontsierende, ongeneeslijke ziekte. En niet zomaar een gewone jongeman, maar iemand met vrijwel onbeperkte macht die door zijn hof van pluimstrijkers als een levende god beschouwd wordt. Begrijp je niet dat zoiets een katalysator voor allerlei nieuwe denkwijzen zou zijn? Priesters die nieuw theologieën bedenken om zijn misvorming uit te leggen als een zegening in plaats van een vloek. Kunstenaars die proberen mismaaktheid af te beelden als schoonheid. Echnaton beloofde voortdurend dat hij Amarna nooit zou verlaten omdat het 't geestelijk thuis van zijn nieuwe god de Aton was, maar zijn beloften komen meer over als het gelamenteer van een bange jongeman die smoesjes zoekt om thuis te kunnen blijven. Amarna was zijn toevlucht. De mensen hier wisten wel beter dan hem het gevoel te geven dat hij een gedrocht was.'

'Misschien,' zei Gaille.

'Niks misschien,' zei Stafford. 'Een ziekte verklaart zo veel. En zijn kinderen zijn allemaal jong gestorven.'

Ze waren de laatste gecultiveerde akker voorbij en reden tussen een dun rijtje bomen door de verbijsterende dorheid van de woestijn in – alleen maar zandheuvels tussen hen en de hoge zandstenen rotsen in de verte. 'Jezus!' mompelde Lily op de achterbank.

'Wat een gezicht, hè,' beaamde Gaille. Je had hier echt het gevoel in een grensgebied te zijn. De hoge grijze watertorens die om de ongeveer twee kilometer naar de hemel priemden, deden denken aan schildwachten die zich inspanden de vijandige woestijn tot staan te brengen. Ze wees door de voorruit. 'Zie je dat ommuurde complex met de bomen ervoor? Daar gaan we heen. Vroeger was daar een krachtcentrale, maar die werd afgedankt toen ze verder naar het zuiden een nieuwe bouwden. Daarom nam Fatima het over. Het ligt exact halverwege Hermopolis en Tuna el-Gabel, zodat we precies in de...'

'Jammer dat je mijn theorieën zo oninteressant vindt,' zei Stafford.

'Helemaal niet,' wierp Gaille tegen. 'Je was net aan het vertellen dat al Echnatons kinderen jong gestorven zijn.'

'Inderdaad,' zei Stafford iets minder op zijn teentjes getrapt. 'Zijn zes dochters zeker, en Smenchkare en de beroemde Toetanchamon ook, als dat inderdaad zijn zoons waren, zoals sommige geleerden beweren. Het syndroom van Marfan brengt een drastische verkorting van de levensverwachting met zich mee. Aortische dissectie meestal. De zwangerschap is een extra gevaarlijke tijd vanwege de toegenomen druk op het hart. Zeker twee van Echnatons dochters zijn in het kraambed gestorven.'

'Dat gold voor een heleboel vrouwen in die tijd,' wees Gaille hem terecht. Vrouwen hadden een gemiddelde levensverwachting van dertig jaar, stukken minder dan mannen, hoofdzakelijk vanwege de risico's van de zwangerschap.

'En Echnaton wordt vaak bekritiseerd omdat hij zijn rijk uiteen heeft laten vallen, terwijl hij op zijn gemak de Aton aanbad. Het syndroom van Marfan veroorzaakt extreme vermoeidheid. Misschien is dat de reden dat hij op afbeeldingen nooit iets energieks doet, behalve in zijn strijdwagen rijden. En het zou ook zijn liefde voor de zon verklaren. Mensen met het syndroom van Marfan zijn namelijk uiterst gevoelig voor kou. En hun ogen worden ook aangetast, zodat ze veel licht nodig hebben om iets te zien.'

'Nogal riskant, niet? Je hele these op dit soort giswerk baseren.'

'Jullie academici!' snoof Stafford. 'Altijd zo bang om ongelijk te krijgen. Jullie hebben geen enkel lef meer, je houdt voortdurend een slag om de arm. Maar ik héb geen ongelijk. Mijn theorie verklaart Echnaton volledig. Heb jij een andere theorie die zelfs maar in de buurt komt?'

'Wat dacht je van de theorie van de opiumkit?'

Stafford keek op. 'Pardon?'

Gaille knikte. 'Je weet dat de mummie van Echnatons vader, Amenhotep III, in de kelders van het Egyptisch Museum in Caïro ligt?'

'Nou en?'

'Het is onderzocht door palaeopathologen. Zijn tanden verkeerden kennelijk in een gruwelijke staat.' Ze keek over haar schouder naar Lily. 'Ze maalden hun graan met stenen,' zei ze, 'en er zaten altijd stukjes steen in het meel. Alsof je schuurpapier eet. Alle Egyptenaren van een bepaalde leeftijd hadden afgesleten tanden, vooral Amenhotep. Hij moet voortdurend ontstekingen gehad hebben. Heb jij ooit tandontsteking gehad?'

Lily trok een gezicht en legde haar hand op haar wang. 'Eén keer,' zei ze.

'Dan weet je precies hoeveel pijn hij gehad moet hebben. Geen antibiotica, natuurlijk. Je moest het gewoon uitzingen. Het is vrijwel zeker dat hij dronk om de pijn te verdoven. Hoofdzakelijk wijn, hoewel de Egyptenaren ook dol waren op bier. Maar er is nóg een mogelijkheid. Volgens een document dat de Ebers Papyrus genoemd wordt, was opium heel bekend bij de genezers van de Achttiende Dynastie. Ze importeerden die uit Cyprus en maakten er een papje van dat ze als pijnstiller over de zere plek uitsmeerden... het tandvlees in Amenhoteps geval. Is het dan zo vergezocht om te denken dat de genezers Echnaton ook opium voorschreven, vooral als hij aan een of andere ziekte leed, zoals jij beweert?' Ze waren intussen bij Fatima's huis. De poorten waren dicht en Gaille drukte kort op de claxon. 'Misschien kreeg hij er de smaak van te pakken. Er werd in Amarna in ieder geval zeker opium gebruikt. We hebben er papavervormige kannetjes gevonden met opiaatsporen erin. Op Kreta onder koning Minos werd opium gebruikt om mensen tot religieuze extase op te zwepen en inspiratie te geven voor hun kunst. Is het dan niet mogelijk dat Echnaton en zijn hovelingen hetzelfde deden? Ik bedoel, de hele Amarna-periode heeft best iets hallucinogeens, vind je ook niet? De kunst, het hof, de godsdienst, de ongelukkige buitenlandse politiek?'

Lily lachte. 'Wou je beweren dat Echnaton een junkie was?'

'Ik zeg alleen maar dat dit een theorie is die de Amarna-periode verklaart. En niet de enige ook. Maar of zij klopt…'

'Daar heb ik nog nooit van gehoord,' zei Stafford. 'Heeft iemand daar iets over gepubliceerd?'

'Een paar artikelen in de tijdschriften,' zei Gaille, terwijl de poorten eindelijk opengingen. 'Maar niks van enige omvang.'

'Interessant,' mompelde Stafford. 'Hoogst interessant.'

II

'Ze hebben iets gevonden,' zei Knox, toen hij wegreed van de opgraving van het Texaans Genootschap. 'En ze houden het verborgen.'

'Waarom denk je dat?' vroeg Omar fronsend.

'Zag je niet dat hun haar vol stof en spinnenwebben zat? Dat krijg je alleen maar als je iets onder de grond gevonden hebt.'

'Jawel,' zei Omar somber. 'Maar het zijn archeologen. Als ze niet te vertrouwen waren zouden ze geen vergunning gekregen hebben.'

Knox snoof welsprekend. 'Zeker weten! Want niemand in dit land heeft ooit baksjisj aangenomen. Bovendien, zag je niet hoe kwaad die dominee naar me keek?'

'Het was net of hij je ergens van kende,' knikte Omar. 'Heb je hem ooit eerder gezien?'

'Niet dat ik weet. Maar ik herken die blik. Herinner je je Richard Mitchell nog, mijn oude mentor?'

'Gailles vader?' vroeg Omar. 'Natuurlijk. Ik heb hem nooit ontmoet maar ik heb een hoop verhalen over hem gehoord.'

'Dat wil ik best geloven,' lachte Knox. 'Heb je gehoord dat hij homoseksueel was?'

Omar bloosde. 'Ik heb altijd aangenomen dat dat gewoon boosaardige geruchten waren. Hij was tenslotte Gailles vader.'

'Die twee dingen zijn anders niet onverenigbaar. En dat geruchten boosaardig zijn maakt ze niet noodzakelijkerwijs onwaar.'

'O.'

'Maar waar het om gaat is dat ik zo nauw met hem samenwerkte dat heel veel mensen veronderstelden dat ik zijn minnaar was, snap je. Ik heb nooit de moeite genomen om ze uit de droom te helpen. Laat ze maar denken, waar of niet? Bovendien tillen de meeste mensen in onze branche daar niet zo zwaar aan. Maar sommigen wel. En het duurt niet lang voor je die blik in hun ogen begint te herkennen.'

'Denk je dat Peterson zo iemand is?'

'De bijbel stelt zich behoorlijk intolerant op ten opzichte van homoseksualiteit,' zei Knox knikkend. 'Dat proberen ze een beetje te verdoezelen, maar het staat er wel degelijk. En sommige christenen grijpen elke kans aan om uit Gods naam rancuneus te zijn. Tot op zekere hoogte is dat geen probleem. Ze hebben recht op hun mening. Maar als ik als archeoloog één ding geleerd heb is het wel dat je een gevoelige opgraving nooit moet toevertrouwen aan iemand die overtuigd is van de waarheid voor hij begint. Het is veel te makkelijk voor dat soort mensen om het bewijs aan te passen aan hun theorieën in plaats van andersom.'

'Ik zal morgenochtend allereerst Caïro bellen. Daarna gaan we meteen terug.'

'Dat geeft ze evengoed de hele nacht de tijd.'

'Wat stel jij dan voor?'

'Dat we meteen teruggaan om een kijkje te nemen.'

'Je bent niet goed wijs,' protesteerde Omar. 'Ik ben het hoofd van de ORA in Alexandrië! Ik kan 's nachts niet op archeologische opgravingen rond gaan sluipen. Wat zouden ze wel denken als we betrapt werden?'

'Dat je je werk deed.'

Omars wangen gloeiden, maar even later liet hij met een zucht zijn hoofd hangen. 'Ik heb de pést aan dit soort gedoe! En ik ben er helemaal niet goed in ook. Waarom heeft Joessoef Abbas me in hemelsnaam aangesteld?'

'Misschien omdat hij wist dat jij hem geen problemen zou bezorgen,' zei Knox meedogenloos.

Een duistere blik van woede schoof als een voorbijdrijvende wolk voor Omars gezicht. 'Oké,' zei hij. 'Dan doen we het.'

III

Gaille liet Stafford en Lily zien waar ze sliepen en ging op zoek naar Fatima. Zoals verwacht zat ze aan haar bureau, ingepakt in dekens en bleek van uitputting onder haar hoofddoek. Gaille kon soms moeilijk geloven dat zo'n broos, verschrompeld lichaam zo'n ontzagwekkend verstand kon bevatten. Ze was iets ten oosten van deze plek geboren en had als kind haar hartstocht voor het oude Egypte ontdekt. Ze had op een beurs aan de universiteit van Leiden in Nederland gestudeerd, kreeg daar een aanstelling als docente en kwam elk jaar terug naar Egypte om bij Berenike opgravingen te doen. Maar vanwege haar ziekte was ze teruggekeerd om dicht bij haar familie, haar wortels, te zijn. 'Ik zag dat je terug was,' zei ze glimlachend. 'Dank je.'

Gaille legde een hand op haar schouder. 'Blij dat ik je van dienst kon zijn.'

'Wat vind je van onze vriend meneer Stafford?'

'O. Ik heb niet echt de kans gekregen om hem te leren kennen.'

Fatima stond zichzelf een zeldzaam lachje toe. 'Is het zo erg?'

'Hij is niet mijn soort historicus.'

'De mijne ook niet.'

'Waarom heb je hem dan uitgenodigd?'

'Omdat we geld nodig hebben, mijn beste,' zei Fatima. 'En daarvoor moeten we eerst publiciteit krijgen.' Ze kneep haar ogen dicht en pakte een bloedrode zakdoek, het onvermijdelijke voorspel op een van haar vreselijke hoestbuien.

Gaille wachtte geduldig tot ze zich hersteld had. 'Er moeten andere manieren zijn,' zei ze toen de zakdoek weer onder Fatima's gewaden verdwenen was.

'Was dat maar waar.' Maar ze waren zich allebei bewust van de werkelijkheid. Het leeuwendeel van het krappe budget van de ORA ging naar Giza, Saqqara, Luxor en de andere beroemde opgravingen. Er kwamen zo weinig mensen naar dit deel van Midden-Egypte dat het niet als een aantrekkelijke investering beschouwd werd, ondanks zijn schoonheid, vriendelijkheid en historische betekenis.

'Ik zie niet in hoe Stafford hierheen halen zal helpen,' zei Gaille koppig.

'Zijn boeken worden gelezen,' antwoordde Fatima.

'Zijn boeken vertellen onzin.'

'Dat weet ik. Maar ze worden evengoed gelezen. En zijn programma's zijn al even populair. Er zullen zeker mensen bij zijn die meer willen weten en misschien zelfs hier naartoe komen om de waarheid te ontdekken. Het enige wat we nodig hebben is genoeg verkeer om een toeristische infrastructuur te onderhouden.'

'Ze zeiden zoiets dat ik morgen met ze naar Amarna ga.'

Fatima knikte. 'Het spijt me dat ik jou daarmee opzadel,' zei ze. 'Maar mijn dokter is vandaag geweest. Hij is niet gelukkig met mijn… prognóse.'

'O nee,' zei Gaille verdrietig. 'O, Fatima.'

'Ik vraag niet om medelijden,' zei ze scherp. 'Ik leg alleen de situatie uit. Ik moet morgen naar het ziekenhuis voor onderzoek, dus ik ben niet in de gelegenheid om Stafford zoals beloofd gezelschap te houden. Iemand moet mijn plaats innemen. Mijn honorarium staat al op de bank en ik verzeker je dat ik niet van plan ben om het terug te storten.'

'Waarom niet een van de anderen?' vroeg Gaille. 'Die weten meer dan ik.'

'Niet waar. Jij hebt toch twee seizoenen opgravingen bij Amarna gedaan met je vader?'

'Toen zat ik nog op school. En dat is meer dan tien jaar geleden.'

'Nou en? Geen van mijn mensen heeft daar ook maar half zo lang gewerkt. En jij hebt op de Sorbonne toch de Achttiende Dynastie bestudeerd? En je bent er toch niet lang geleden samen met Knox terug geweest? Bovendien is bekend dat westerse kijkers positiever reageren op een westers gezicht, een westerse stem.'

'Hij zal het doen voorkomen dat ik zijn ideeën onderschrijf.'

'Maar dat doe je niet.'

'Dat weet ik. Maar daar zal hij het op laten lijken. Hij neemt wat hij kan en de rest kan hem gestolen worden. Hij maakt me tot de risee van de hele wereld.'

'Alsjeblieft.' Fatima legde een hand op haar pols. 'Je hebt er geen idee van hoe krap ons budget is. Zodra ik er niet meer ben...'

Gaille trok een gezicht. 'Zo mag je niet praten.'

'Het is de waarheid, mijn beste. Ik moet dit project in goede financiële gezondheid achterlaten. Het is mijn nalatenschap. En het profileren van deze streek is daar een onderdeel van. Ik vraag je me te helpen. Als je besluit dat je dat niet kunt, kan ik mijn onderzoek altijd uitstellen.'

Gaille knipperde met haar ogen en beet haar kiezen op elkaar. 'Dat is niet eerlijk, Fatima.'

'Inderdaad,' beaamde ze.

De muurklok tikte de seconden weg. Ten slotte ademde Gaille met een zucht uit. 'Goed dan,' zei ze. 'Jij wint. Wat wil je precies dat ik doe?'

'Gewoon behulpzaam zijn. Meer niet. Ze helpen een goed programma te maken. En ik wil ook dat je ze de talatat laat zien.'

'Nee!' riep Gaille. 'Dat kun je niet menen.'

'Kun jij een betere manier bedenken om publiciteit te krijgen?'

'Het is nog te vroeg. We zijn nog verre van zeker. Als we het bij het verkeerde eind blijken te hebben...'

Fatima knikte. 'Laat ze alleen de plek zien dan. Leg uit hoe de beeldsoftware werkt, hoe je oude taferelen na al die eeuwen recreëert. De rest kun je aan mij overlaten. Mijn dokter staat er immers op dat ik eet. Ik zal vanavond met jullie dineren, dus als iemand gevaar loopt de risee van de wereld te worden, ben ik het.'

7

Het werd donker toen Knox en Omar terugreden naar de opgraving. Bang dat ze gezien zouden worden vermeden ze de route die ze de eerste keer genomen hadden. In plaats daarvan namen ze landweggetjes, reden over een houten brugje een akker in en vervolgden hun weg bij het licht van de maan tot ze voor een hoge stenen muur kwamen. Knox had berekend dat de opgraving van het Texaans Genootschap aan de overkant van een pad achter de muur moest liggen. Hij reed verder, zag een ijzeren poort met een hangslot en zette de auto stil.

Zijn witte overhemd blonk verraderlijk in het maanlicht toen hij uit de jeep stapte en hij zocht achterin naar een donkere coltrui voor zichzelf en een jack voor Omar. Daarna klopte hij op zijn zakken om zeker te weten dat hij zijn mobieltje met camera bij zich had en ging op weg. Een vogel wiekte krassend weg toen ze over het hek klommen. Ze staken het pad over en kwamen bij het irrigatiekanaal. Knox grinnikte geamuseerd tegen Omar, maar Omar, zichtbaar slecht op zijn gemak, trok alleen maar een gezicht. Knox klauterde in een waterval van stof en stenen de oever af, stapte over het donkere stroompje, klom aan de andere kant op handen en knieën omhoog en keek behoedzaam om zich heen. Het landschap was vlak en nietszeggend, zodat hij zich moeilijk kon oriënteren. Hij wachtte tot Omar bij hem was en sloop diep gebukt verder. Na een kleine vijftig meter tuimelde hij op de grond toen zijn voet van een platte steen gleed. Hij zag dat het hele terrein met dit soort stenen bezaaid lag, lichtgrijs en afgerond. Ze waren zelfs opgestapeld in slordige hopen die duidelijk rijen vormden. Hij kwam bij een tent van doorzichtig plastic, trok hem weg en onthulde een gat met een bouwvallig muurtje van oude bakstenen ervoor. Diffuus maanlicht speelde over een ronde schedel, dunne, gebogen ribben, lange botten. 'Nette rijen witte stenen,' mompelde hij. Hij nam een foto, hoewel hij niet zeker wist wat die op zou leveren, aangezien hij geen flitslicht kon gebruiken. 'Net als de begraafplaats bij Qumran. Skeletten met het hoofd naar het zuiden en hun gezicht naar de opgaande zon. En zie je dat de botten een ietwat paars tintje hebben?'

'En?'

'De Essenen dronken het sap van de meekrapwortel. Als je daar veel van drinkt, krijg je rode botten. En zei Griffin niet dat ze hier vroeger meekrap verbouwden?'

'Denk je dat jouw deksel uit een van deze graven kwam?'

'Zou kunnen.'

'Kunnen we gaan dan?'

'Nog niet. We moeten nog steeds zien…'

Gegrom achter hen. Knox draaide zich als door een adder gebeten om en zag een broodmagere, schurftige hond achter zich staan. Zijn ribben staken af onder zijn huid en het maanlicht spiegelde in zijn zwarte ogen en op zijn zilverwitte kwijl. De oude Egyptische begraafplaatsen lagen altijd aan de rand van de woestijn, aangezien goed akkerland te waardevol was om te verspillen. Dat trok aasdieren aan, wat een van de redenen was dat de jakhalsgod Anubis zo sterk met de dood geassocieerd werd. Knox zwaaide sissend met zijn handen, met als enig resultaat dat het beest nog harder gromde en zijn tanden ontblootte – indringers in zijn territorium.

'Jaag hem weg,' zei Omar.

'Dat probeer ik,' zei Knox.

Links van hen flakkerde het licht van een zaklantaarn op. Het verdween even en kwam weer terug, sterker en dichterbij. Een bewaker op zijn ronde, zwaaiend met zijn zaklantaarn, zodat hij gele ellipsen op de grond schilderde die gevaarlijk dichtbij kwamen. Ze verscholen zich achter de plastic tent. De hond volgde hen, grommend en snuffelend. Omar stak een vinger uit in de richting vanwaar ze gekomen waren, maar het was te laat. De bewaker was te dichtbij. Knox gebaarde hem dat hij zich klein moest maken en rustig moest houden.

De bewaker hoorde de hond, zocht hem met zijn zaklantaarn en bukte zich om een steen op te rapen. Hij miste zijn doel, maar veroorzaakte een furieus geblaf. De bewaker kwam dichterbij. Knox zag spikkels maanlicht op zijn gepoetste zwarte laarzen glimmen. De tweede steen schampte tegen de achterpoot van de hond, die jankend wegrende. De bewaker lachte hartelijk, draaide zich om en liep terug.

'Laten we maken dat we wegkomen,' smeekte Omar, toen de man uit het zicht verdwenen was.

'Nog een klein stukje,' zei Knox, het stof van zijn kleren kloppend. Hij had er een hekel aan de man zo onder druk te zetten, maar hij moest hier het fijne van weten. Even later kwamen ze bij een zanderige wal waar geel licht achter vandaan kwam. Knox kroop er op handen en knieën naartoe. Hij proefde de vertrouwde metaalachtige smaak in zijn keel toen hij over de rand keek. Griffin en een jongeman met blond gemillimeterd haar stonden bij de laadbak van een pick-up die met de achterkant tegen de deuropening van een laag bakstenen gebouwtje geparkeerd stond. Binnen brandde licht. Twee andere jongelui kwamen naar buiten met een krat dat ze in de laadbak zetten. Ze hadden eveneens gemillimeterd haar en droegen hetzelfde uniform van korenbloemblauw overhemd en kaki broek.

'Zo is het voorlopig wel genoeg,' zei Griffin. 'We moeten toch nog terug.' Hij deed de deur van het gebouwtje op slot en stapte in de pick-up. De drie jongelui klommen in de laadbak.

'Wat doen ze?' fluisterde Omar toen de pick-up wegreed.

'Hun magazijn leeghalen om te zorgen dat we morgen geen bezwarend materiaal vinden.'

'Dan kunnen we beter naar de politie gaan en ze aangeven.'

'Dan hebben ze als we terugkomen alles verstopt.'

'Alsjeblieft, Daniel. Ik heb hier zo de pest aan.'

Knox haalde de sleutels van zijn jeep uit zijn zak en drukte ze in Omars hand. 'Wacht dan maar in de jeep,' zei hij. 'Als ik over een uur niet terug ben, moet je de politie bellen.'

Omar trok een gezicht. 'Ga alsjeblieft mee.'

'We moeten weten waar ze die spullen naartoe brengen. Omar. Dat snap je toch wel.' En voordat Omar kon protesteren kwam Knox overeind en draafde over de ongelijke grond achter de pick-up aan. De koplampen blonken als demonische ogen in het donker.

II

Lily voelde zich ietwat opgelaten toen ze uit Staffords kamer kwam. 'Hij moet dringend een paar mensen bellen,' zei ze tegen Gaille, die buiten stond te wachten. 'Is het echt van belang dat hij meekomt?'

'Het is jullie documentaire,' zei Gaille schouderophalend. 'Fatima dacht dat jullie geïnteresseerd zouden zijn, meer niet.'

'Dat zijn we ook. Denk vooral niet dat we dit niet op prijs stellen, maar eh...'

'Hij moet mensen bellen,' maakte Gaille de zin voor haar af.

'Inderdaad,' zei Lily, haar ogen neerslaand. Stafford had de internetaansluiting op zijn kamer ontdekt en was druk bezig met het lezen van zijn emails, het natrekken van zijn laatste verkoopcijfers en het invoeren van zoekopdrachten met zijn eigen naam om te zien of iemand de laatste tijd iets aardigs over hem geschreven had.

Ze liep achter Gaille aan de poort uit en stond meteen in de woestijn. Haar voeten zakten weg in het zachte droge zand, zodat haar opnameapparatuur twee keer zo zwaar leek.

'Zal ik je wat dingen helpen dragen?' vroeg Gaille.

'Als je zo goed zou willen zijn.'

'Dus jij bent Staffords cameravrouw, ja?' vroeg Gaille, een tas van haar overnemend.

'En producer,' zei Lily met een schamper knikje. 'En geluidstechnicus, loopjongen, bezorger en alles wat je verder maar kunt bedenken.' Stafford was een groot voorstander van luxe en grote werkploegen als hij op andermans kosten werkte, maar het idee dat iemand anders geld aan zijn werk verdiende stond hem zo tegen dat hij zijn eigen productiemaatschappij opgezet had om zijn producten aan de omroepen te slijten. Hij had tot op het bot bezuinigd door onervaren mensen als zij in dienst te nemen en zo genadeloos af te bekken dat haar drie collega's er precies een week geleden de brui aan gegeven hadden, zodat deze hele nachtmerrie op haar schouders terechtgekomen was. Ze had gehoopt plaatselijke assistenten te krijgen, maar Staffords aanmatigende optreden had zelfs die weggejaagd. 'Niet dat ik zo veel camerawerk krijg als ik graag zou willen. Charles doet zo veel mogelijk zelf.' Ze stond zichzelf een flauw glimlachje toe. 'Ik geloof dat hij zichzelf een beetje ziet als een onversaagde solo woestijnavonturier. Hij stelt de camera altijd zo op dat het lijkt alsof hij moederziel alleen is. Ik film alleen maar als hij iemand interviewt of we een panoramashot of gedetailleerde opname nodig hebben.' Ze waren intussen bij de ingang van de opgraving. Gaille maakte de houten deur open, zette de generator aan en liet hem een paar seconden warmlopen alvorens een reeks schakelaars om te zetten en Lily voor te gaan door een reeks spookachtige gangen van afbrokkelende zandsteen naar een spelonkachtige ruimte. 'Wauw!' fluisterde Lily. 'Wat is dit?'

'De binnenkant van een pyloon van een tempel van Amun uit de Negentiende Dynastie.' Ze wees op een stapel bakstenen in de tegenoverliggende hoek. 'En dit is wat ik je wilde laten zien. Dat zijn antieke Egyptische bakstenen die talatat genoemd worden. Ze werden gebruikt door...'

'Wacht, wacht,' viel Lily haar in de rede. 'Ik mag dit filmen, ja?'

'Als je hier genoeg licht hebt, jazeker.'

Lily klopte op de zijkant van haar Sony VX2000. 'Dit ding is een wonder, echt waar. Het zal fantastisch sfeervol zijn.' Ze had een grote liefde voor camera's opgevat. Dat was niet altijd zo geweest. Toen ze er voor het eerst kennis mee maakte, op kinderfeestjes en op school, vreesde en haatte ze ze. Het was al erg genoeg dat andere kinderen naar haar moedervlek keken als ze erbij was, maar dan kon ze de wreedste opmerkingen in ieder geval voorkomen. Maar met een camera konden ze haar lelijkheid mee naar huis nemen, er naar believen naar kijken en haar naar hartenlust bespotten en uitlachen en beledigen, zonder dat ze zich kon verdedigen.

Lily was behept met een grenzeloze fantasie. Soms martelde de gedachte aan wat andere kinderen over haar zeiden haar zo dat ze alleen maar troost kon vinden in fantasieën over haar dood, die heerlijke bevrijding. Ze begon zichzelf opzettelijk te bezeren, sloeg zichzelf in het gezicht, stak een schaar in haar arm. Maar op een dag had haar oom haar met een bijna nonchalant gebaar zijn gebruikte camcorder gegeven. Ze huiverde nog steeds bij de herinnering. De zoeker voor haar oog houden maakte haar moedervlek onzichtbaar, wat op zich al fantastisch was. Maar de grote ommekeer was veroorzaakt door de macht die de camera haar gaf. De macht om andere mensen mooi of lelijk te maken. De macht om ze een vriendelijk of nors uiterlijk te geven, knap of afstotelijk. En die macht gebruikte ze. Ze had een echt talent in zichzelf ontdekt. Daar had ze een identiteit en zelfrespect aan ontleend. Maar nog belangrijker was dat het haar een doel gegeven had.

Ze pakte de apparatuur uit, stelde alles op, schakelde de stroom in, zette haar koptelefoon op, controleerde licht en geluid, legde de camera op haar schouder en richtte hem op Gaille. 'Je zei?' vroeg ze.

'O,' zei Gaille, ietwat onthutst. 'Ik dacht dat je de talatat ging filmen, niet mij.'

'Ik wil allebei,' zei Lily, die eraan gewend was met plankenkoorts om te gaan. 'Maar maak je niet ongerust. Charles heeft zijn script al klaar en je kunt er gerust op rekenen dat het hoogst onwaarschijnlijk is dat hij het zo laat nog zal veranderen. En je moet er toch voor tekenen, dus als het je niet bevalt…'

'Oké.'

'Dank je. Kun je op je hurken gaan zitten. Precies. Rechtop en mij aankijken alsjeblieft. Nee, niet zo. Je kin omhoog. Iets verder. Prima. Perfect. En als je nu je rechterhand op de bakstenen wilt leggen.'

'Weet je het zeker? Het is een heel raar gevoel.'

'Maar het ziet er fantastisch uit,' zei Lily glimlachend. 'Neem dat maar van mij aan. Ik ben hier goed in. Begin maar bij het begin en doe maar net alsof ik niks weet. Wat, vrees ik, ook schandelijk dicht bij de waarheid is. Dus… Wat is dit voor een plek? En wat zijn talatat precies?'

III

De remlichten van de pick-up vlamden op en verdwenen over een heuvelrug. Knox hield zijn ogen op de plek gericht en minderde vaart om op adem te komen. Vlak voor het hoogste punt liet hij zich op zijn hurken zakken en keek er overheen. Hij zag niets. Hij dwaalde een poosje door het donker en stond op het punt om de moed op te geven toen hij rechts van zich een metaalachtige klap hoorde. Hij klom een andere heuvel op en zag de pick-up geparkeerd staan in een klein dalletje. De motor en de lichten waren uit en afgezien van een zachte gele gloed in een put naast de auto zag hij geen enkel teken van leven.

Als hij een gps had, zou hij gewoon de coördinaten opgeslagen hebben en de politie zijn gaan halen. Maar zonder gps was het vrijwel onmogelijk de positie te bepalen. De horizon was een vlakke lijn met in de verte alleen de oranje vlam van de pijp waar gas afgefakkeld werd en de donkere omtrekken van de twee schoorstenen van een krachtstation. Hij sloop dichterbij. Het gat bleek een trap te zijn die via een luik naar een soort atrium leidde. Binnen bromde een generator. Hij liep naar de pick-up – nog maar drie dozen in de laadbak. In de eerste zat een aardewerken beeldje, een jonge jongen met een vinger op zijn lippen – Harpocrates, een populaire godheid bij de Egyptenaren, de Grieken en de Romeinen. Hij maakte er een foto van. Toen hij de tweede doos open wilde maken, hoorde hij voetstappen. Bliksemsnel liet hij zich op de grond vallen en schoof onder de pick-up. De drie jongelui kwamen uit de schacht en liepen naar de auto. Ze stopten vlak bij Knox' gezicht, zodat hun schoenen droog stof omhoog schopten dat in zijn keel kriebelde. Ze pakten de laatste drie dozen en liepen de trap weer af. Maar ze kwamen Griffin tegen, die hijgend naar boven kwam. Hij hees zich moeizaam op de laadbak, zodat de vering krakend inzakte en Knox klem zette. Een minuut ging voorbij. Twee. De jongelui kwamen terug.

'Het laatste vrachtje dan,' mompelde Griffin. Iedereen stapte in of op de pick-up en de wagen reed weg, zodat Knox open en bloot achterbleef. Hij verborg zijn handen onder zijn maag en drukte zijn gezicht tegen de harde grond, bang dat hij elk moment gezien zou worden. Maar ze verdwenen over de heuvelrug zonder hem op te merken. Knox krabbelde overeind en liep naar de rand van het gat. Het licht brandde nog steeds en het luik stond open. Een kans die hij niet kon laten lopen, hoewel Omar intussen waarschijnlijk de paniek nabij was. Met een hart dat klopte in zijn keel liep hij op zijn tenen naar het atrium. Niemand, alleen een brommende generator in de hoek. Plotseling begon hij te stotteren en over te slaan. De vloer trilde en het licht verflauwde. De generator herstelde zich en de lampen lichtten weer op. Wachtend tot zijn hart bedaard was keek hij op zijn horloge. Griffin zou ongeveer een kwartier wegblijven. Hij had zeker tien minuten tijd.

Een gewelfde gang leidde naar links en naar rechts. Hij nam de linkse. De gang kronkelde, de weg van de minste weerstand volgend door de kalksteen. Om de paar passen hing een lamp aan een oranje elektriciteitsdraad waarvan het licht monsterachtige schaduwen op de ruwe rotswanden wierp. De gang eindigde abrupt in een grote catacombe met rijen vierkante, in de rots uitgehouwen nissen en een eiland van opgestapelde kratten en dozen in het midden. Hij fotografeerde een skelet met blind omhoog starende oogkassen in een van de grafkamers. De Essenen beschouwden de dood als onrein en het was ondenkbaar dat ze iemand in zo'n gemeenschappelijke ruimte begraven zouden hebben. Dit was een zware klap voor zijn theorie over de Therapeutae.

Op een werktafel stond een standaard waarop een camera en ultraviolette lampen gemonteerd waren. Eronder stonden stapels bladen en dozen, elk met een met plakband bevestigd verwerkingsformulier – artefacten die wachtten om gefotografeerd te worden. Knox maakte er een open en vond een olielamp van klei in de vorm van een grijnzende satyr. De volgende doos bevatte een zilveren ring, de derde een geglazuurde aardewerken kom. Maar de vierde doos gaf hem koude rillingen. Die was verdeeld in zes kleine compartimenten die elk een verschrompeld en gemummificeerd menselijk oor bevatten.

8

'We staan hier in een pyloon van een tempel van Amun,' begon Gaille. Haar stem weergalmde door de enorme ruimte. 'De tempel werd voltooid onder Ramses II maar raakte in verval en werd later uitgebreid herbouwd door de Ptolemeeën.'

'En de connectie met Amarna?' hielp Lily haar op weg.

'O ja.' Gaille bloosde. 'Neem me niet kwalijk.'

'Welnee. Je bent een natuurtalent. Geboren voor de camera.'

'Dank je,' zei Gaille. Ze glimlachte wrang en duidelijk ongelovig. 'Zoals je weet, bouwden de Egyptenaren hun monumenten en tempels vrijwel uitsluitend met gigantische steenblokken, net als de piramiden. Maar die uithouwen en vervoeren was duur en tijdrovend werk en Echnaton had haast. Hij wilde nieuwe tempels voor de Aton in Karnak en Amarna, en wel meteen. Daarom vonden zijn ingenieurs een nieuw soort baksteen uit, deze talatat. Ze wegen ongeveer vijftig kilo per stuk, net licht genoeg om door één arbeider op zijn plaats gehesen te worden, hoewel hun rug er niet beter van geworden kan zijn. En als de muren klaar waren, werden er afbeeldingen in gehouwen en werd er op geschilderd, zodat het een soort gigantische televisiemuur werd.'

'Hoe komen ze dan hier?'

Gaille knikte. 'Na Echnatons dood besloten zijn opvolgers alle sporen van hem en zijn ketterij uit te wissen. Wist je dat Toetanchamon in eerste instantie Toetanchaten heette? Na Echnatons dood werd er druk op hem uitgeoefend om zijn naam te veranderen. Namen waren ongelooflijk belangrijk in die tijd. De oude Egyptenaren geloofden dat zelfs het úitspreken van iemands naam die persoon hielp zich in het hiernamaals staande te houden, wat een van de redenen was dat Echnatons naam doelbewust van alle tempels en monumenten in het land verwijderd werd. Maar zijn talatat ondergingen een ander lot. Toen ze zijn gebouwen afbraken, werden de bakstenen gebruikt als vulling voor bouwprojecten in heel Egypte, wat wil zeggen dat als we een opgraving doen op een plek uit de tijd na Amarna, de kans groot is dat we er daar een stel vinden.'

'Om de oorspronkelijke afbeeldingen op Echnatons muren te herstellen?'

'Dat is het idee. Maar het valt niet mee. Het is net zoiets als honderd legpuzzels kopen, alle stukjes door elkaar husselen, negentig procent weggooien en de rest met een hamer bewerken. Maar orde zoeken in dat soort zaken is mijn werk. Daarom heeft Fatima me hierheen gehaald. Meestal werk ik met oude teksten, maar het principe is hetzelfde.'

'Hoe pak je dat dan aan?'

'Ik kan het 't makkelijkst uitleggen aan de hand van de rollen. Stel, je vindt duizenden door elkaar gemengde fragmenten van allerlei verschillende documenten. Je begint met ze allemaal op schaal en in een bijzonder hoge resolutie te fotograferen, omdat de originele fragmenten simpelweg te broos zijn om mee te werken. Daarna bestudeer je elk fragment nauwkeuriger. Is het van papyrus of perkament? En als het papyrus is, wat voor weefpatroon heeft het dan? En als het perkament is, van welk dier is het dan? We kunnen tegenwoordig zelfs DNA-tests doen om te bepalen of twee stukjes perkament van hetzelfde dier afkomstig zijn. Welke kleur heeft het? Hoe glad? Hoe dik? Hoe ziet de achterkant eruit? En de inkt? Is die uitgewreven of doorgelopen? Kunnen we de chemische signatuur ervan bepalen? Was de pen dik of dun, regelmatig of krasserig? En het handschrift? De handschriften zijn erg verschillend, hoewel je daar voorzichtig mee moet zijn omdat mensen vaak aan meer dan één document tegelijk werkten en sommige documenten door meer dan één schrijver geschreven zijn. Maar goed, al die dingen zouden je moeten helpen het oorspronkelijke allegaartje te verdelen over de diverse oorspronkelijke rollen, een beetje als het scheiden van de stukjes van de verschillende legpuzzels waar ik het eerder over had. De volgende stap is ze weer aan elkaar leggen.'

'Hoe?'

'In veel gevallen kennen we de teksten al,' antwoordde Gaille. 'Bijvoorbeeld het Dodenboek. Dan is het gewoon een kwestie van de fragmenten vertalen en zien waar ze thuishoren. Maar bij een origineel document, bijvoorbeeld een brief, moeten we op andere dingen letten. Bijvoorbeeld een regel tekst die doorloopt van het ene fragment naar het andere. En als we héél veel geluk hebben, diverse bij elkaar passende regels, zodat er geen twijfel bestaat. Maar meestal sorteren we ze op soortgelijke thema's. Twee fragmenten over begraafgewoonten, bijvoorbeeld. Of twee episoden over een bepaalde persoon. Als dat niet lukt, weten we in ieder geval dat de fragmenten echt beschadigd zijn. Is er een patroon in de beschadigingen? Stel je rolt een vel papier op, brandt met een sigaret een gat door de hele rol en scheurt het papier in stukken. Dan helpen de brandgaatjes niet alleen om het papier weer aan elkaar te leggen, maar je kunt er ook aan zien hoe strak het opgerold was door de afstand ertussen te meten. En vaak krasten de schrijvers lijntjes op het perkament om recht te blijven schrijven. Die lijntjes op de diverse fragmenten kunnen we vergelijken en op minuscule variaties onderzoeken, een beetje als het vergelijken van de jaarringen van bomen.'

'En zijn er in de talatat soortgelijke aanwijzingen te vinden?'

'Inderdaad,' knikte Gaille. 'Hoewel dat wel moeilijker is. Talatat zijn bijvoorbeeld van kalksteen of zandsteen. Kalkstenen talatat horen normaal gesproken bij elkaar en die van zandsteen ook. En de samenstelling van de steen is ook nuttig, want muren werden vaak gebouwd met steen uit één groeve. Aan de andere kant kun je daar ook weer niet te veel op vertrouwen. Verfresten kunnen ook helpen, evenals verwering. Misschien zijn de stenen verbleekt door de zon. Of misschien was er een lekkende pijp in de buurt en passen de watervlekken bij elkaar. Maar goed, zodra we alles gedaan hebben wat we kunnen, proberen we een afbeelding te vormen. Talatat kunnen op hun lange kant gedecoreerd zijn, de zogenaamde "strekstenen", of op hun korte kant, wat we "kopstenen" noemen. De Egyptenaren bouwden afwisselend met een laag strekstenen en een laag kopstenen. Dat helpt echt. Daarna is het vaak gewoon een kwestie van hoofden op torsen zetten. Gelukkig zijn veel taferelen duplicaten van elkaar of van taferelen die al gereconstrueerd waren uit elders gevonden talatat, zodat we weten waar we naar zoeken.'

Lily spitste haar oren. 'Maar niet allemaal?' vroeg ze uitgeslapen.

'Nee,' gaf Gaille toe. 'Niet allemaal.'

'Je hebt iets gevonden, niet? Daarom heb je me hier naartoe gebracht.'

'Misschien.'

'En. Ga je me het niet vertellen?'

'Wel,' zei Gaille, haar ogen neerslaand. 'Ik geloof dat Fatima dat genoegen voor zichzelf op wil eisen.'

II

Knox pakte een van de verschrompelde oren. Het weefsel glansde zacht waar het van het hoofd gescheiden was, wat deed vermoeden dat ze recentelijk afgesneden waren. Hij keek in de nissen, vond al snel een mummie zonder rechteroor, even later gevolgd door een tweede. Totaal in de war dacht hij fronsend na, herinnerde zich toen met een schok dat hij niet veel tijd had. Hij had de door zichzelf gestelde limiet al overschreden. Hij moest weg.

Hij haastte zich terug naar het atrium en de trap op. Juist toen hij weg wilde rennen hoorde hij een motor en zag hij de pick-up weer over de rand verschijnen. De koplampen zwiepten als de lichtstraal van een vuurtoren over het terrein, zodat Knox amper de tijd kreeg om in elkaar te duiken en zich terug te trekken in het atrium.

Griffin en zijn mensen sloegen alles op in de catacomben, dus nam hij de andere kant, de gang rechts. Even later stond hij opnieuw in een groot vertrek met een gigantisch mozaïek van tesserae in de vloer dat hoewel afgesleten door oude voetstappen, glansde van een recente schoonmaakbeurt. Een groteske figuur zat naakt in de lotuspositie in het centrum van een zevenpuntige ster, omringd door groepen Griekse letters. Hij nam een foto, gevolgd door een tweede, hoorde iemand kreunend een zware doos de gang door sjouwen – zijn kant in. Hij haastte zich verder naar binnen, door een wirwar van gangen en kleine ruimtes met muren die verlucht waren met kleurige antieke wandschilderingen: een naakte man en vrouw die smekend hun handen naar de zon hieven. Priapus die van achter een boom loerde, een krokodil, een hond en een gier die voor rechter speelden, Dionysius die uitgestrekt op een divan lag, omkranst door wijnranken, klimopbladeren en dennenappels. Terwijl hij deze laatste afbeelding fotografeerde, hoorde hij voetstappen. Toen hij zich omdraaide zag hij Griffin door de gang op zich afkomen. De man tuurde door het gespikkelde donker alsof hij bijziend was.

'Eerwaarde?' vroeg hij. 'Bent u dat?'

III

Inspecteur Naguib Hoessein zat op het politiebureau zijn rapport te schrijven toen zijn chef Gamal naar hem toe kwam. 'Heb je geen vrouw en dochter thuis?' gromde hij.

'U wou toch dat alle papieren bijgewerkt werden.'

'Dat wil ik ook,' knikte Gamal. Hij ging op de hoek van het bureau zitten. 'Ik heb gehoord dat je een lijk in de oostelijke woestijn gevonden hebt.'

'Inderdaad,' beaamde Naguib.

'Moord?'

'Haar hoofd was ingeslagen. Ze was in zeildoek gerold en onder het zand begraven. Ik zou zeggen dat moord zeker een mogelijkheid is.'

'Een kopt, ja?'

'Een meisje.'

'Prima, stel een onderzoek in,' zei Gamal nors. 'Maar geen opzien baren. Daar is het niet het moment voor.'

'Hoe bedoelt u?'

'Je weet heel goed wat ik bedoel.'

'Ik verzeker u dat ik…'

'Heb je nog steeds niet geleerd wanneer je wel en wanneer je niet je mond open moet doen?' vroeg Gamal wrevelig. 'Besef je niet hoeveel ellende je je collega's in Minya bezorgd hebt?'

'Ze verkochten wapens op de zwarte markt.'

'Dat interesseert me niet. Er zijn misdaden die we op kunnen lossen en misdaden die we niet op kunnen lossen. Dus waarom concentreren we ons niet liever op de eerste soort, hè?' Hij slaakte een kameraadschappelijke zucht, alsof de manier van werken van de politie hem even weinig aanstond als Naguib – dat hij alleen maar realistischer was. 'Heb je niet gevolgd wat er in Assiut gebeurt?' vroeg hij. 'Demonstraties. Gevechten. Woede. Confrontaties. Alleen maar voor een paar dode koptische meisjes. Ik wil niet het risico lopen dat het hier naar toe overwaait.'

'Ze kan vermoord zijn,' merkte Naguib op.

Gamal had een van nature donker gezicht, maar nu werd het nog donkerder. 'Voor zover ik weet is ze door niemand als vermist opgegeven. Ze kan daar best jaren gelegen hebben, wie weet tientallen jaren. Wil je je op een moment als dit echt problemen op de hals halen voor een meisje dat al tientallen jaren dood kan zijn?'

'Sinds wanneer staat een onderzoek naar moord instellen gelijk aan je problemen op de hals halen?'

'Bespaar me je spelletjes,' zei Gamal kwaad. 'Je klaagt voortdurend dat je het zo druk hebt. Concentreer je liever op een paar van die andere gevallen en hou op met woestijngeesten najagen.'

'Is dat een bevel?'

'Als het moet wel,' knikte Gamal. 'Als het moet wel.'

9

'Eerwaarde,' zei Griffin opnieuw. 'Kan ik u even spreken?'

Knox draaide zich met een ruk om en liep de gang in, blij dat zijn witte overhemd en donkere coltrui in het donker genoeg op een priesterboordje leken om Griffin te misleiden.

'Eerwaarde!' riep Griffin geërgerd. 'Kom terug. We moeten praten.'

Knox liep door, zo snel als hij durfde. De gang werd recht en liep na ongeveer twintig stappen dood. Vlak voor het eind lag een grote hoop oude bakstenen en stukken pleisterwerk, en er zat een gapend gat in de muur waardoor hij Peterson uit de bijbel hoorde voorlezen – alleen met zo'n ruis op de achtergrond dat het meer op een opname leek.

'En die twee engelen kwamen te Sodom in den avond; en Lot zat in de poort te Sodom; en toen Lot hen zag, stond hij op om hun tegemoet te lopen.'

Knox liep naar het gat en keek naar binnen – een groot vertrek waarin jonge mannen en vrouwen op doeken geknield en met sponzen, gedistilleerd water en zachte borstels de muren schoonmaakten. De mannen hadden het gebruikelijke gemillimeterde haar, de vrouwen hadden een kort pagekapsel en iedereen was gekleed in het gebruikelijke uniform van korenbloemblauw en kaki. Ze gingen zo op in hun werk dat ze hem niet hoorden binnenkomen. Pas toen zag hij Peterson, in een ernstig gesprek gewikkeld met een jonge vrouw, terwijl zijn stem vreemd genoeg doorging met de heilige schrift declameren op de draagbare cd-speler die midden in het vertrek op de grond stond.

'Ziet toch, ik heb twee dochters, die zich nog niet tot een man bekend hebben; ik zal haar nu tot u brengen, en doet haar, zoals het goed is in uw ogen.'

Griffin naderde door de gang. Knox zag maar één schuilplaats: het doopbad. Hij liep zo haastig de brede stenen treden af dat hij uitgleed en bijna zijn evenwicht verloor, maar was net in het donker verdwenen toen Griffin zijn hoofd door de opening stak. 'Eerwaarde!' zei hij. Peterson scheen hem niet te horen, zodat hij het nog een keer moest herhalen, harder ditmaal, zodat een van de jonge vrouwen zich omdraaide en de cd-speler zachter zette. 'Waarom liep u verdorie weg?'

Peterson fronste zijn wenkbrauwen. 'Waar heb je het over, broeder Griffin?'

Griffin keek hem kwaad aan, maar liet het erbij. 'We hebben het magazijn leeggehaald,' zei hij. 'Tijd om de schacht dicht te gooien.'

'Nog niet,' zei Peterson.

'Dat zal uren tijd kosten,' zei Griffin. 'Als we niet meteen beginnen, zijn we nooit klaar voordat...'

'Ik zei nog niet.'

'Maar...'

'Ben je vergeten waarom we hier zijn, broeder Griffin?' schoot Peterson uit zijn slof. 'Ben je vergeten wiens werk we hier doen?'

'Nee, eerwaarde.'

'Ga dan weer naar buiten en wacht. Ik zeg wel wanneer je kunt beginnen.'

'Goed, eerwaarde.'

Hij vertrok en zijn voetstappen stierven weg. De jonge vrouw zette de cd-speler weer harder.

'Want wij gaan deze plaats vernietigen, omdat het geroep groot geworden is voor het aangezicht des Heeren, en de Heere ons uitgezonden heeft, om het te vernietigen.'

Knox wachtte een paar seconden alvorens het risico te nemen over de rand van het doopbad te kijken. Iedereen concentreerde zich weer op het schoonmaken van hun stukje muur, waarop ze een hele reeks taferelen aan het licht brachten: portretten, landschappen, engelen, demonen, Griekse en Aramese teksten, wiskundige berekeningen, tekens van de dierenriem en andere symbolen – de nachtmerrie van een waanzinnige. Hij fotografeerde het plafond, twee stukken muur en vervolgens Peterson en de jonge vrouw terwijl ze een wandschildering bekeken.

'De zon ging op boven de aarde, toen Lot te Zoar binnenging. Toen deed de Heere zwavel en vuur over Sodom en Gomorra regenen, van den Heere uit den hemel.'

'Eerwaarde!' zei een jongeman. 'Kom eens kijken!'

Knox dook weer weg, maar niet snel genoeg. Een van de vrouwen zag hem toen ze zich omdraaide. Haar mond viel open van geschokte verbazing. Ze stak een trillende vinger naar hem uit en zette het op een gillen.

II

Fatima's maaltijden waren notoir sobere gelegenheden, maar vanavond stond de tafel vol kleurrijke, geurige schotels ter ere van Stafford en Lily: ta'amiyya, fu'ul, hummus, bonen, tahini, een salade van gehakte tomaten en komkommer met een vinaigrette van olie en knoflook, gevulde aubergine, wijnbladeren gevuld met kip. Alles zag er even smakelijk uit in het flakkerende kaarslicht. Er stonden zelfs twee flessen rode wijn op tafel, waarvan Stafford zich meteen royaal bediende. Hij dronk het glas in één keer leeg en vulde het weer. Ondanks haar antipathie jegens hem moest Gaille toegeven dat hij er erg zwierig uitzag in zijn geleende galabaya – zijn eigen kleren waren in de was en zouden pas morgen droog zijn.

Lily keek nerveus naar de tafel, alsof ze zichzelf niet met de plaatselijke etiquette noch met het plaatselijke eten vertrouwde. Gaille gaf haar een bemoedigend knikje en schepte een paar van de veiligste gerechten op, zodat Lily haar voorbeeld kon volgen, wat ze met een dankbare glimlach deed.

'Bent u van plan lang in Egypte te blijven?' vroeg Fatima toen Stafford naast haar ging zitten.

'Morgen Amarna en de dag daarop Assiut voor een interview. En dan moet ik naar de Verenigde Staten.'

'Is dat geen erg zwaar programma voor twee dagen?'

'Oorspronkelijk hadden we gepland hier bijna een volle week te blijven,' zei hij schouderophalend. 'Maar toen wist mijn agent me op de

74

ochtendshows te krijgen. Dat kon ik immers moeilijk afslaan?'

'Nee, waarschijnlijk niet.'

'Het is de enige markt, de Verenigde Staten. Als je het daar niet maakt, kun je het vergeten. Maar we filmen hier toch maar een kort gedeelte. Later in het jaar komen we terug om in…' Hij hield net op tijd op om te voorkomen dat hij zijn mond voorbijpraatte en glimlachte alsof ze op het punt had gestaan hem grote geheimen te ontfutselen. 'Voor de andere onderdelen van mijn programma.'

'Uw programma, inderdaad. Kunt u me daar meer over vertellen?'

Hij nam opnieuw een slok wijn terwijl hij hierover nadacht. 'Bent u bereid uw woord te geven dat alles wat ik u nu ga vertellen tussen ons blijft?'

'Natuurlijk. Ik zou er niet aan dénken om iemand over uw theorieën te vertellen, wees maar niet bang.'

'Want het is controversieel, dat verzeker ik u.'

'Dat is het altijd.'

Stafford werd rood, alsof hij nu pas in de gaten had dat ze hem een beetje voor de mal hield. Hij hief zijn kin, zodat hij even een zwanenhals had. 'Goed dan,' zei hij. Hij wachtte op stilte, tot iedereen aan tafel luisterde. Daarna wachtte hij nog even om de spanning op te voeren – een oud vertellerstrucje, maar daarom niet minder effectief. Uiteindelijk, toen hij ieders aandacht had, boog hij zich naar het kaarslicht. 'Ik ben van plan te bewijzen dat Echnaton niet zomaar een farao van de Achttiende Dynastie was,' zei hij. 'Ik ben van plan te bewijzen dat hij ook de stichter van het moderne Israël was. Jazeker. Ik ben van plan het onweerlegbare bewijs te leveren dat Echnaton Mozes was, de man die de joden uit Egypte naar het Beloofde Land leidde.'

III

Hoofden werden omgedraaid om te zien waarom de vrouw gegild had. Een geschokt en ijskoud stilzwijgen daalde neer over het vertrek toen iedereen Knox met zijn mobieltje in de hand in het doopbad zagen zitten. Maar Knox reageerde als eerste. Hij rende de trap op, dook languit door het gat in de muur en viel met een smak in de gang op de grond.

'Hou hem tegen!' brulde Peterson. 'Breng hem terug!'

Knox sprong meteen overeind en sprintte door de eilandjes van lamplicht, achtervolgd door geschreeuw. Over zijn schouder kijkend zag hij een atletische jongeman die hem met een gezicht dat vertrokken was van gedrevenheid van achteren tackelde. Knox sloeg met een klap tegen de grond, zijn handpalm en elleboog openhalend op de ruwe steen. Hoewel alle lucht uit zijn longen geslagen was, draaide hij zich bliksemsnel om en wierp de jongeman van zich af. Daarna krabbelde hij weer overeind en rende in de richting van het atrium.

Griffin en een van de jongelui verschenen in de deuropening voor hem, schouder aan schouder om hem de doorgang te belemmeren. Het zou hem nooit lukken hen te passeren. Hij bukte zich en rukte de stekker uit de generator, zodat het plotseling stikdonker werd. Daarna ramde hij Griffin met zijn schouder tegen de grond, vocht zich langs zijn zwaaiende armen het atrium in en rende de trap op. De andere jongelui liepen in de richting van de trap, aangelokt door het tumult. Knox liep de andere kant op, rende over een kleine heuvel en holde verder tot hij in volle vaart tegen het harmonicagaas van de omheining van het belendende krachtstation liep.

Rennend volgde hij de omheining, proberend vast te stellen waar hij was en hoe hij het snelst bij Omar en de jeep kon komen. Maar zijn inspanningen begonnen hun tol te eisen. Het steken in zijn zij nam toe, zijn ademhaling werd jachtiger. Over zijn schouder kijkend zag hij overal silhouetten die elkaar aanmoedigingen en instructies toeschreeuwden. Het maanlicht was te sterk en het terrein te kaal om zich te verbergen. Knarsetandend dwong hij zich tot een nieuwe inspanning, maar zijn benen werden steeds zwaarder en zijn achtervolgers liepen steeds meer op hem in.

10

'Ah,' zuchtte Fatima. 'Echnaton als Mozes. Dat oude verhaal. Ik weet niet hoeveel van mijn eerstejaars tot dezelfde conclusie gekomen zijn.'

'Misschien om goede redenen,' zei Stafford kortaf. 'Misschien omdat het waar is.'

'En ik neem aan dat u bewijzen hebt om zo'n boude bewering te staven?'

'Toevallig wel, ja.'

'En wilt u die met ons delen?'

Lily boog haar hoofd en keek gegeneerd naar haar bord. Dit was niet de eerste keer dat ze op de eerste rang gezeten had als Stafford een van zijn colleges afstak. Daar had ze een vreselijke hekel aan, niet in het minst omdat zij altijd degene leek te zijn die de gemoederen tot bedaren moest brengen als hij uitgepraat was.

'Het is niet zozeer dat ik iets nieuws ontdekt heb,' gaf hij toe. 'Maar er is nog nooit iemand geweest die de stukjes van de legpuzzel helemaal op de juiste manier aan elkaar gepast heeft. Tenslotte zult zelfs ú, als u eerlijk tegenover uzelf bent, moeten toegeven dat er een connectie bestond tussen Echnaton en de joden.'

'Wat bedoelt u daar precies mee?'

'Iedereen weet dat egyptologen hun hoofd in het zand steken zodra de uittocht uit Egypte aan de orde komt. Dat is in deze tijd een te gevoelig onderwerp voor een islamitisch land. Dat is niet bedoeld om kritiek uit te oefenen…'

'Zo klinkt het anders wel.'

'Ik zeg alleen maar dat ik begrijp waarom u de andere kant uitkijkt.'

'Dat is een hele toer als mijn hoofd al in het zand zit.'

'U weet wat ik bedoel.'

'Inderdaad,' zei Fatima. 'U gelooft dat ik het oudheidkundige erfgoed vervals voor mijn persoonlijk gemak of professionele reputatie.'

'Neem ons niet kwalijk,' kwam Lily haastig tussenbeide. 'Dat bedoelde Charles niet, hè, Charles?'

'Natuurlijk niet,' zei Stafford. 'Ik had het over het establishment in het algemeen. De zogenaamde Egyptekenners die zelfs weigeren om in overweging te nemen dat de bijbel meer licht op de geschiedenis van Egypte zou kunnen werpen.'

'Wie zijn die mensen?' vroeg Fatima. 'Ik ben er nog nooit een tegengekomen.'

'Ik wil beslist niet beweren dat de bijbel zich strikt aan de feiten houdt,' ging Stafford verder, 'maar hij is verreweg ons beste verslag van de oorsprong van het judaïsme. Wie kan er bijvoorbeeld aan twijfelen dat er ergens tijdens het tweede millennium voor Christus een groot aantal slaven in Egypte was die later bekend zouden worden als de joden? En wie kan eraan twijfelen dat ze in conflict kwamen met hum Egyptische meesters en onder leiding van een man die ze Mozes noemden en masse het land uit vluchtten? Of dat ze Jericho en andere steden bestormden en verwoestten alvorens zich in en om Jeruzalem te vestigen? Dat zijn de contouren van wat er gebeurde. Onze taak als historici is die contouren naar beste vermogen in te vullen.'

'O,' zei Fatima. 'Dat is onze taak, toch?'

'Inderdaad,' zei Stafford zelfgenoegzaam. 'Dat is onze taak. En als we daaraan beginnen staan we meteen voor een probleem. Want we hebben geen duidelijk Egyptisch verslag van zo'n uittocht. Uiteraard was die ook van veel minder belang voor de Egyptenaren dan voor de joden... een groep slaven die het land uit vluchtte... dus dat is begrijpelijk. En het is ook niet zo dat we helemaal niets hebben om op af te gaan. Volgens Genesis was Josef degene die de Hebreeën naar Egypte bracht. En in het verhaal van Josef wordt het woord strijdwagen niet één keer, niet twee keer maar liefst dríé keer gebruikt. Maar de Egyptenaren hádden geen strijdwagens vóór de Achttiende Dynastie, wat inhoudt dat de joden onmogelijk vóór halverwege de zestiende eeuw voor Christus in Egypte aangekomen zijn. En vervolgens heb je de stèle van Mernepta, die een verslag bevat van een overwinning tegen de stam Israël in Kanaän, wat betekent dat de uittocht in de tijd dat die gegraveerd werd, wat rond 1225 voor Christus gebeurde, al plaatsgevonden moest hebben. Dat geeft ons een door twee jaartallen begrensd tijdperk: 1550 tot 1225 voor Christus. Of, anders gezegd, ergens tijdens de Achttiende Dynastie. Bent u het daarmee eens?'

'Op uw logica valt niets aan te merken,' zei Fatima.

'Dank u,' zei Stafford. 'Dan kunnen we nu kijken of we het nog nauwkeuriger kunnen invullen. De Ptolemeeën gaven ene Manetho de opdracht een geschiedenis van Egypte te schrijven. Ons begrip van de oude dynastieke structuur is nog steeds geheel gebaseerd op zijn koningslijst.'

'U meent het.'

'Manetho was een Egyptische hogepriester met toegang tot de dossiers van de tempel van Amun in Heliopolis. Hij identificeerde een man met de naam Osarsef als de bijbelse Mozes. Deze Osarsef was een hogepriester van een farao Amenhotep die kennelijk een aanhang opbouwde onder de uitgestotenen en melaatsen. Hij werd zo machtig dat de goden Amenhotep in een droom bezochten en hem opdroegen Osarsef uit Egypte te verdrijven. Maar in plaats daarvan was het Amenhotep die verdreven werd, waarna Osarsef zelf dertien jaar regeerde alvorens uiteindelijk zelf verjaagd te worden. Dus... hebben we niet alleen een onafhankelijke bevestiging van de uittocht uit Egypte, maar ook een zeer sterke aanwijzing in onze speurtocht naar Mozes. Deze man Osarsef. Deze farao Amenhotep.'

'De Achttiende Dynastie had vier farao's met de naam Amenhotep. Welke denkt u dat Manetho bedoelde?'

'Hij schreef dat de farao een zoon had die Ramses heette. Ramses was een naam uit de Negentiende Dynastie, dus Manetho had het duidelijk over een van de latere, niet de eerdere Amenhoteps.'

'Aha. Juist ja.'

'Alleen lijkt die dertienjarige heerschappij van Osarsef een probleem te zijn, aangezien nergens anders gesproken wordt over een farao Osarsef of enige andere farao in de Achttiende Dynastie die dertien jaar geregeerd heeft. Maar laten we de diverse kandidaten eens onder de loep nemen. Ay of Horemheb misschien. Die waren geen van beiden van koninklijken bloede, want de eerste was vizier voor hij de troon besteeg en de tweede generaal. Maar Ay regeerde maar vier jaar en Horemhebs negentien jaren waren grotendeels orthodox en welvarend. Smenchare hield het maar een paar maanden vol en Toetanchamon stierf jong. Dus ze voldoen geen van vieren. Maar we hebben nóg een mogelijkheid. Echnaton. Die volgde zijn vader Amenhotep III op, en hoewel hij alles bij elkaar zeventien jaar regeerde, gebeurde er tijdens zijn vijfde regeringsjaar duidelijk iets buitengewoons. Hij veranderde niet alleen van naam, maar stichtte ook zijn nieuwe hoofdstad Achetaton, de plaats die we nu kennen als Amarna, waar hij regeerde tot 1332 voor Christus. 1345 tot 1332. Zeg eens: hoeveel jaar is dat?'

'Dertien,' zei Fatima.

'Precies,' knikte Stafford. 'Dus we hebben een geschikte kandidaat, op het eerste gezicht in ieder geval. Maar dat werpt weer nieuwe vragen op. Bijvoorbeeld, waarom zou iemand Echnaton als een indringer beschouwen. Hij was tenslotte de legitieme farao. En zijn er, afgezien van Manetho's bewering, nog andere dingen die Echnaton en Mozes verbinden?'

Fatima spreidde haar handen. 'En? Gaat u ons uit de onzekerheid helpen?'

II

Knox stak een lage, steenachtige bult over en keek om. Zijn achtervolgers kwamen steeds dichterbij. Zijn adem schroeide in zijn keel en hij voelde martelende steken in zijn zij. De maan verdween achter een paar zeldzame nachtelijke wolken. Daar maakte hij gebruik van om rechtsaf te slaan, weg van de omheining, bijna blindelings rennend. Hij struikelde over een grote steen en ging tegen de grond. Overeind krabbelend keek hij om zich heen en zag een plastic tent. De begraafplaats. De maan kwam achter de wolk vandaan. Achter hem ging een kreet op. Hij rende naar het irrigatiekanaal, liet zich van de oever glijden, plaste moeizaam door het water en klauterde aan de andere kant weer omhoog. Zijn schoenen zaten vol water en slijk.

Rechts van hem verschenen twee koplampen – een van de pick-ups die over het pad naar hem toe accelereerde. Twee portieren vlogen open, twee jongelui sprongen naar buiten. Knox klom over het hek in de buurt van waar hij de jeep geparkeerd had, maar zag geen spoor van Omar of zijn auto, alleen maar bandensporen in de grond.

Hij kwam bevend tot stilstand, met zijn handen op zijn knieën naar lucht happend, zijn dijen stijf van het melkzuur. Drie jongelui doken op bij het hek achter hem en klommen er op hun gemak overheen, ervan overtuigd dat ze hun slachtoffer te pakken hadden. De wind drukte zijn doorweekte overhemd tegen zijn huid. De combinatie van de koele nachtlucht en de angst deed een enorme rilling door zijn lichaam gaan.

Een oude motor brulde. Knox draaide zich om en zag de jeep hotsend naar hem toe rijden met Omar aan het stuur en het portier aan de andere kant al openzwaaiend. Knox rende erheen, tuimelde naar binnen, sloeg het portier dicht en deed het op slot, terwijl zijn achtervolgers een laatste poging deden om hem te pakken. Met van woede vertrokken gezichten omsingelden ze de jeep en bonkten op de raampjes, terwijl Omar aan het stuur rukte en de jeep met krakende versnelling over het oneffen terrein liet hobbelen en hun achtervolgers achterliet.

III

Peterson omklemde zijn koning James-bijbel terwijl hij naar de muurschildering keek waar Michael een seconde voordat Knox ontdekt werd zijn aandacht op gevestigd had. Het gedestilleerde water had de dikke stoflaag verwijderd en de pigmenten eronder verlevendigd, zodat het tafereel duidelijk zichtbaar was: twee mannen in witte gewaden die uit een grot kwamen, een figuur in het blauw die voor hen neerknielde, één regel tekst eronder.

Peterson had pas op latere leeftijd talen geleerd, maar hier was zijn Grieks goed genoeg voor, niet in het minst omdat deze regel de afgelopen tien jaar, sinds zijn eerste kennismaking met de Carpocratinianen, regelmatig in zijn nachtmerries opgedoken was.

Zoon van David, wees me genadig.

Het bloed stroomde uit zijn hoofd, wat hem zo duizelig maakte dat hij met zijn hand tegen de muur moest steunen om niet te vallen.

Zoon van David, wees me genadig.

En Knox had een fototoestel! Uitgerekend Knóx! Een zwaar, dof gebonk in zijn borst, als een verre ijzerpers. *Wat had hij gedaan?* Hij keek om zich heen. Iedereen was achter Knox aangerend, zodat hij alleen achtergebleven was. Dat was in ieder geval iets. Hij pakte een steenhamer en viel woest op de muur aan, zijn razernij en angst erop botvierend door als een wildeman op het pleister in te hakken tot het in stof en brokken aan zijn voeten lag. Zwaar ademend leunde hij tegen de muur, pas op dat moment beseffend dat hij gezelschap had. Hij draaide zich om en zag Griffin, die vol afschuw naar hem keek, naar wat hij aangericht had.

'En?' vroeg Peterson kwaad, aanvallend in plaats van zich te verdedigen. 'Heb je hem te pakken?'

Griffin schudde zijn hoofd. 'Tawfiq stond op hem te wachten op de akker.'

'Heb je ze laten ontkomen? Weet je niet hoeveel schade ze kunnen aanrichten?'

'Ze zullen niet ver komen. De enige manier om van de akker te komen is via die ouwe brug. Nathan staat ze daar op te wachten.'

Hij knikte. Dat was in ieder geval iets. Maar dit was een te delicate situatie geworden om aan anderen over te laten. Hij zou zich er persoonlijk mee moeten bemoeien. 'Sluit alles af,' beval hij Griffin. 'Ik wil er geen spoor meer van zien als ik terugkom. Begrepen?'

'Ja.'

Peterson gooide de steenhamer nonchalant in een hoek, alsof wat hij zojuist met de muur gedaan had niets was. Daarna voelde hij in zijn zakken naar zijn autosleutels en beende zo vastberaden naar het gat in de muur dat Griffin achteruit moest springen om niet omvergelopen te worden.

11

'Monotheïsme,' verklaarde Stafford.

'Pardon?' vroeg Fatima met een frons.

'Monotheïsme. Dat is de sleutel. Mozes was de originele voorvechter van de Ene Ware God. "Gij zult geen andere goden voor Mijn aangezicht hebben." En wat onderscheidt Echnaton van alle andere farao's?'

'Monotheïsme?' zei Fatima.

'Precies. Monotheïsme. Vóór hem had Egypte altijd een hele reeks goden gehad, maar Echnaton bracht overal verandering in. Voor hem bestond er maar één god. De zonneschijf. De Aton. Alle andere waren verzinselen van de menselijke geest en de kunst van de handwerksman. En hij deed meer dan dit idee lippendienst bewijzen. Hij handelde ernaar. Hij sloot de tempels van rivaliserende goden, vooral die van Amun, de grootste concurrent van de Aton. Hij liet Amuns naam van alle monumenten in Egypte verwijderen. Ik neem aan dat u dat kunt accepteren.'

'Accepteren? Ik heb er een boek over geschreven.'

'Goed. Manetho, de man die beweerde dat Osarsef Mozes was, baseerde zijn geschiedenis op de documenten in de tempel van Amun in Heliopolis. Maar wat denkt u dat de priesters van Amun van Echnaton dachten, de man die hun tempels gesloten had en de naam van hun god in het hele land uitgewist had? Dacht u niet dat ze hem als een indringer beschouwden? Melaatsen als volgelingen?' Hij nam opnieuw een slok wijn en veegde zijn mond af, zodat het zwarte haar op zijn pols vochtig werd.

'Goed,' zei hij, het stilzwijgen interpreterend als instemming. 'Dan zullen we nu Mozes opnieuw onder de loep nemen. Een Hebreeuws kind, wordt ons verteld, dat in een biezen mandje in de Nijl wordt gezet en gered wordt door de dochter van de farao, die hem de naam Mozes gaf omdat dat Hebreeuws was voor "uitgetrokken". Uit het water. Maar dat hele verhaal doet nogal folkloristisch aan, niet? Waarom zou de dochter van een farao een vondeling immers een Hebreeuwse naam geven? Om te beginnen kon ze niet eens gewéten hebben dat hij Hebreeuws was. En ze zou ook geen Hebreeuws gekend hebben, niet in het minst omdat dat toen nog niet bestond. Nee. De ware uitleg is eenvoudig. Mozes betekent "zoon" in het Egyptisch en is een veelgebruikt onderdeel van namen van de farao's, bijvoorbeeld in Toetmozes, zoon van Thoth, of Ramses, zoon van Ra. De vondelingenmythe was gewoon een poging achteraf om Mozes een geboren jood te maken. De waarheid is dat hij geboren was als een Egyptische prins.'

'Volgens de bijbel vermoordde hij een Egyptische soldaat, niet?' vroeg Fatima fronsend. 'En vluchtte hij naar het land van Koesje. Ik herinner me niet dat Echnaton dat gedaan heeft.'

'Je krijgt nooit alle details kloppend,' zei Stafford. 'De vraag is of er genoeg overeenkomsten zijn. En die zijn er duidelijk. En dan ben ik nog niet eens ingegaan op de opmerkelijke parallellen tussen de leer van Echnaton en die van Mozes.'

'Welke parallellen precies?'

'Dat zal ik u vertellen als u me de kans geeft.'

'Alstublieft,' zei Fatima. 'Laat u niet weerhouden.'

'Dat doe ik nooit,' zei Stafford, breed met zijn glas gebarend, zodat hij wijn op zijn geleende galabaya morste. Geërgerd veegde hij de druppels weg en maakte zich op om de rest van zijn theorie te ontvouwen.

II

Meestal had inspecteur Naguib Hoessein geen moeite zijn politiewerk te vergeten zodra hij zijn voordeur achter zich had dichtgetrokken. Normaal gesproken vrolijkten zijn vrouw en dochter hem meteen op, maar vanavond niet, zelfs niet toen hij zich bukte voor Hoesniyah, zodat ze haar armpjes om zijn hals kon slaan en hij haar had kon optillen. Maar hij deed zijn best om zijn beslommeringen voor haar te verbergen toen hij haar door het kralengordijn naar de keuken droeg. Hij drukte heimelijk een kus op haar kruin, zag met een warm steekje van pijn en trots hoe springerig en zwart haar haar was, hoe bleek het smalle dal van hoofdhuid dat er doorheen schemerde.

Yasmine keek op van haar koken. Haar ogen stonden vermoeid en haar gezicht glansde van de dampen. 'Ruikt goed,' zei hij. Hij probeerde een stukje uit de pan te pakken, maar ze sloeg zijn hand weg, zodat hij het weer liet vallen. Ze glimlachten naar elkaar. Dertien jaar getrouwd en soms stond hij nog steeds versteld van de frisheid van hun genegenheid. Hoesniyah zat met gekruiste benen op de vloer met een tekenblok op schoot en tekende dieren en bomen en huizen. Hij keek over haar schouder, prees haar vaardigheid, stelde haar vragen. Maar even later verzonk hij in gedachten, broedend over het kwaad in de wereld. Hij merkte pas dat Yasmine iets tegen hem gezegd had toen ze zijn schouder aanraakte. Hij schudde zijn hoofd om het leeg te maken en gaf haar de warmste glimlach waartoe hij in staat was. 'Ja?' vroeg hij.

'Je hebt iets aan je hoofd,' zei ze.

'Niks bijzonders.' Maar zijn blik ging tegen wil en dank naar zijn dochtertje.

'Hoesniyah, schatje,' zei Yasmine zacht. 'Zou je ons even alleen willen laten?' Hoesniya keek haar vragend aan, maar ze had geleerd te gehoorzamen en dus raapte ze haar spullen bij elkaar en liep zonder iets te zeggen de keuken uit. 'En?' vroeg Yasmine.

Naguib zuchtte. Hij wenste wel eens dat zijn vrouw hem minder goed kende. 'We hebben vandaag een lijk gevonden,' zei hij.

'Een lijk?'

'Van een jonge vrouw. Een meisje.'

Yasmines ogen zochten instinctief het kralengordijn. 'Een meisje? Hoe oud?'

'Dertien. Veertien misschien.'

Yasmine kon haar volgende vraag amper uitspreken. 'En was ze... vermoord?'

'Het is nog te vroeg om daar zeker van te zijn,' antwoordde Naguib. 'Maar ja, waarschijnlijk wel.'

'Dat is dan de derde binnen een maand.'

'De andere twee waren in Assiut.'

'Nou en? Misschien zijn ze hiernaartoe verhuisd omdat de grond ze daar te heet onder de voeten werd.'

'We weten niet hoe lang dit meisje daar al lag. Er is geen reden om aan te nemen dat die gevallen verband met elkaar houden.'

'Maar toch vermoed je het, niet?'

'Het is altijd mogelijk.'

'En wat ga je eraan doen?'

'Niet veel,' biechtte hij op. 'Gamal heeft andere prioriteiten.'

'Prioriteiten die voorrang hebben op de moordenaar van drie meisjes?'

'Hij vindt dat dit niet het juiste moment is vanwege alle spanning en zo…' Naguib liet zijn woorden beschaamd wegsterven. Aan de andere kant van het gordijn begon Hoesniyah te zingen, zogenaamd voor zichzelf maar in werkelijkheid om ervoor te zorgen dat haar ouders haar hoorden, zich van haar bewust waren, haar konden beschermen.

'Vertel me alsjeblieft dat je achter de mensen die dit gedaan hebben aan zult gaan,' zei Yasmine fel. 'Vertel me alsjeblieft dat je ze zult pakken voor ze opnieuw kunnen toeslaan.'

Heel even zag Naguib het toegetakelde, gemummificeerde lijkje weer voor zich, nog steeds in zijn doodskleed van zeildoek. Wie kon zeggen welk gezicht hij de volgende keer zou vinden? Hij keek zijn vrouw recht in de ogen, zoals hij altijd deed bij zaken die belangrijk waren en wanneer hij haar wilde laten weten dat ze hem kon vertrouwen. 'Ja,' beloofde hij haar. 'Dat zal ik doen.'

III

'Zijn ze bruikbaar?' vroeg Omar, zich van achter het stuur naar Knox toe buigend om de foto's op het scherm van zijn mobieltje te zien.

'Kijk liever waar je rijdt,' zei Knox, terwijl Omar de versnellingsbak van de jeep opnieuw liet kraken.

'Huh!' zei Omar. 'Nogal donker, niet?'

'Misschien kan ik ze beter naar Gaille sturen,' zei Knox. 'Als iemand er iets van kan maken is zij het wel.'

'Maar goed ook dan. Hiermee kunnen we niet bij de politie aankomen.'

'Zegt de man die dacht dat we helemaal geen foto's nodig hadden.' Hij begon een sms te schrijven, wat niet meeviel terwijl ze over de akker hobbelden, zonder zelfs een veiligheidsriem om hem op zijn plaats te houden. *Bijgesloten foto's genomen op mog. Therapeutae-locatie! Licht vrese-lijk. Kun je iets doen? Graag zo snel mogelijk! Liefs, Daniel.* Ontevreden fronsend verving hij *Liefs* door *Veel liefs*, vervolgens door *Alle liefs* en ten slotte door *Met alle liefs.* Hij was met geen van alle tevreden. Iedereen had tegenwoordig zijn mond vol over liefde. Het woord was zo goedkoop geworden dat het al zijn betekenis verloren had. Hij voelde zich belachelijk. Alsof dit het moment was om over dat soort dingen in te zitten! Toch bleven ze hem bezighouden. Met zijn wijsvinger tikte hij nog wat woorden in en bleef er verscheidene seconden naar staren, ontmoedigd door hoe klaaglijk ze overkwamen. Maar hij had al veel te veel tijd verspild, dus hij hing de foto's aan de boodschap en stuurde alles weg voor hij van gedachten kon veranderen.

Met een gemompelde vloek minderde Omar vaart en kwam tot stilstand. Knox keek op en zag verscheidene koplampen op een hoofdweg ongeveer een kilometer verderop. 'Wat is er?' vroeg hij.

'Daar.'

Nu zag Knox het ook: de zachte gloed van het maanlicht op een bij het houten brugje geparkeerde pick-up. 'Barst,' mompelde hij.

'Wat nu?'

'Misschien kunnen we er op een andere manier uit. Blijf zoeken.'

De motor loeide toen Omar probeerde op te trekken. 'Ik heb een automaat,' zei hij, een gezicht trekkend.

'Wil je dat ik rij?'

'Dat is waarschijnlijk beter.'

Ze verwisselden van plaats. Knox deed zijn veiligheidsriem om, zette de jeep in de versnelling en ging op zoek naar een andere uitgang. De pick-up hobbelde achter hen aan. Ze wilden hen duidelijk in de gaten houden, maar bleven op veilige afstand, tussen hen en de brug. Hij reed over een heuvelrug heen en draaide om. Op het moment dat de pick-up in zicht kwam, gaf hij plankgas en racete erop af, hevig schokkend over de ongelijke grond. Omar klemde zich vast aan de deurknop en trapte op een denkbeeldige rem. Maar Knox bleef gas geven. De pick-up draaide eveneens. Ze wisten dat dit een race naar de brug was. Hij scheurde ze voorbij, maar ze haalden hem snel weer in met hun nieuwere, krachtiger motor.

'We komen hier nooit uit,' riep Omar.

'Hou je vast,' zei Knox, zigzaggend om te voorkomen dat de pick-up langszij kwam. Zijn wielen wierpen grote modderkluiten op. Hij beschreef een wijde boog en draaide met een ruk terug naar de brug. Hij had hem bijna bereikt toen een fourwheeldrive uit het donker opdook en met verblindend groot licht recht op hen afreed, zodat Knox een beschermende hand voor zijn ogen moest slaan en keihard moest remmen. Maar het was te laat. Zijn banden slipten in de modder, de jeep gleed opzij, miste de brug en dook recht het irrigatiekanaal in. Knox stak instinctief een arm uit om Omar op zijn plaats te houden toen de jeep met een klap tegen de andere oever sloeg, vergezeld van het geluid van kreukelend metaal en een in duizend stukjes uiteenspattende voorruit. Hij werd tegen zijn veiligheidsriem gesmeten, zodat zijn hoofd met een ruk naar voren vloog. Op hetzelfde moment voelde hij een harde klap tegen zijn achterhoofd en werd alles zwart voor zijn ogen.

12

Lily legde heimelijk haar hand op Staffords arm om hem wat te kalmeren, maar hij schudde haar met een abrupt gebaar van zich af, schonk opnieuw zijn glas vol en ging verder. 'De mensen hebben geen idee van het judaïsme,' verklaarde hij. 'Ze lezen over Abraham, Noach, Jacob en al die andere patriarchen en denken dat de joden in Egypte aankwamen met al hun geloofsstukken en gebruiken kant-en-klaar, dat ze er tijdens hun verblijf daar aan vasthielden en vervolgens vertrokken zonder ook maar een beetje beïnvloed te zijn. Maar zo kan het niet geweest zijn. En zo wás het ook niet. Als je met een onbevooroordeelde blik naar het judaïsme kijkt, zie je meteen dat de wortels ervan in Egypte liggen, met name in het monotheïsme van Echnaton.'

'Dat is nogal een bewering,' zei Fatima.

'Kijk maar naar het verslag van de schepping in Genesis, als u me niet gelooft. Het idee dat alles uit de leegte ontstaan was, was een Egyptisch denkbeeld, evenals de idee van de mensheid als Gods kudde, geschapen naar Zijn evenbeeld en gelijkenis, voor wie Hij hemel en aarde schiep. Er staan talloze passages in de bijbel die vrijwel letterlijk uit Egypte gestolen zijn. Neem de Negatieve Confessie uit het Dodenboek. "Ik heb de God niet beschimpt. Ik heb tegen niemand gezondigd. Ik heb niet gedood. Ik heb niet onwettig de bijslaap bedreven." Vervang "Ik heb niet" met "Gij zult niet" en je hebt de Tien Geboden. Psalm 34 is gebaseerd op een inscriptie in Amarna. Psalm 104 is een herschrijving van Echnatons hymne voor de Aton.'

'Een herschrijving!' zei Fatima met een frons. 'Ze hebben een paar beelden gemeen, dat is alles.'

'Een paar beelden!' schamperde Stafford. 'Op sommige plaatsen zijn er woord voor woord overeenkomsten. Maar zelfs als u me daar geen gelijk in geeft, zult u toch zeker niet bestrijden dat er grote overeenkomsten zijn tussen de Spreuken in de bijbel en de Egyptische wijsheid, of dat de zogenaamde "Dertig Gezegden" iets anders zijn dan de opgewarmde "Dertig Hoofdstukken" van Amenemope. Ik geef toe, elk op zich zou mogelijk toeval kunnen zijn, maar ze stáán niet op zichzelf. Ze zijn onderdeel van een patroon. Zelfs de naam Hebreeuws is een verbastering van het Egyptische woord "Ipiru", mensen die zich buiten de wet gesteld hebben. De joodse priestergewaden zijn vrijwel replica's van de kostuums van de farao's van de Achttiende Dynastie. De Ark des verbonds is vrijwel identiek aan een ark die ze in Toetanchamons graf gevonden hebben. En over de Ark gesproken, tijdens de uittocht uit Egypte brachten de joden die onder in een grote tent die ze het Tabernakel noemden, een kopie van de tent waarin Echnaton woonde toen hij pas in Amarna was. Tienden waren een Egyptisch gebruik dat de joden overgenomen hebben. Magie ook. Wist u dat de Egyptenaren hun toverspreuken opschreven, ze met water doorweekten en het daardoor ontstane brouwsel opdronken, precies zoals aanbevolen in Numeri? De psalmen spreken over Egyptische voodoopoppen. En besnijding was van oorsprong geen joods gebruik, dat beseft u toch wel. Het was een Egyptisch gebruik... Ze hebben zelfs een kleimodel van een besneden penis in Echnatons graf gevonden. "Ze zijn in alle opzichten veel godsvruchtiger dan andere volkeren," beweerde Herodotus. "Ook onderscheiden ze zich van hen door veel van hun gebruiken, zoals besnijding, welke ze om redenen van reinheid vóór andere volkeren invoerden; alsook door hun afschuw van het zwijn. In hooghartige bekrompenheid zagen ze neer op de andere volkeren die onrein waren en de godheid niet zo na stonden als zij." Had hij het over de joden? 'Nee, over de Egyptenaren.'

'Bijna een millennium later.'

'Het Atonisme was zonneaanbidding,' beweerde Stafford vrijwel zonder pauzeren. 'En hetzelfde gold voor het vroege judaïsme. Ezechiël, hoofdstuk 8 heeft het botweg over gelovigen in de tempel des Heren die de opgaande zon aanbidden. Op de berg Sinaï beschreef de god van Mozes zichzelf met het tetragrammaton YHWH: "Ik ben die ben." De Prisse Papyrus uit Egypte beschrijft een Egyptische god als "nk pu nk". Weet u wat dat betekent? Inderdaad: "Ik ben die ik ben".'

'De Prisse Papyrus was...'

'Overal waar je kijkt zie je overtuigende bewijzen dat het judaïsme van Egyptische oorsprong is, afgeleid van Echnatons monotheïsme. Maar weet u wat de doorslag geeft? Wat het absolute, onweerlegbare bewijs is?'

'Vooruit dan maar.'

'De Hebreeërs noemden de Heer hun God Adonai. Maar in het oude Hebreeuws werd de "d" uitgesproken als "t" en was het achtervoegsel "ai" facultatief. Inderdaad. Dat klopt. De Hebreeërs aanbaden een god die Aton heette, wat inhoudt dat Mozes' oproep aan zijn volk "Shema Yisrael Adonai Elohenu Adonai Echad" vertaald moet worden als "Hoort, O Israel, de Aton is de enige God." Weerleg dát maar eens, professor. Weerleg dát maar eens.'

II

'O god,' mompelde Nathan zwakjes, terwijl hij uit de pick-up kwam en met een bleek gezicht naar het krakende, wiebelende wrak van de jeep en het roerloze lichaam van de passagier keek. De man was door de voorruit gevlogen en lag op de andere oever. 'O hemel.'

'Beheers je,' zei Peterson kwaad.

'Lieve hemel. Lieve hemel. Waarom deed u dat? U hebt ze laten verongelukken.'

'Ze hebben zichzelf laten verongelukken,' beet Peterson hem toe. 'Begrepen? Alles wat hier gebeurd is hebben deze mensen zichzelf aangedaan.'

Nathan haalde zijn mobiel uit zijn zak. 'Hoe krijg ik een ziekenwagen?'

'Ben je helemaal gek geworden?' zei Peterson. Hij gaf Nathan een harde klap in zijn gezicht en keek hem doordringend aan. 'Luister,' zei hij. 'Een ziekenwagen kun je vergeten. Het is te laat voor ziekenwagens.'

'Maar ik...'

'Ik zei, luister. Je doet precies wat ik zeg. Niet meer en niet minder. Begrepen?'

'Jawel eerwaarde, maar...'

'Hou je mond en luister,' schreeuwde Peterson. 'Dit is een heidens land. De mensen hier zijn heidenen. Snap je dat niet? De politieagenten hier zijn heidenen. De rechters. Stuk voor stuk, allemaal heidenen. Ze zouden zich verheugen op deze kans om de naam van Christus te besmeuren, want dat is wat heidenen doen. Ze besmeuren de naam van Christus. Wil jij de heidenen helpen de naam van Christus te besmeuren? Is dat echt wat je wilt?'

'Nee, eerwaarde. Natuurlijk niet.'

'Goed. Luister dan. Niemand hoeft te weten wat hier gebeurd is. Het was een ongeluk, meer niet. Domme mensen die 's nachts te hard over een akker rijden. Wat hadden ze anders verwacht?'

'Jawel, eerwaarde.'

'Ga terug naar het kamp. Als iemand iets vraagt, zeg je maar dat je een poosje rondgereden hebt zonder iets te zien. Begrepen?'

'Jawel, eerwaarde. En u?'

'Over mij hoef je je geen zorgen te maken. Zorg dat je hier wegkomt.'

'Jawel, eerwaarde.'

Peterson keek hem na toen hij wegreed. Dat was het probleem met kinderen. Hun klei was te zacht, nog niet gehard door het vuur van de strijd der rechtschapenen. Hij zou dit helemaal alleen moeten opknappen. Het ergste deel van de slachting vermijdend klom hij de sloot in. Hij had een mobieltje met camera te bergen.

13

Fatima liet de stilte een paar seconden aanhouden alvorens Stafford antwoord te geven, misschien om hem tijd te geven om in te zien hoe buitensporig en bedenkelijk zijn heftige uitval geweest was. Toen zei ze zacht: 'Weerleggen? Wat word ik precies geacht te weerleggen?'

Stafford keek haar verbaasd aan. 'Mijn these.'

'Maar u had me bewijzen beloofd,' antwoordde Fatima, zo zacht dat Gaille haar oren moest spitsen om haar te verstaan. 'Hoe kan ik deze these van u weerleggen als ik de bewijzen niet gehoord heb?'

Stafford keek haar wezenloos aan. 'Hoe bedoelt u? Ik heb u mijn bewijzen zojuist gegeven.'

'O ja?' zei Fatima fronsend. 'Noemt u dát bewijzen? Het enige wat ik tot dusver gehoord heb is giswerk. Degelijk onderbouwd giswerk, moet ik toegeven, maar niettemin giswerk.'

'Hoe kunt u dat zeggen?'

'Mijn beste meneer Stafford, laat me u iets uitleggen. Ik geloof persoonlijk niet in de bijbel of zijn God, maar u misschien wel. Misschien gelooft u dat hij de wereld in zeven dagen geschapen heeft en dat de dieren die Noach meenam op zijn ark de enige waren die de zondvloed overleefden, en dat we verschillende talen spreken omdat God aanstoot nam aan de pogingen van de mens de hemelen te bereiken door de toren van Babel te bouwen. Gelooft u dat?'

'Ik zei toch dat ik de bijbel niet letterlijk neem.'

'Ah. Maar toch gelooft u dat we hem horen te beschouwen als iets bijzónders, als van een geldigheid die zelfs overeind blijft als ze tegengesproken wordt door historische documenten en archeologische vondsten?'

'Dat zeg ik niet.'

'Ik ben blij dat te horen. Want laat me u vertellen wat ik van de bijbel denk. Ik denk dat het de volksgeschiedenis is van een zeker Kanaänitisch volk. Niet meer, niet minder. En ik denk dat de historische geldigheid ervan even scrupuleus beoordeeld dient te worden als elke andere volksgeschiedenis, en geen speciale behandeling hoort te krijgen omdat sommige mensen hem toevallig als heilige schrift beschouwen. Dat bent u toch met me eens, nietwaar? Als collega-historicus, bedoel ik?'

'Ja.'

'Goed. En als je een volksgeschiedenis op haar geldigheid wilt toetsen, weet u wat dan het eerste is wat je doet? Je moet haar eerst volledig uit je hoofd zetten, dan de onafhankelijke bronnen raadplegen tot je de waarheid zo ver als mogelijk is vastgesteld hebt, en pas dán weer terugkeren naar je volksgeschiedenis om te zien wat ervan klopt. Elke andere benadering is misleidend. En zal ik u eens iets vertellen?'

'Wat dan?'

'Dat er, als je het op deze manier aanpakt, niets van de bijbel overblijft, vooral niet van de eerste boeken. Er is niet het geríngste bewijs dat doet vermoeden dat de verhalen erin waar zijn. Er is geen enkel bewijs dat de joden in de tijd van Echnaton een apart volk waren of dat grote aantallen van hen in Egypte woonden of dat ze daar in een grote uittocht uit vertrokken zijn.'

Stafford liep rood aan, een mengeling van alcohol en opstandigheid. 'Waar zijn die verhalen dan vandaan gekomen?'

'Wie weet? Veel ervan zijn duidelijk overgenomen uit andere, oudere culturen. Er zijn bijvoorbeeld herkenbare sporen van het Mesopotamische epos van Gilgamesj. Andere lijken variaties op een en hetzelfde verhaal, waarschijnlijk omdat de schrijvers van de bijbel hun zedelijke boodschap erin wilden hameren. De mens sluit een verbond met God. De mens breekt het verbond. God straft de mens. Steeds weer hetzelfde motief. Adam en Eva worden verjaagd uit het paradijs. Kaïn wordt verbannen voor de moord op Abel. Lots vrouw wordt in een zoutpilaar veranderd. Abraham vlucht Egypte uit. Babel. Noach. Isaak. Jacob. De lijst is eindeloos. Omdat het geen geschiedenis is. Het is propagánda. En wel religieuze propaganda, opgesteld na de nederlaag van de joden tegen de Babyloniërs om zichzelf ervan te overtuigen dat ze hun verwoesting en bannelingschap over zichzelf afgeroepen hadden door hun verplichtingen jegens hun God te verzaken.' Ze zweeg, nam een slokje water om haar mond en keel te bevochtigen, forceerde een glimlach om iets van de spanning weg te nemen. 'Weet u?' zei ze. 'Telkens wanneer historici de kans hadden volksgeschiedenis te vergelijken met de bekende geschiedenis, ontdekten ze precies wat je zou kunnen verwachten: dat ze redelijk accuraat is wat betreft gebeurtenissen binnen mensenheugenis, maar dat ze, naarmate je verder teruggaat, steeds onbetrouwbaarder wordt en er op het laatst vrijwel geen enkel verband meer is met de waarheid. Met één uitzondering. Stichtingsmythen bevatten normaal gesproken een greintje waarheid. Dus laten we dit toepassen op het joodse volk. Hun stichtingsmythe is duidelijk de uittocht uit Egypte. Daar is de hele bijbel omheen gebouwd. Dus ik ben graag bereid om een soort vlucht uit Egypte te accepteren. Het probleem is echter dat de enige aanwijzing dat er tijdens het tweede millennium voor Christus zo'n uittocht plaatsgevonden heeft, die van de Hyksos is. Maar de Hyksos leefden twee volle eeuwen voor Amarna bestond. Dus hoe komt het dat die massale vlucht van u geen sporen nagelaten heeft? We hebben het immers niet over een paar honderd mensen. Zelfs niet over een paar duizend. Volgens de bijbel hebben we het over de hálve bevolking van Egypte. Denkt u niet dat zoiets iémand had moeten opvallen, zelfs als we de enorme overdrijving verdisconteren? Weet u, meneer Stafford, dat er een stèle is waarop de vlucht van twee slaven van Egypte naar Kanaän aangetekend staat? Twéé! Maar toch wilt u ons laten geloven dat tiendúízenden waardevolle handwerkslieden plotseling vertrokken zonder dat iemand er een woord van zei. En denkt u niet dat iemand op zijn minst een spóór gevonden zou moeten hebben van hun veertig jaar in Sinaï? Al was het nog maar zo klein? Archeologen hebben nederzettingen gevonden uit pre-dynastieke tijden, uit dynastieke tijden, uit de Grieks-Romeinse en de islamitische tijd. Maar van de uittocht uit Egypte? Niets. Geen munt, geen potscherf, geen graf, geen kampvuur. En dat is echt niet omdat er niet naar gezocht is, geloof me.'

'Afwezigheid van bewijs is geen bewijs van afwezigheid,' merkte Stafford op.

'Jazeker wel,' sprak Fatima hem tegen. 'Dat is precies wat het is. Geen doorslaggévend bewijs van afwezigheid, dat geef ik toe. Maar zeker bewijs. Als de Hebreeërs daar inderdaad een aanzienlijke hoeveelheid tijd doorgebracht hebben, zouden ze sporen achtergelaten hebben. Geen sporen betekent geen Hebreeërs. Iets anders beweren is gewoon tegendraads. En waar we wel dingen vinden, zijn die in rechtstreekse tegenspraak met het bijbelse verhaal. U had het over Jericho, de stad waarvan de muren door Jozua's trompetten geslecht werden. Als uw theorie klopt, zouden er aanwijzingen moeten zijn dat de verwoesting rond 1300 voor Christus had plaatsgevonden. Maar de archeologische gegevens zijn beslissend. Jericho werd in die tijd niet eens bewóónd. Het was in de zestiende eeuw voor Christus verwoest en bleef tot de tiende eeuw vrijwel onbevolkt.'

'Jawel, maar…'

'De vroege bijbel is een sprookje, meneer Stafford. Hij werd zelfs pas geschreven na de Babylonische ballingschap, ongeveer vijfhonderd jaar voor Christus, meer dan áchthonderd jaar na de dood van Echnaton.'

'Op grond van documenten die veel verder teruggaan.'

'Wie zegt dat? Hébt u die documenten? Of neemt u alleen maar aan dat ze bestonden? En als ze inderdaad bestonden, hoe verklaart u al die anachronismen dan? Kamelen in Egypte duizend jaar voordat ze daar in werkelijkheid binnenkwamen. Steden als Ramses en Sais die pas honderden jaren na Echnaton gesticht werden. Een landschap van koninkrijken die in de dertiende eeuw voor Christus niet bestonden, maar dat vrijwel identiek is aan dat van de zevende en zesde.'

'En de parallellen tussen de godsdiensten dan?' vroeg Stafford zwakjes. 'Die kunt u niet ontkennen.'

Fatima schudde laatdunkend haar hoofd. 'Het Egypte van de Achttiende Dynastie was dé grote regionale macht. Zijn legers hielden Kanaän honderden jaren bezet. Zelfs na het eind van de bezetting bleef het Kanaäns belangrijkste handelspartner. Zijn gebruiken en rituelen werden bewonderd en geïmiteerd net zoals de Franse en Britse gebruiken nog steeds zichtbaar zijn in hun voormalige koloniën. En wat hun monotheïsme betreft: hebt u ooit aan de mogelijkheid gedacht dat dat best toeval kan zijn? Monotheïsme is niet complex. Het is "mijn god is groter dan de jouwe" tot in het uiterste doorgetrokken. Lang voordat Echnaton de Aton tot de enige ware God uitriep, hadden de Egyptenaren hetzelfde met Aton gedaan.'

'Jawel, maar…'

'En laten we de goden zelf eens vergelijken. De Aton onderhield een exclusieve relatie met Echnaton. De God van Mozes sluit zijn verbond met één enkele jood. De Aton is abstract en pacifistisch, de god van een estheet. De God van Mozes is wraakzuchtig, jaloers en gewelddadig. Of neem hun scheppingsmythen. Maar dat gaat niet, want de Aton hééft geen scheppingsmythe. Genesis heeft er twee. De God van Mozes woonde in het afgesloten Heilige der Heiligen. De Aton werd buiten aanbeden. Lees maar hoe Mozes de Tien Geboden ontving: het is overduidelijk dat zijn god een vulkaangod is. Maar er zíjn geen vulkanen in Egypte of in Sinaï.' Ze schudde kwaad met haar kop. 'Laat me u iets vertellen. U beweert dat ik mijn hoofd in het zand steek omdat ik stel dat er geen verband is tussen Echnaton en Mozes. Maar u hebt het mis. Het enige wat ik beweer is dat er geen bewijsmateriaal bestaat voor zo'n verband. Ik ben archeologe, meneer Stafford. Geef me bewijzen en ik zal uw inzichten met plezier onderschrijven. Maar tot dan…' Ze maakte een achteloos handgebaar.

Staffords kaakspieren balden zich als walnoten samen in zijn wangen. 'Dan lijkt het erop dat we zullen moeten accepteren dat we het niet eens zullen worden,' zei hij.

'Inderdaad,' zei Fatima. 'Dat klopt.'

II

Peterson knielde naast Omar Tawfiq op de andere oever. Overal om hen heen lagen ruwe diamanten van verbrijzeld glas die lichtblauw glansden in het maanlicht. Tawfiqs hoofd lag onder een afschuwelijke, onnatuurlijke hoek. Zijn gehavende gezicht was bedekt met vers en geronnen bloed. Peterson was er zo zeker van dat de man dood was dat hij schrok toen hij plotseling zijn mond opendeed en naar adem hapte.

De jeep lag op zijn kant, krakend en kreunend en sissend alsof hij ook hevig pijn leed. Hij hurkte neer om door de lege sponning van de voorruit te kijken. Knox had zijn veiligheidsgordel om en lag slap tegen het portier. Zijn haar glansde vochtig, bloederige luchtbellen in zijn mondhoek zwollen en slonken met zijn ademhaling. Hij opende zijn ogen en keek Peterson aan met een wazige blik van herkenning. Toen werden zijn ogen dof en vielen ze opnieuw dicht.

Peterson legde zijn hand op de gedeukte motorkap, stak zijn hand door de lege voorruit en zocht naar Knox' mobiele telefoon. Hij voelde aan zijn rechterbroekzak, vond alleen een portefeuille, die hij liet zitten. Zich zo ver mogelijk vooroverbuigend tastte hij naar Knox' linkerbroekzak, voelde er iets kleins en hards in zitten waar hij geen greep op kon krijgen. Hij probeerde de veiligheidsgordel los te maken om Knox naar zich toe te trekken en zijn telefoon op die manier te pakken, maar de sluiting zat vast en weigerde los te gaan. Gefrustreerd deed hij een stapje achteruit, liet zich op zijn hurken zakken en dacht na.

Hij wist dat een zware hersenschudding doorgaans het kortetermijngeheugen wegvaagde. Als jongeman, voordat hij God gevonden had, was hij een keer van het dak gevallen van een huis waar hij wilde inbreken en was bijgekomen op de met asfalt verharde oprit, terwijl zijn handlanger zich bescheurde. Tot vandaag de dag had hij geen enkele herinnering aan wat er in de twaalf uur voor zijn val gebeurd was. Er was dus een goede kans dat Knox zich het ongeluk of de gebeurtenissen die ertoe geleid hadden niet zou herinneren. Maar het kon ook zijn dat zijn geheugen nog intact was. Dat hij alles nog wist. De vraag was dus of er een simpele manier bestond om zowel met de mobiele telefoon als met Knox zelf af te rekenen.

Dit soort vragen gingen de wijsheid van een sterveling te boven, maar dat maakte ze nog niet onbeantwoordbaar. Peterson knielde neer aan de rand van de sloot en boog zijn hoofd in gebed. De Heer sprak altijd tot hen die oren hadden om te horen. Hij hoefde niet lang te wachten. De getallen twintig en dertien brandden als kampvuren in zijn geestesoog. Dat kon alleen maar een verwijzing naar Leviticus 20:13 zijn.

Wanneer ook een man bij een manspersoon zal gelegen hebben, zoals hij met een vrouw lag, zij hebben beiden een gruwel gedaan; zij zullen zekerlijk gedood worden; hun bloed is op hen!

Zo zij het. Als de Heer met zulke duidelijkheid sprak, hoefde de mens alleen maar te gehoorzamen. Hij liep naar de gekantelde jeep. Uit een haarscheurtje in de brandtank drupte diesel, die zich in een klein plasje op de droge modder van de oever van het irrigatiekanaal verzameld had.

Zijn fourwheeldrive had een sigarenaansteker in het dashboard. Hij drukte hem in en ging op zoek naar een steen. Hij vond een flink stuk vuursteen, die hij meenam naar de jeep en bewerkte er de tank mee tot de druppels diesel een stroom werden en het plasje een plas werd. Hij liep terug naar de fourwheeldrive, scheurde een stuk af van zijn autoverhuurdocumenten, hield het tegen de oranje spiraal van de aansteker, liep er voorzichtig mee naar de jeep, liet het in de plas diesel vallen en sprong achteruit voor de vlammen zijn wenkbrauwen konden verschroeien.

De diesel vatte met een luide plof vlam, opzwellend als een grote oranje ballon in de nachtelijke hemel. Maar na de eerste woeste uitbarsting nam het vuur af en likten er alleen nog kleine blauwe vlammetjes aan de onderkant van de jeep. En hoewel de smeulende stof van de opengescheurde stoelen dikke zwarte rookwolken uitbraakte, ontsnapte het grootste gedeelte daarvan door de kapotte raampjes, waardoor weer frisse lucht naar binnen kwam. Peterson trok een chagrijnig gezicht. Zelfs als Knox stikte, zou hij nog steeds zijn telefoon moeten hebben. Hij knielde opnieuw op de gedeukte motorkap en stak ondanks de intense hitte zijn hoofd naar binnen. De sluiting van de veiligheidsgordel zat nog steeds vast. Hij drukte zo hard als hij kon op de knop, trekkend en wrikkend en duwend tot hij eindelijk losschoot. Hij trok zich even terug om bij te komen van de intense hitte en dichte rook, stak toen zijn hoofd weer naar binnen, pakte Knox bij zijn overhemd, trok hem naar zich toe, tastte naar zijn zak en…

'Hé!'

Schuldbewust liet Peterson Knox los en sprong achteruit. Twee mannen in fluorescerende gele jacks stonden op de oever van het kanaal en richtten hun zaklantaarns op hem. De langste van de twee klom naar beneden. Hij had een penning op zijn borst van Wegonderhoud met de naam Shareef erop. Hij zei iets in het Arabisch.

Peterson schudde niet-begrijpend zijn hoofd. 'Ik ben Amerikaan,' zei hij.

Shareef schakelde over op het Engels. 'Wat is er gebeurd?'

'Ik vond hem zo,' zei Peterson, knikkend naar Knox. 'Deze leeft nog. Ik probeerde hem uit de auto te krijgen voor de rook hem te pakken krijgt.'

Shareef knikte. 'Ik zal u helpen, ja?'

'Dank u.' Ze trokken Knox door de voorruit naar buiten en legden hem voorzichtig op de grond. De tweede man van Wegonderhoud praatte geagiteerd in zijn mobiele telefoon. 'Wat is er aan de hand?' vroeg Peterson.

'Zware botsing in Hannoville,' legde Shareef uit. 'Geen ziekenwagens. Het ziekenhuis vraagt of we ze zelf kunnen brengen.' Hij knikte naar zijn eigen voertuig, niet meer dan een cabine met een kraan eraan, en vervolgens naar Petersons Toyota, die nog steeds bij de brug stond. 'We zullen de uwe nemen, ja?'

Peterson knikte. Hij zat in de val. Als hij nu tegenwerpingen maakte, zou hij alleen maar verdenking wekken. 'Waar is het ziekenhuis?' vroeg hij.

'Rij maar achter ons aan,' zei Shareef, terwijl hij zich bukte om Knox opnieuw op te pakken.

14

Het avondmaal werd afgeruimd en er werd koffie geserveerd. Gaille vouwde haar handen onder de tafel en vroeg zich af hoe snel ze zich met goed fatsoen kon excuseren. Misschien voelde Lily haar rusteloosheid, want ze boog zich naar het kaarslicht en zei: 'Ik ben gefascineerd door de talatat die Gaille me vandaag heeft laten zien. Ze liet doorschemeren dat u ons daar iets interessants over zou kunnen vertellen.'

'Inderdaad,' beaamde Fatima. Ze wendde zich tot Gaille. 'Jij hoeft hier niet voor te blijven, mijn beste. Misschien kun je onze site bij gaan werken.'

Gaille schaamde zich een beetje. 'Dat kan morgen ook wel,' zei ze.

'Alsjeblieft,' zei Fatima. 'Van achterompraken komen we niet verder.'

Gaille knikte en stond op. 'Welterusten dan,' zei ze, dankbaar Fatima's schouder aanrakend toen ze haar voorbij liep.

'Is alles klaar voor morgen?' vroeg Lily. 'We moeten echt de zonsopgang boven Amarna filmen.'

'Dat kan waarschijnlijk niet,' antwoordde Fatima voor Gaille. 'De veerboot vertrekt pas na zonsopgang. En je zou vanaf de westelijke oever moeten filmen. Zo zag Echnaton het ook voor het eerst.'

'Dan moeten we om kwart voor vijf vertrekken,' zei Gaille, 'om op tijd te zijn.' Ze knikte het gezelschap welterusten, proberend haar wrevel te verbergen terwijl ze de deur dichttrok.

Maar die ging vrijwel meteen weer open en Lily kwam naar buiten. 'Het spijt me allemaal vreselijk,' zei ze.

'Wat?'

'Dat we je in een positie gemanoeuvreerd hebben dat je morgen met ons mee moet.'

'Dat geeft niet.'

'Het geeft wel iets. Ik heb je vriendelijkheid misbruikt, wij allemaal. Denk alsjeblieft niet dat we dat niet weten. En ik wilde je alleen maar mijn excuses aanbieden. Ik heb er een hekel aan aardige mensen zoiets aan te doen. Als iemand het bij mij probeerde…'

Gaille lachte. 'Het is in orde,' zei ze, en plotseling was het dat ook.

Lily wierp haar een miserabel maar innemend glimlachje toe. 'Dit is mijn eerste opdracht in het buitenland. Ik wil niet dat het mijn laatste is.'

'Je doet het geweldig.'

Ze wierp een blik op de deur. 'Híj vindt anders van niet.'

'Over hem hoef je niet in te zitten. Ik heb eerder met zijn soort samengewerkt. Het maakt niets uit wat er gebeurt, hij zal zichzelf altijd fantastisch en alle andere mensen vreselijk vinden. Het enige wat je kunt doen is het je niet aantrekken.'

'Dat zal ik niet. Nogmaals bedankt.'

Gaille was in een onverwacht goed humeur toen ze in haar kamer kwam. Ze neuriede een halfvergeten melodietje toen ze haar laptop aanzette en naar het internet ging. Hun site moest inderdaad bijgewerkt worden, hoewel dat niet direct dringend was, vooral niet als je naging hoe weinig bezoek ze kregen. Maar Fatima hield hem graag up-to-date. Alles om publiciteit te krijgen. Ze voegde er een samenvatting van hun recente vondsten en een foto aan toe. Terwijl ze dat deed, dwaalden haar gedachten af naar de eettafel en vroeg ze zich af wat Fatima Lily en Stafford vertelde over de talatat die ze gevonden hadden.

In beelden en schilderingen werd Echnaton altijd afgebeeld met borsten, wat volgens sommige geleerden de artistieke stijl van die tijd was en volgens andere het gevolg van zijn ziekte. Maar één standbeeld toonde hem volkomen naakt en niet alleen met borsten maar ook met een volmaakt gladde onderbuik, zonder een spoor van geslachtsdelen. In sommige culturen zou zoiets op preutsheid geschoven kunnen worden, maar de kunstenaars van de Achttiende Dynastie waren allesbehalve zedig. Dit had een aantal mensen tot de conclusie gebracht dat Echnaton een vrouw geweest moest zijn, net als Hatsjepoet, die zich voor een man uitgegeven had om de troon te kunnen bestijgen. Anderen beweerden zelfs dat Echnaton hermafrodiet was. Maar vervolgens had iemand erop gewezen dat het standbeeld in de oudheid ontworpen was om een kilt te dragen, zodat zulke verregaande conclusies volstrekt niet gerechtvaardigd waren. Maar hun voorraad talatats dreigde de controverse nieuw leven in te blazen, want Gaille had er een aannemelijk portret van Echnaton van gemaakt – naakt, met onmiskenbare borsten en zonder geslachtsdelen. En dat vertelde Fatima op dit moment aan Stafford en Lily. Toen ze de site bijgewerkt had, geeuwde ze, verlangend naar haar bed. Maar voor alle zekerheid keek ze even haar hotmail na. Haar hart maakte een sprongetje toen ze zag dat ze een e-mail van Knox had. Ze maakte hem open.

Bijgesloten foto's genomen op mog. Therapeutae locatie! Licht vreselijk. Kun jij iets doen? Graag zo snel mogelijk!
Ik mis je.
Daniel.

Ze raakte het scherm aan – haar vingertoppen tintelden van de statische elektriciteit. Ze had een heleboel redenen gehad om Fatima's uitnodiging om haar team een maand te komen versterken aan te nemen, maar de grootste was haar toenemende zekerheid dat Knox' vriendschap niet genoeg voor haar zou zijn. Ze wilde ook zijn respect.

Ik mis je.

Plotseling voelde ze zich klaarwakker, vol leven. Ze begon zijn foto's naar haar harde schijf te downloaden. Ze kon niet wachten om aan het werk te gaan.

II

Peterson vloekte nooit hardop, maar er waren momenten tijdens de rit naar het ziekenhuis waarop hij gevaarlijk dicht in de buurt kwam, onder andere doordat hij geen kans had gehad om Knox' telefoon te pakken, aangezien Shareef achter in de Toyota zat om voor Knox en Tawfiq te zorgen. Maar vooral omdat hij moest proberen Shareefs collega in de wagen van Wegonderhoud bij te houden. Die man was krankzinnig. Hij reed roekeloos hard, aan één stuk door claxonnerend en met zijn lichten knipperend terwijl hij door het drukker wordende verkeer zigzagde. Richtingaanwijzers en verkeersborden flitsten als lichtspoorkogels voorbij.

Hij raasde voorbij een truck met oplegger, remde keihard voor de afrit en trok even snel weer op, zodat de kilometerteller over de wijzerplaat schoot. Na een viaduct draaide hij zo scherp naar rechts dat Peterson met zijn hele gewicht aan het stuur van de Toyota moest gaan hangen. Ze denderden over een kapotgereden weg. Een slagboom werd vlak voor hun neus geopend, ze raasden voorbij een cementmolen en twee piramides van zand waar gebouwd werd en kwamen met gillende banden tot stilstand voor de ingang van het ziekenhuis. Het krioelde er al van het medisch personeel vanwege het ongeluk bij Hannoville. Een arts en twee verpleeghulpen haastten zich naar buiten. De achterdeur van de Toyota vloog open. De arts deed Omar en Knox een zuurstofmasker voor en liet hen op rijdende brancards leggen. Peterson stapte uit en rende met Knox mee terwijl deze naar binnen gereden werd. Hij legde zijn hand in de buurt van Knox' linkerheup en keek naar de bult in zijn zak. Daarna keek hij om zich heen. Iedereen had het razend druk, overal werden bevelen geschreeuwd, niemand lette op hem. Hij stak zijn hand uit...

Met een klap reed de brancard door twee zwaaideuren en Peterson bleef verrast staan. Toen hij de brancard weer ingehaald had, was Knox op zijn zij gedraaid en had men hem zijn overhemd uitgetrokken, zodat zijn kneuzingen zichtbaar waren. Een verpleegster trok Knox' schoenen uit, maakte zijn riem los en trok zijn spijkerbroek omlaag. Peterson probeerde hem van haar af te pakken. 'Mijn vriend,' zei hij.

Maar de verpleegster rukte hem uit zijn hand en wees nadrukkelijk naar de zwaaideuren achter hem. Peterson draaide zich om en zag Shareef daar staan met een politieman, een beer van een vent met kleine, doordringende oogjes en een bittere trek om zijn mond. Peterson forceerde een glimlach en liep naar hen toe.

'Dit is rechercheur Faroek,' zei Shareef. 'Hij was hier voor dat andere ongeluk.'

'Een lange nacht voor u,' zei Peterson.

'Ja,' beaamde Faroek kortaf. 'En u bent?'

'Peterson. Dominee Earnest Peterson.'

'En u hebt deze twee gevonden, ja?'

'Inderdaad.'

'Kunt u me daarover meer vertellen?'

'Misschien kan ik beter eerst mijn auto verzetten,' zei Peterson. 'Die blokkeert de ingang.' Hij gaf de twee mannen een knikje en liep door de ingang naar buiten, furieus proberend een verhaal te bedenken. De politieman zag eruit als iemand die niemand vertrouwde, die er voetstoots van uitging dat alle getuigen logen, tenzij het tegendeel bewezen werd. Hij startte de Toyota en reed naar het parkeerterrein. Hou je aan de waarheid. Dat was de sleutel in dit soort situaties. Dat wil zeggen, blijf zo dicht bij de waarheid als je kunt.

III

Gaille glimlachte toen ze Knox' eerste foto opende. Dat over het licht was geen grapje geweest. Op een geel waas van maanlicht in de linkerbovenhoek na was het scherm vrijwel totaal zwart. Maar ze was hier goed in, en even later had ze er een donkere maar duidelijke foto van een deels uitgegraven graf uitgehaald. Ze sloeg hem op en ging naar de volgende. Een paar foto's bleken te veel voor haar, maar de meeste lieten zich goed herstellen. Toen ze eenmaal wist hoe ze te werk moest gaan, werd het zelfs bijna saai. Maar wat er op de foto's stond fascineerde haar. Ze kon haar ogen amper geloven. Catacomben, menselijke resten, olielampen, wandschilderingen. Maar de markantste foto was van een mozaïek, een figuur die in een zevenpuntige ster zat, omringd door groepjes Griekse letters. Gaille fronste haar wenkbrauwen. Ze wist zeker dat ze onlangs soortgelijke lettergroepjes gezien had, alleen niet meer waar.

Ze werkte de foto af, sloeg hem op en opende de volgende. Toen ze alle foto's bewerkt had, schreef ze een antwoord aan Knox en hing er alle foto's aan die ze had kunnen verbeteren. Daarna keek ze op haar horloge en kreunde hartgrondig. Over een paar uur zou het tijd zijn om naar Amarna te rijden. Haastig maakte ze zich klaar om naar bed te gaan om nog een paar uurtjes te slapen.

15

Faroek keek vanuit de ingang van het ziekenhuis naar Peterson, terwijl die zijn Toyota fourwheeldrive op een lege parkeerplaats zette. 'Misschien verbeeldde ik het me alleen maar,' mompelde Shareef. 'Misschien was het niks.'

'Misschien,' antwoordde Faroek instemmend.

'Maar… ik had steeds zo'n rare indruk. Dat we niet gewenst waren. Dat hij ergens naar zocht. En wat ik over die veiligheidsgordel zei was in ieder geval geen verbeelding.'

'Buitenlanders,' mompelde Faroek, een stukje tabak van zijn lip spugend. Hij verfoeide ze allemaal, maar vooral de Engelsen en de Amerikanen. De manier waarop die zich gedroegen, alsof ze dachten dat alles nog precies zo was als vroeger.

'Hebt u me nog nodig?' vroeg Shareef.

Faroek schudde zijn hoofd. 'Ik bel wel als ik nog vragen hebt.'

'Niet voor morgenochtend vroeg, oké? Ik heb mijn slaap hard nodig.'

'Wie niet?' Toen Peterson weer bij de ingang verscheen, gooide Faroek zijn sigaret weg en bracht hem naar een provisorisch kantoortje dat hem toegewezen was, gebaarde hem plaats te nemen en sloeg een nieuw vel in zijn blocnote op. 'Vooruit dan,' gromde hij. 'Wat is er gebeurd?'

Peterson knikte. 'Het eerste wat u moet weten is dat ik archeoloog ben,' zei hij, zijn handen spreidend en glimlachend op een manier die hij zelf ongetwijfeld aanzag voor oprecht en openhartig. 'Ik werk aan een opgraving in Borg el-Arab. Eerder vandaag, gisteren intussen eigenlijk, kregen we bezoek van Dr. Omar Tawfiq… het hoofd van de ORA, zoals u misschien weet… en ene Daniel Knox, een Britse archeoloog.'

Faroek gromde: 'U gaat me toch niet vertellen dat een van deze twee mannen die u hierheen gebracht heeft het hoofd van de ORA in Alexandrië is?'

'Ik vrees van wel.'

'Verdomd!'

'We praatten een poosje met elkaar en maakten een officieuze afspraak voor een bezichtiging van de locatie. Daarna vertrokken ze weer. Ik dacht er verder niet over na, maar later, toen het donker was, kregen we een indringer.'

'Een indringer?'

'Dat is niet ongewoon,' zuchtte Peterson. 'De plaatselijke bedoeïenen, de boeren, zijn er allemaal van overtuigd dat we grote schatten vinden. Waarom zouden we anders graven? Dat is natuurlijk niet zo. Maar ze geloven ons niet.'

'Dus deze indringer…'

'Ja. We joegen hem weg. Hij stapte in een auto. Iemand anders reed.'

'En u ging ze achterna?'

'Je kunt die mensen niet zomaar over je locatie laten lopen. Dan tasten ze misschien belangrijke gegevens aan. Ik wilde ze de wind van voren geven, denkend dat dat anderen misschien zou afschrikken. Maar ik was een heel eind achter ze. Toen zag ik vlammen.' Hij haalde zijn schouders op. 'Ik reed er zo snel heen als ik kon. Het was afschuwelijk. Een van hen, die Knox, lag nog in de auto. Ik was bang dat hij zou stikken. Ik slaagde erin zijn veiligheidsgordel los te maken en op dat moment kwamen de mannen van Wegonderhoud, de hemel zij dank.'

Een vermoeid ogende arts klopte op de deur en kwam binnen. 'Slecht nieuws,' zei hij. 'De man uit Borg. De Egyptenaar.'

'Dood?' vroeg Faroek somber.

De arts knikte. 'Het spijt me.'

'En de andere?'

'Zware hersenschudding, rookinhalatie, tweedegraadsverbrandingen. De rook en de brandwonden zouden behandelbaar moeten zijn. De hersenschudding is problematischer. Daar kun je nooit zeker van zijn, zo vroeg in ieder geval niet. Dat hangt af van de schade, van het toenemen van de intracraniële spanning, van hoe de…'

'Wanneer kan ik met hem praten?'

'Over een dag of twee, drie zou hij…'

'Hij is mogelijk verantwoordelijk voor de dood van de andere man,' zei Faroek met strakke stem.

'Ah,' zei de arts, aan zijn wang krabbend. 'Dan zal ik hem van de morfine afhalen. Met een beetje geluk is hij morgen wakker. Maar verwacht niet te veel. Waarschijnlijk lijdt hij aan retrogade en anterograde amnesie.'

'Zie ik eruit als een dokter?' vroeg Faroek nors.

'Sorry. Het is hoogst onwaarschijnlijk dat hij zich iets herinnert van vlak voor en vlak na het ongeluk.

'Toch,' zei Faroek, 'zal ik met hem moeten praten.'

'Zoals u wilt.' De arts knikte en vertrok.'

'Wat een vreselijk nieuws,' zuchtte Peterson toen Faroek de essentie voor hem vertaald had. 'Ik wou dat ik meer had kunnen doen.'

'U hebt gedaan wat u kon.'

'Inderdaad. Is er nog iets?'

'Uw naam en adres.'

'Natuurlijk.' Peterson draaide de blocnote om en krabbelde er een telefoonnummer en een routebeschrijving naar de opgraving op. Daarna stond hij op, knikte en vertrok.

Faroek keek hem na. Er klopte iets niet, maar zijn hersenen waren op dat moment te moe om na te denken. Hij was hard aan slapen toe. Hij geeuwde uitgebreid en stond op. Nog één ding te regelen. Als de dood van de voornaamste archeoloog van Alexandrië inderdaad aan Knox te wijten was, zou hij bewaakt moeten worden: een privékamer, een politieman voor de deur. Morgen zou hij terugkomen om vast te stellen wat er verdomme precies aan de hand was.

II

Gaille stond op het punt om in slaap te vallen, maar was plotseling weer klaarwakker. Ze schoot overeind en deed het licht aan. De twee boeken van Stafford lagen op haar nachtkastje. Ze pakte het werk over de verloren schatten van Solomon, bladerde er doorheen tot ze een foto van de Koperen Rol vond, de mysterieuste van de Dode Zeerollen: een in het Hebreeuws geschreven schatkaart, maar met een onregelmatigheid die nooit afdoende verklaard was: zeven groepjes Griekse letters.

KεN ΧΑΓ ΗΝ Θε ΔΙ ΤΡ ΣΚ

Ze nam het boek mee naar haar laptop, zette die aan en opende Knox'
foto van het mozaïek. Een rilling van spanning ging door haar heen toen
ze zag dat de letters identiek waren, zij het in een andere volgorde. Maar
de figuur in het mozaïek wees naar het groepje KεN en de lijn van de zevenpuntige ster liep langs de groepjes in exact dezelfde volgorde als in de
Koperen Rol.

Verbijsterd, verward en opgewonden leunde ze achterover in haar
stoel. De Koperen Rol was een Esseens document en hield dus verband
met Knox' Therapeutae opgraving, maar toch… Ze pakte haar telefoon.
Knox zou dit meteen willen horen, ongeacht de tijd. Maar hij nam niet
op. Ze liet een boodschap achter met het verzoek haar onmiddellijk te
bellen. Daarna las ze Staffords boek, bestudeerde de foto's en dacht na
over wat het allemaal te betekenen had. Haar geest bruiste van de opwinding van de jacht.

III

Peterson reed zijn Toyota naar de verste, donkere hoek van het parkeerterrein en hield de ingang van het ziekenhuis in de gaten. Hij durfde niet
weg te gaan zonder Knox' mobiele telefoon veilig gesteld te hebben.

Het leek een eeuwigheid te duren voor Faroek eindelijk naar buiten
kwam, een sigaret aanstak, vermoeid naar zijn auto liep en wegreed. Peterson wachtte voor alle zekerheid nog eens tien minuten en liep toen
naar binnen. Eerst moest hij iets anders doen. Zijn gezicht en handen zaten vol olie en roet. Als iemand hem zo zag, zouden ze zeker vragen stellen. Hij vond een herentoilet, kleedde zich uit, boende zichzelf af en
droogde zich af met papieren handdoekjes. Niet volmaakt, maar het zou
moeten voldoen. Hij keek op zijn horloge. Hij kon beter voortmaken.

In de receptie stond een gezin met zachte, gespannen stemmen te kib-
belen. Een gezette vrouw lag languit op een bank. Peterson duwde een
zwaaideur open en liep een slecht verlichte gang in. Bordjes in het Arabisch en het Engels. Oncologie en Pediatrie. Niet wat hij zocht. Hij nam
achterin een trap en kwam uit in een gang. Een arts haastte zich tussen
traumapatiënten op rijdende brancards door. De adrenaline was al lang

uitgewerkt en hij was alleen nog maar moe. Peterson ging hem snel voorbij en liep door een dubbele zwaaideur een kleine kamer met zes dicht tegen elkaar geschoven bedden in. Hij liep er tussendoor, bestudeerde de gezichten. Geen spoor van Knox. Terug naar de gang, de volgende kamer in. Ook hier zes mensen, geen van allen Knox. Hij ging door met kamers controleren, maar zonder succes. Daarna liep hij een trap op naar de volgende verdieping, door zwaaideuren een identieke gang in. Een politieman zat op een harde houten stoel voor de dichtstbijzijnde kamer en sliep met zijn hoofd tegen de muur. *Val dood, Faroek!* Maar de man sliep en verder was er niemand in zicht. Hij sloop dichterbij, met gespitste oren luisterend of het ritme van zijn zachte snurken veranderde. Maar God was met hem en hij bereikte de deur zonder hem wakker te maken. Zacht maakte hij hem open en deed hem weer dicht.

Het was donker binnen. Hij gaf zijn ogen een paar seconden tijd om te wennen en liep naar het bed. Peterson kende ziekenhuizen op zijn duimpje. Hij zag het saline-IV infuus, rook de prikkelende geur van colloïdaal zilver. Hij keek om zich heen, zoekend naar Knox' kleren, vond ze opgevouwen op een ladekast met er bovenop een stapeltje eigendommen, waaronder zijn mobiele telefoon. Hij stak hem in zijn zak, draaide zich om, dacht na.

Hij zou zeker nooit een betere kans krijgen om voor eens en altijd met Knox af te rekenen. De slapende politieman voor de deur zou ongetwijfeld zweren dat hij de hele nacht klaarwakker geweest was, dat het onmogelijk was dat iemand de kamer in- of uitgegaan was. In een heidens, achterlijk land als dit zouden ze voetstoots aannemen dat Knox aan de gevolgen van zijn ongeluk overleden was. Shock. Trauma. Hersenschudding. Rookinhalatie. Ze zouden hem zeker een hoogst oppervlakkige autopsie geven. En hij was tenslotte een vuige zondaar. Hij had zijn eigen lot over zich afgeroepen.

Hij deed een stap in de richting van het bed.

16

Toen Gaille om twaalf voor vijf naar buiten kwam, stonden Stafford en Lily al bij de Discovery te wachten. 'Sorry,' zei ze, bij wijze van excuus Staffords boek omhoog houdend. 'Ik werd meegesleept.'

'Het is écht goed, hè?' zei hij knikkend.

'De Koperen Rol,' zei ze, toen zij en Stafford instapten en Lily de poort open ging doen. 'Die is echt, nietwaar?'

'Dacht je werkelijk dat ik de gewoonte heb mijn boeken te vullen met nep-artefacten?' vroeg hij zuur. 'Ga maar een kijkje nemen in het archeologisch museum in Amran in Jordanië als je me niet vertrouwt.'

'Dat bedoelde ik niet met "echt",' zei Gaille, gas gevend om de motor warm te laten lopen, waarna ze van de parkeerplaats wegreed. 'Ik bedoel, hoe kun je er zeker van zijn dat het geen vervalsing is?'

'Nou, een moderne vervalsing is het in ieder geval zeker niet,' zei hij, terwijl Gaille stopte om Lily op de achterbank te laten klimmen. 'Dat is definitief vastgesteld door wetenschappelijke analyse. En een antíéke vervalsing... de Essenen stonden niet bepaald bekend om hun frivoliteit, wel? Vooral omdat het koper negenennegentig procent zuiver was, rituéél zuiver dus. En de Essenen namen rituele zuiverheid erg serieus.'

'Ja.'

'Bovendien was het niet één vel koper, wat toch zeker genoeg zou moeten zijn voor een vervalsing, maar stond de tekst op drie aan elkaar geklonken vellen. En hij was niet op de normale manier aangebracht, door de letters met een scherpe graveernaald uit te krassen, maar iemand heeft ze er aan de achterkant met een beitel in geponst. Bijzonder nauwgezet werk, geloof mij maar. Nee. Degene die al die moeite gedaan heeft geloofde zeker dat hij echt was.'

'Geloofde?' vroeg Gaille.

Hij gaf haar een flauw glimlachje, als een leraar die een intelligente leerling beloont. 'De tekst schijnt gekopieerd te zijn van een ander, ouder document, waarschijnlijk door iemand die de taal niet machtig was. Dus het is mogelijk, neem ik aan, dat een grappenmaker een vervalsing op perkament of papyrus schreef en dat de Essenen op de een of andere manier dachten dat die echt was en dat ze er zo'n verering voor koesterden dat ze het, toen het uit elkaar begon te vallen, overschreven, alleen op koper ditmaal. Maar dat zou wel erg ver gaan, dacht je ook niet?'

Voor hen reed een ezelkar, volgeladen met lange groene suikerrietstengels die wipten en draaiden als de rokken van een Hawaïaanse danseres. Hij blokkeerde de hele breedte van de smalle weg, zodat Gaille erachter moest blijven. Het was nog steeds donker, maar aan de oostelijke horizon begon het eerste daglicht te gloren. Stafford boog zich naar haar toe en drukte op de claxon tot Gaille zijn hand wegsloeg. 'Hij heeft nergens ruimte om uit te wijken,' zei ze.

Stafford trok een gezicht, sloeg zijn benen over elkaar en vouwde zijn armen. 'Besef je wel hoe belangrijk die opname van de zonsopgang is voor mijn programma?' vroeg hij.

'We komen er wel.'

'Echnaton koos Amarna als zijn hoofdstad omdat de manier waarop de zon opging tussen twee rotsen precies op het Egyptische symbool van de Aton leek. Zo wil ik mijn programma openen. Als ik die opname niet kan…'

'Die krijg je heus wel,' stelde ze hem gerust. De kar vond eindelijk een plek om uit te wijken. Gaille zwaaide dankbaar toen ze hem voorbijreed, zo snel accelererend dat Staffords boek van het dashboard gleed. Hij raapte het op, bladerde er als de trotse auteur doorheen en stopte om een foto van zichzelf bij de Klaagmuur te bewonderen. Gaille knikte ernaar. 'Hoe weet je zo zeker dat de schat van de Koperen Rol uit de tempel van Solomon kwam?' vroeg ze.

'Ik dacht dat je het gelezen had.'

'Ik heb nog geen tijd gehad om het helemaal uit te lezen.'

'De rol is geschreven in het Hebreeuws,' zei hij, iets milder gestemd. 'Hij was het eigendom van de Essenen, wat wil zeggen dat de schat onbetwistbaar joods was. En de bedragen die ermee gemoeid waren zijn verbluffend. Ik bedoel, meer dan véértig ton goud. Dat zou tegenwoordig miljárden waard zijn, een hoeveelheid die alleen van een gigantisch rijke koning of een bijzonder machtig instituut kon zijn. En toch wordt een deel van de schatten beschreven als tiénden, en tienden werden uitsluitend aan religieuze organisaties betaald. De rest bestaat uit godsdienstige artefacten als kelken en kandelaars. Een religieuze institutie dus. In het oude Israël betekent dat óf de eerste Tempel, de tempel van Solomon, die in 586 voor Christus door de Babyloniërs verwoest is, óf de Tweede Tempel, die op de ruïnes van de eerste gebouwd werd en in 70 na Christus door de Romeinen verwoest werd. De meeste geleerden schrijven de schatten van de Koperen Rol toe aan de tweede, maar mijn boek bewijst dat dit onmogelijk is.'

'Bewíjst?'

'Het heeft allemaal met jaartallen te maken,' zei Stafford. 'Vergeet niet dat de Koperen Rol in de grotten van Qumran gevonden is. En Qumran werd in 68 na Christus, twee jaar voor de val van Jeruzalem, door de Romeinen ingenomen en bezet. De aanhangers van de theorie van de Tweede Tempel willen je laten geloven dat de schat door jóden uit het joodse gebied verwijderden werd om begraven te worden in Romeins gebied en dat ze de schatkaart vervolgens vlak onder de neus van een Romeins garnizoen verborgen. Dan zou je toch wel stapelgek moeten zijn? Maar daar gaat het niet eens om. Toen de Koperen Rol gevonden werd, lag hij begraven ónder de andere rollen, die daar zeker twintig jaar voor de Romeinse invasie neergelegd waren. En zoals ik zojuist al zei, was de tekst ervan gekopieerd van een ander, ouder document. En het schrift zelf is een zeer eigenaardige versie van het archaïsche Hebreeuwse kwadraatschrift dat uit 200 voor Christus of nog vroeger dateert. Zeg eens, is het waarschijnlijk dat de schatten van de Tweede Tempel tweehonderd jaar voordat de Romeinen op strooptocht gingen voor de Romeinen verborgen werden?'

'Dat lijkt inderdaad vreemd.'

'Dus als de schat van de Koperen Rol niet uit de Tweede Tempel kwam, moet hij uit de eerste gekomen zijn... *quod erat demonstrandum.*'

Ze kwamen bij de Nijlweg en sloegen af naar het zuiden. De groene, roze en turquoise lichtjes van een minaret verlichtten het donker als een kermisattractie. Gaille sloeg rechtsaf en toen linksaf, reed door een dorpje heen, vervolgde haar weg tussen groene akkers met ontkiemend graan en daalde een zacht glooiende helling af naar de Nijl, die statig voorbijstroomde. De gloed van de dageraad kleurde de oostelijke horizon blauw, maar het zou nog even duren voor de zon boven de rotsen van Amarna uitsteeg.

'Dit oké?' vroeg ze.

'Perfect,' grinnikte Lily op de achterbank.

Ze klommen uit de auto, geeuwden, rekten zich uit. Lily maakte de camera gereed en controleerde het geluid, terwijl Stafford zich mooi maakte met zijn make-upkoffertje. Gaille ging op de motorkap zitten, genietend van de warmte en haar hoofd vol aangename gedachten. Ergens ver weg begon een moëddzin zijn oproep tot het gebed.

De Koperen Rol. Verloren antieke schatten. Ze lachte hardop. Knox zou dolblij met haar zijn.

II

'Zo zal het genoeg moeten zijn,' gromde Griffin, toen ze het mengsel van zand, stenen en grond waarmee ze de schacht opgevuld hadden, aanstampten. Hoewel iedereen meegewerkt had, waren ze de hele nacht bezig geweest en Griffin was doodmoe. De twee of drie uur slaap die ze nog zouden kunnen krijgen was niet veel, maar het was beter dan niets.

'En de dominee?' vroeg Mickey twijfelend. 'Moeten we niet op hem wachten?'

'Het is niet waarschijnlijk dat die nu nog komt, wel?' beet Griffin hem geïrriteerd toe. Peterson hoefde zich nooit te verantwoorden. Die blafte alleen maar bevelen die deze verrekte lilliputters niet snel genoeg konden gehoorzamen. 'We gaan later wel terug.'

'Ik vind nog steeds dat we zouden…'

'Doe nou maar gewoon wat ik zeg, oké?' Hij veegde zijn handen af aan zijn achterste, draaide zich om en beende met zo veel gezag als hij bij elkaar kon rapen naar de pick-up, in de hoop – niet de verwachting – dat zijn studenten zouden volgen. Maar toen hij zich omdraaide om te kijken, zag hij dat ze in een kring neergeknield waren en de Heer met de armen over elkaars schouders dankzegden.

Een zacht, vertrouwd steekje van afgunst in Griffins onderbuik dat onrustbarend veel weg had van wellust. Hoe heerlijk om je op die manier te laten gaan in de groep en al je cynisme en twijfel te laten varen. Maar zijn eigen geest was al tientallen jaren geleden gevormd en bood geen plaats voor onderwerping, voor geloof. 'Kom op,' zei hij, zich ergerend aan het smekende geluid van zijn stem. 'We moeten gaan.'

Maar ze sloegen totaal geen acht op hem. Ze namen de tijd. Zijn ongeduld maakte plaats voor iets als angst, een gevoel van naderend onheil. Hoe had het verdomme zo ver kunnen komen? Nathan had niet gezegd wat er met Tawfiq en Knox gebeurd was, maar te oordelen aan de shocktoestand waarin hij verkeerde was het niet best. Hij had hem weggestuurd voor de anderen hem konden zien, maar nu was Griffin bang dat hij Claire in het hotel tegengekomen was. Claire was anders dan dit stelletje. Zij vertrouwde op haar eigen oordeel. Als ze erachter kwam dat er echt iets ergs gebeurd was... Jezus! Dit hele kaartenhuis kon zomaar instorten.

Eindelijk waren ze klaar. Uitbundig van hun gebeden liepen ze naar de pick-up en klommen in de achterbak. Niet één van hen ging bij hem in de cabine zitten. Er waren momenten dat hij ze háátte – hoe diep was hij gezonken. Een moment van zwakte. Meer was het niet geweest. Het meisje zat bij zijn colleges altijd op de voorste rij en staarde hem doorlopend aan met haar onschuldige blauwe ogen. Hij was niet gewend aan de openlijke bewondering van aantrekkelijke jonge vrouwen. Het deed zijn hart bonzen. Elk college hield hij haar tersluiks in het oog. Steeds keek ze hem vol vervoering aan. Toen was ze tijdens de lunchpauze een keer naar zijn kantoor gekomen en had een stoel naast de zijne getrokken. Toen hun knieën elkaar onder het bureau raakten, was zijn hand bijna krampachtig, als op eigen initiatief, naar de warme bovenkant van haar dijen gegaan en had hij zijn vingers tussen haar benen gedrukt.

Haar geschokte gil achtervolgde hem nog steeds en zijn wangen gloeiden als hij eraan dacht.

Uiteraard had niemand zijn kant gekozen. Zijn baas had de kans aangegrepen om hem te lozen. Die had hem nooit gemogen. En ze moest het ook bekendgemaakt hebben, de rancuneuze trut, want er was niemand die ook maar de moeite had genomen zijn sollicitatiebrieven te beantwoorden. Behalve Peterson. *Wat verwachtten ze dat hij zou doen?* dacht hij opstandig. *Doodgaan van de honger?*

Een vreemd geluid bereikte hem boven het brommen van de motor. Hij nam zijn voet van het gaspedaal en keek over zijn schouder. Ze zaten te zingen in de achterbak. Hun gezichten straalden van godsvrucht in het maanlicht en met in extase geheven handen aanbaden ze samen hun God. Hij werd nog somberder. Wie weet zat er toch iets waars in de godsdienst. Als hij op die manier geloofde, zouden aantrekkelijke jonge vrouwen misschien niet gillen van afschuw als hij een hand op hun been legde.

Misschien.

III

Knox werd met een schok wakker, gekweld door een vage angst die hij niet kon verklaren. Het was vrijwel stikdonker in de kamer, althans tot de koplampen van een passerende auto gele strepen op het plafond schilderden. Maar dat maakte hem alleen maar banger, want hij herkende zijn omgeving totaal niet. Hij probeerde zijn hoofd op te tillen, maar had geen kracht in zijn nek. Hij probeerde rechtop te gaan zitten, maar zijn armen leken verschrompeld en nutteloos. In plaats daarvan bewoog hij zijn ogen – links, rechts, omhoog, omlaag. Er zat een naald in zijn arm, die met een pleister op zijn plaats werd gehouden. Hij volgde het doorzichtige slangetje naar een infuus aan een standaard. Ziekenhuis. Dat verklaarde in ieder geval waarom hij zich zo hondsberoerd voelde. Maar hij herinnerde zich totaal niet wat er gebeurd kon zijn dat hij hier terechtgekomen was.

Opnieuw reed er een auto voorbij, en in het licht van de koplampen zag hij het silhouet van een man bij zijn bed die op hem neerkeek. Hij trok het kussen onder Knox' hoofd uit, hield het in beide handen en wilde het op zijn gezicht leggen. Hakken klikten op de tegelvloer buiten en kwamen dichterbij. De man verdween in het donker. Knox probeerde te roepen, maar er kwam geen geluid uit zijn mond. De hakken klikten voorbij. Zwaaideuren gingen open en dicht en ze verdwenen, uitsluitend stilte achterlatend.

De man kwam weer uit het donker, nog steeds met het kussen in zijn hand. Hij legde het op Knox' gezicht en drukte. Tot dat moment had het hele gebeuren een bijna hallucinerend tintje gehad, als een levende nachtmerrie. Maar toen het kussen hard op Knox' gezicht gedrukt werd en hij geen adem kon krijgen, sprong zijn hart in de overdrive en werd er adrenaline in zijn bloed gepompt die hem op het laatste moment kracht gaf. Hij krabde aan de handen van zijn aanvaller, trapte met zijn voeten en knieën, probeerde zijn hoofd opzij te draaien om lucht te krijgen. Maar hij had niets om zich tegen af te zetten. Zijn spieren raakten al vermoeid, het gebrek aan zuurstof maakte hem duizelig, zijn lichaam begon het op te geven. Met een laatste krachtsinspanning gooide hij zijn arm omhoog om zijn aanvaller in het gezicht te krabben en gaf zo'n ruk aan het infuusslangetje dat de standaard even wankelde en toen met veel geraas op de grond kletterde. Meteen werd het kussen van zijn gezicht getrokken en viel het op de grond, Knox in staat stellend grote teugen lucht te happen, genietend van de heerlijke zuurstof die door zijn lichaam stroomde.

De deur vloog open. Een politieman kwam binnen, deed het licht aan, zag de gevallen infuusstandaard en de naar adem snakkende Knox. Hij rende de gang weer in en schreeuwde om medische hulp, met duidelijke paniek in zijn stem. Knox was doodsbang dat zijn aanvaller zijn werk zou afmaken, maar toen verscheen er eindelijk een arts in de deur met een baard van twee dagen en bijna gesloten ogen van vermoeidheid. Hij raapte de infuusstandaard op, controleerde het slangetje, stak de naald weer in Knox' arm. 'Waarom doet u me dit aan?' mompelde hij. 'Het enige wat ik wil is slapen.'

Knox probeerde iets te zeggen, maar zijn mond weigerde dienst en hij kon alleen maar een klaaglijk gekras uitbrengen. Een straaltje speeksel liep over zijn wang. De arts keek hem medelevend aan en veegde het weg. Hij controleerde Knox' hartslag en trok een wenkbrauw op. 'Paniek, ja?' zei hij. 'Dat is normaal. U hebt zwaar ongeluk, weet u. Maar nu bent u veilig. Dit is ziekenhuis. Hier kan niets ergs gebeuren. U hebt alleen rust nodig. Net als wij allemaal.' Hij raapte het kussen van de grond, klopte het op en legde het weer onder Knox' hoofd. Daarna knikte hij tevreden, liep naar de deur, knipte het licht uit en liet Knox over aan de genade van de onbekende die hem wilde vermoorden.

117

17

De veerboot over de Nijl was weinig meer dan een gemotoriseerd metalen vlot. Gaille leunde tegen de reling en keek naar de vissers die hun hemelsblauwe bootjes met hun lange platte roeispanen voortbewogen tussen de statig voorbijdrijvende matten groen. Een koptische monnik ging mompelend met zijn vinger over de kleine lettertjes van zijn bijbel. Kinderen lieten hun benen over de rand hangen en zochten naar de plotselinge bleke flits van vissen. Vier jonge boeren keken voortdurend naar Stafford, om de zoveel tijd in schaterlachen uitbarstend. Maar zelfs dat kon zijn goede humeur sinds zijn geslaagde opnamen van de zonsopgang niet bederven.

Ze botsten tegen de oostelijke oever en reden een korte helling op door een stoffig dorpje. Kinderen staarden hen met grote ogen aan, alsof ze nog nooit eerder een toerist gezien hadden. Een winkelier poetste met spuug en een doek zijn verpieterde uitstalling van citroenen en mango's op. Ze kwamen langs een kerkhof, reden over een verlaten weg naar het loket van Amarna. De luiken waren dicht, maar twee mannen van de toeristenpolitie zaten onder een parasol bij een hokje samen een sigaret te roken. Een van hen stond op en liep naar hen toe. 'Jullie zijn vroeg,' gromde hij.

'We maken een film,' zei Gaille. 'Verwachtten jullie ons niet?'

'Nee.'

Gaille haalde haar schouders op. Zo ging het altijd in Egypte. Je kreeg permissie van de Hoge Raad, het leger, de veiligheidsdiensten, de politie, honderd verschillende instellingen, maar niemand die ooit de moeite nam óm de mensen ter plekke te verwittigen. Ze wenkte Lily met haar dikke dossier en gaf het aan hem. Met een wezenloos gezicht keek hij naar een paar pagina's en schudde zijn hoofd. 'Ik zal mijn chef bellen,' zei hij, het hokje in lopend. 'Wacht hier.'

Gaille liep terug naar de Discovery en opende haar handschoenenkastje. Het was intussen haar tweede natuur om voor dit soort gelegenheden een keur van lekkernijen bij zich te hebben. Met een reep chocolade liep ze naar de tweede politieman, trok het zilverpapier eraf, bood hem een stukje aan en nam er zelf ook een. Ze glimlachten kameraadschappelijk tegen elkaar bij het proeven van de zoete smaak, de manier waarop de chocolade wegsmolt in de mond. Gaille gaf hem de rest van de reep en beduidde dat hij hem met zijn collega moest delen. Hij knikte met een verheugde grijns op zijn gezicht.

'Chocoladediplomatie, hè?' fluisterde Lily.

'Die kan levens redden, geloof me.'

De eerste politieman was klaar met bellen en maakte een gebaar om aan te geven dat zijn chef onderweg was. Glimlachend en chocolade etend wachtten ze.

'Wat gebeurt er?' mopperde Stafford. 'Is er een probleem?'

'Gewoon Egypte,' stelde Gaille hem gerust. Uiteindelijk kwam er een truck in zicht die een grote stofwolk achter zich aan trok. De man die eruit sprong had een legerofficier kunnen zijn in zijn perfect geperste militair groene uniform, zijn gepoetste leren koppel en holster. Zijn huid was ongewoon zacht en roze voor iemand uit Egypte. Zijn hoofd was kaalgeschoren en hij had een zijdeachtig snorretje. Toch zat er iets hards onder de oppervlakkige ijdelheid. 'Ik ben kapitein Chaled Osman,' kondigde hij aan. 'Wat hoor ik over opnamen maken?' Hij stak een hand uit naar Lily's dossier en bladerde er met een steeds somberder gezicht doorheen. 'Niemand vertelt me hierover,' klaagde hij. 'Waarom vertelt niemand me iets?'

'Het is allemaal in orde,' zei Gaille.

'Wacht hier.' Hij beende het wachthuisje weer in en voerde op zijn beurt een telefoongesprek, dat snel verhit werd. Hij kwam weer naar buiten en wenkte Gaille naar zich toe. 'Waar willen jullie precies filmen?' vroeg hij.

Gaille pakte het dossier terug en bladerde door het draaiboek. Elke belangrijke locatie in Amarna stond erin, waaronder de grensstèle, het arbeidersdorp, het noordelijke paleis, de zuidelijke graftomben en de koninklijke graftombe. 'Denken jullie echt dat je die allemaal in één dag kunt filmen?' fluisterde ze tegen Lily.

Lily schudde haar hoofd. 'We begonnen vergunningen aan te vragen voor Charles zijn script af had. Voor alle zekerheid hebben we alles aangevraagd. Het enige wat we echt nodig hebben is de grensstèle, het noordelijke paleis en de koninklijke graftombe.'

'Waar in de koninklijke graftombe?' wilde kapitein Chaled weten.

'Alleen de ingang en de grafkamer.'

Hij trok een ongelukkig gezicht maar scheen zich erbij neer te leggen. 'U zult een escorte nodig hebben,' verklaarde hij, haar het dossier toestekend. 'Nasser en ik gaan met u mee.'

Gaille keek Lily aan. Het laatste wat ze wilden was deze man de hele dag op sleeptouw nemen. 'Dat is erg vriendelijk,' zei Gaille, 'maar ik weet zeker dat we...'

'Wij gaan mee,' zei Chaled.

Gaille forceerde een glimlach. 'Dat is erg aardig van u,' zei ze.

II

Knox lag verlamd in zijn ziekenhuisbed, wachtend tot de indringer terugkwam, het kussen pakte en zijn werk afmaakte. Maar de seconden tikten voorbij zonder dat er iets gebeurde. Hij moest gevlucht zijn. Maar dat was een schrale troost: iemand wilde hem vermoorden en wist waar hij hem kon vinden. Hij moest hier weg.

De adrenaline had hem wat kracht gegeven. Hij schoof zijn rechterbeen naar de rand van het bed en liet het omlaag vallen. Hij wachtte tot hij bijgekomen was en deed hetzelfde met zijn linkerbeen. Het gewicht van zijn benen trok zijn dijen, achterste en ten slotte zijn hele lichaam mee, zodat hij op de grond viel en de naald opnieuw uit zijn arm schoot. De infuusstandaard wiebelde maar bleef staan. Hijgend lag hij op de grond, half en half verwachtend dat de deur open zou vliegen. Maar er kwam niemand. Zijn kleren lagen op de ladekast. Hij kroop er moeizaam naar toe, trok ze naar beneden. Ze waren gescheurd en zaten vol roet en olie, maar zouden niettemin minder opvallen dan een ziekenhuishemd. Hij trok zijn spijkerbroek, zijn overhemd en zijn zwarte trui aan. Zich vasthoudend aan het metalen bed hees hij zich overeind. Alle bloed stroomde uit zijn hoofd weg en hij moest vechten om niet flauw te vallen. Hij liet het bed los en wankelde de kamer door naar de deur. Een moment om tot zichzelf te komen. Een diepe ademhaling. Hij trok de deur open. De ochtendzon scheen verblindend op het raam er tegenover. Tegen de meur steunend om op de been te blijven liep hij de gang in.

'Hé!'

Knox keek naar links. De politieman stond bij een open raam te roken. Hij gooide de sigaret weg, vouwde zijn armen voor zijn borst en trok een streng gezicht, kennelijk verwachtend dat dit genoeg zou zijn om Knox tot de orde te roepen. Maar Knox liep de andere kant uit, struikelde door twee zwaaideuren een trappenhuis in en wankelde een trap af, zich vastklampend aan de leuning.

'Hé!' riep de politieman vanuit de zwaaideuren. 'Kom terug!'

Knox strompelde een identieke gang in, waar een verpleeghulp tegen de muur leunde en zijn handen warmde aan een glas chai. Hij hoorde de politieman schreeuwen, zette zijn glas weg en kwam op Knox af. Een deur links van hem. Op slot. De gang over naar de ramen. Hij maakte er een open en keek naar buiten. Een cementmolen onder hem, een piramide van zand. Hij hees zichzelf op de vensterbank en liet zich omlaag vallen op het moment dat de politieman naar zijn enkel graaide. De zwaartekracht scheurde hem los. Hij viel met zijn schouder op de zijkant van de zandhoop, stuiterde op de inrit, waar een auto hem ternauwernood kon ontwijken. De bestuurster slaakte een kreet en zwaaide dreigend met haar vuist.

Hij krabbelde overeind en strompelde voorbij het lege wachthokje de weg op. Een vrachtwagen dwong hem zich tegen de muur te drukken. Een taxichauffeur toeterde. Knox wenkte hem. Hij trok het achterportier open en liet zich naar binnen vallen, precies op het moment dat de politieman de weg op rende.

'Hebt u geld?' vroeg de taxichauffeur.

Knox' tong leek zo groot en onhandig als een ballon. Hij kon de woorden niet gevormd krijgen. In plaats daarvan zocht hij in zijn zakken, vond zijn portefeuille en trok er twee gehavende bankbiljetten uit. De chauffeur knikte en reed weg, de politieman vergeefs schreeuwend achterlatend. 'Waarheen?' vroeg hij.

De vraag verraste Knox. Hij had maar één zorg gehad: wegwezen. Maar hij had vragen die dringend om antwoorden vroegen: dat mysterieuze ongeluk dat hem in het ziekenhuis had doen belanden, de onbekende die geprobeerd had hem te vermoorden. Zijn laatste duidelijke herinnering was een afspraak met Augustin om samen koffie te drinken. Misschien wist die meer. Hij mummelde het adres tegen de chauffeur en liet zich uitgeput op de achterbank vallen.

III

'Moet je daar staan?' klaagde Stafford. 'Je staat in mijn zicht.'

Gaille keek hulpeloos om zich heen. Lily had haar opnamen van de grensstèle gemaakt en nu stelde Stafford de camera op om zichzelf te filmen tegen de achtergrond van de woestijn, zodat zij de keus had tussen in zijn zicht te staan of in beeld te komen.

'Kom maar met mij mee,' zei Lily, naar een smal pad wijzend dat tegen de helling opliep. 'Mijn werk zit erop.'

Het steile pad was gevaarlijk vanwege de losse kleischalie, maar even later stonden ze op een plateau met een grandioos uitzicht over de kale zandstenen vlakte op het dunne lint van begroeiing dat de Nijl aan het zicht onttrok.

'Jezus!' mompelde Lily. 'Je zult hier maar wonen.'

'Wacht maar eens tot twaalf uur,' zei Gaille instemmend. 'Of kom maar eens terug in de zomer. Je zou hier nog geen gevangenis bouwen.'

'Waarom koos Echnaton deze plek dan? Ik bedoel, er moet meer achter gezeten hebben dan dat gedoe van de zon die opgaat tussen twee rotsen.'

'Amarna was maagdelijk land,' zei Gaille. 'Dat nog nooit aan een andere god toegewijd was geweest. Misschien was dat belangrijk. En vergeet niet dat Egypte van oorsprong een samensmelting van twee landen was, Opper-Egypte en Neder-Egypte, die elkaar voortdurend naar de kroon staken. Dit is in feite de grens tussen de twee delen, dus misschien vond Echnaton het een pragmatische plek om vanuit te heersen. Maar er zijn nog meer theorieën.'

'Bijvoorbeeld?'

Gaille wees naar het noorden, waar de halvemaan van rotsen naar de

Nijl liep. 'Daar heeft Echnaton zijn eigen paleis gebouwd. Het heeft een heleboel natuurlijke schaduw, maar ligt toch dicht genoeg bij de Nijl om prachtige tuinen en poelen te hebben. En als hij in het centrum van Amarna moest zijn voor staatszaken, reed hij er in zijn strijdkar naartoe, terwijl soldaten ernaast renden om hem tegen de zon te beschermen.'

'Sommige mensen hebben het maar makkelijk.'

'Zeg dat wel. In de grootste tempel van Aton waren honderden en honderden offertafels, die tijdens de plechtigheden allemaal vol stapels vlees en fruit en groenten lagen. Toch vertonen de menselijke resten in de begraafplaatsen hier duidelijke tekenen van bloedarmoede en ondervoeding. En we hebben een beroemde brief van een Assyrische koning met de naam Asjoeroeballit. "Waarom laat u mijn boodschappers open en bloot in de zon staan? Ze gaan dood in de zon. Als de koning graag in de open zon staat, dan mag hij dat doen. Maar echt, waarom moeten mijn mensen lijden? Ze zullen doodgaan."'

Lily fronste haar wenkbrauwen. 'Denk je dat hij een sadist was?'

'Dat lijkt me een reële mogelijkheid. Ik bedoel, stel dat je baas gelijk heeft, dat Echnaton aan een of andere vreselijke ziekte leed. Dan is het niet moeilijk om je voor te stellen dat hij plezier schept in het lijden van anderen, wel?'

'Inderdaad.'

'Maar het probleem is dat ik het niet weet, niet zeker althans. Niemand weet het. Ik niet, Fatima niet, jouw baas niet. We hebben gewoon niet genoeg gegevens. Je zou een manier moeten bedenken om je kijkers dat aan het verstand te brengen. Alles in jullie programma is het best mogelijke giswerk, geen feiten. Alles.'

Lily keek haar onderzoekend aan. 'Gaat dit over wat Fatima ons gisteravond vertelde?'

'Hoe bedoel je?'

'Die talatat waarop Echnaton staat afgebeeld zonder geslachtsdelen. Daar voel je je niet zo bij op je gemak, wel? Daarom ging je naar bed.'

Gaille voelde dat ze bloosde. 'Ik vind gewoon dat het nog te vroeg is om definitieve conclusies te trekken.'

'Waarom vertelde ze het ons dan?'

'Dit is een fantastisch stukje Egypte. De mensen zijn bekoorlijk, de geschiedenis is magisch, maar er komen amper mensen. Dat wil Fatima veranderen.'

'En wij zijn het lokaas?'

'Zo cru zou ik het niet willen stellen.'

'Geeft niks,' zei Lily grinnikend. 'Ik ben er zelfs blij mee. Ik zou het fijn vinden als het programma iets goeds teweegbrengt.'

'Dank je.'

Lily knikte. 'Mag ik je een echt stomme vraag stellen? Hij zit me al dwars sinds we hier aangekomen zijn, maar ik heb hem nooit durven stellen.'

'Natuurlijk.'

'Het gaat over uitspraak. Ik bedoel, het oude Egyptische alfabet had geen klinkers, toch? Hoe weten jullie dan hoe al die namen als Echnaton en Nefertite uitgesproken werden?'

'Dat is helemaal geen stomme vraag,' zei Gaille glimlachend. 'De waarheid is dat we dat niet weten, niet zeker althans. Maar we hebben goede aanwijzingen uit andere talen, vooral het Koptisch.'

'Koptisch?' vroeg Lilly met een frons. 'Ik dacht dat het koptisch een geloof was.'

'Dat is het ook,' gaf Gaille haar gelijk. 'Een dat helemaal teruggaat tot de verovering van Egypte door Alexander de Grote. Hij voerde het Grieks in als de officiële taal, maar het volk bleef natuurlijk Egyptisch spreken, zodat de schrijvers geleidelijk aan de gewoonte aannamen om de Egyptische taal in het Griekse alfabet op te schrijven, en dat had wél klinkers. Dat ontwikkelde zich tot het Koptisch, wat op zijn beurt de taal van de eerste christenen hier werd, en die naam hebben ze gehouden. Dat wil zeggen dat we, als we een Egyptisch woord vinden dat in het Koptisch geschreven is, een heel goed idee hebben van de oorspronkelijke uitspraak ervan. Niet voor honderd procent natuurlijk, vooral niet uit de tijd van Amarna, dat al duizend jaar voor Alexander verwoest werd. Onze beste gissingen daarover komen uit het Akkadiaanse spijker-schrift, niet uit het Koptisch, en Akkadiaans is hels moeilijk, dat kan ik je verzekeren. Daarom is Echnatons naam in de loop der jaren op zo veel verschillende manieren geschreven. De Victorianen kenden hem als Chu-en-aton of Ken-hu-aton, maar de laatste tijd hebben we...' Ze zweeg abrupt en legde haar hand plat op haar buik. Haar ademhaling werd plotseling gejaagd.

'Wat is er?' vroeg Lily bezorgd.

'Niks. Een steekje, meer niet.'

'Die verdomde zon.'

'Inderdaad.' Ze herstelde zich, glimlachte moeizaam. 'Zou je het heel erg vinden als ik terugga naar de auto en even ga zitten?'

'Natuurlijk niet. Wil je dat ik meega?'

'Dank je, ik red me wel.' Haar benen waren wankel toen ze over het pad naar de geparkeerde Discovery liep. De mannen van de toeristenpolitie zaten voor hun truck te slapen. Ze pakte Staffords boek van het dashboard en ging dwars op de bestuurdersstoel zitten. De donkere synthetische stof leek kleverig van de zon. Ze bladerde door het boek, vond wat ze zocht.

Inderdaad. Precies zoals ze het zich herinnerde.

Maar dat kon niet. Dat kón niet. Of toch wel?

IV

Toen de infuusstandaard tegen de grond sloeg, wist Peterson dat zijn kans verkeken was en dat hij blij mocht zijn als hij ongezien kon ontsnappen. Hij had zich achter de deur verborgen toen de politieman naar binnen keek en was de gang op geglipt toen hij een verpleegster ging zoeken – door de zwaaideuren aan het eind van de gang, twee trappen af en door een branddeur naar buiten. Daarna was hij een poosje in zijn Toyota blijven zitten om tot zichzelf te komen en na te denken.

Peterson liet zich voor staan op zijn karaktersterkte. Op zijn vermogen kalm te blijven. Maar nu voelde hij de spanning. Knox zou zeker kletsen over de indringer op zijn kamer. Hij herinnerde zich de gebeurtenissen van gisteren misschien niet, maar hij zou geen moeite hebben om zijn aanvaller te beschrijven, en Faroek zou meteen het verband leggen. Ontkennen zou niet helpen. Hij had een alibi nodig. Hij moest terug naar de opgraving.

Op dat moment ging er een raam open op de eerste verdieping. Peterson keek op, precies op tijd om Knox uit het raam te zien klimmen, op de zandhoop beneden vallen, overeind krabbelen en naar de weg strompelen.

Een enorme huivering voer door Petersons lichaam. Het gevoel bevoorrecht te zijn overweldigde hem. God had gewild dat hij dit zag. Dat hield in dat Hij nog steeds werk voor Peterson te doen had. Hij wist in zijn hart wat het was en hij accepteerde zijn missie zonder enige aarzeling.

Hij trok op, volgde Knox naar de weg, zag hem in een taxi vallen. Hij volgde de taxi in oostelijke richting door Alexandrië tot hij voor een hoog, grijs flatgebouw tot stilstand kwam. Knox stapte wankelend uit en verdween naar binnen. Peterson vond parkeerplaats en ging daarna de namen op de zoemers controleren. Op de zesde verdieping woonde ene Augustin Pascal. Dat kon alleen maar Alexandriës meest gevierde onderwaterarcheoloog zijn en het leed geen twijfel dat Knox bij hem op bezoek was. De liftdeuren gingen open. Twee vrouwen liepen druk pratend de hal in. Peterson kon zich niet veroorloven gezien te worden. Hij boog zijn hoofd en haastte zich terug naar de Toyota om de kans af te wachten waarvan hij zeker wist dat zijn Heer hem die zou gunnen.

18

Lily keek Gaille nieuwsgierig na toen ze naar de Discovery liep. De manier waarop ze Staffords boek van het dashboard pakte en er gretig doorheen bladerde deed haar denken aan alle vragen over de Koperen Rol waarmee Gaille Stafford bestookt had.

Er was iets aan de hand, dat wist ze zeker.

Ze daalde eveneens de helling af en liep zo zacht als ze kon van achteren naar de auto toe. Toen ze bijna bij de auto was, hoorde Gaille haar voetstappen en sloeg Staffords boek met een klap dicht. Ze hield het tussen haar benen toen ze zich omdraaide in een onhandige poging om het te verbergen. 'Jezus,' zei ze, een hand op haar hart leggend. 'Ik schrok me dood.'

'Sorry,' zei Lily. 'Ik wilde je niet aan het schrikken maken.' Ze legde haar hand op Gailles schouder. 'Weet je zeker dat er niets is?'

'Ja hoor. Maak je alsjeblieft niet ongerust.'

'Hoe kan ik me niet ongerust maken? Na alles wat je voor ons gedaan hebt.'

'Het is niets. Echt waar.'

Lily gaf haar een ondeugend glimlachje. 'Het is de Koperen Rol, niet?'

Gaille zette grote ogen op. 'Hoe weet je dat?'

'Serieus, Gaille. We moeten echt een keer pokeren voor ik vertrek. Kom op. Vertel.'

Gailles ogen gingen schichtig naar Stafford op de helling, maar de behoefte haar geheim te delen was duidelijk te sterk. 'Zul je het tegen niemand zeggen?' vroeg ze. 'Althans niet tot ik op zijn minst de kans gekregen heb om na te denken over wat het betekent.'

'Dat beloof ik,' knikte Lily.

Gaille maakte het boek open en liet haar de Griekse letters op de Koperen Rol zien. 'Zie je dit?' vroeg ze. 'Deze eerste drie zouden destijds ongeveer uitgesproken zijn als Ken-Hach-En.'

'Kenhachen?' zei Lily fronsend. 'Bedoel je… zoals in Echnaton?'

'Ja. Volgens mij wel.'

'Maar dat slaat nergens op.'

'Vertel mij wat.' Gaille stiet een vreugdeloos lachje uit. 'Maar vergeet niet dat de Koperen Rol een joods document is en dat jullie hier zijn om een programma te maken over Echnaton als Mozes.'

'Jezus!' mompelde Lily. Ze keek op naar Stafford. 'Het spijt me, Gaille,' ze ze. 'Je moet toestaan dat ik hem dit vertel.'

Gaille schudde energiek haar hoofd. 'Dat zal hij je niet in dank afnemen.'

'Ben je gek? Dit is een bom.'

Gaille hield Staffords boek omhoog. 'Heb je dit niet gelezen? Hij heeft al zijn geld en zijn hele reputatie te danken aan zijn bewering dat de schatten van de Koperen Rol uit de tempel van Solomon kwamen, en jij wilt hem gaan vertellen dat hij het helemaal bij het verkeerde eind heeft en dat ze in werkelijkheid hiervandaan komen?'

'Híér vandaan?'

'Als dit echt Echnatons naam is,' knikte Gaille, 'dan is dat de implicatie.'

'Maar de tekst op de Koperen Rol was in het Hebreeuws,' wierp Lily tegen.

'Jawel, maar de tekst was gekopieerd van een ander, ouder document. Misschien hebben de Essenen het vertaald toen ze het kopieerden. Als jullie gelijk hebben dat Echnaton Mozes is, zijn de Essenen immers veruit zijn meest waarschijnlijke erfgenamen.'

'Hoe bedoel je?'

'Heb je Echnatons gedicht, de Hymne van Aton gelezen? Dat geeft een idee van zijn manier van denken. In wezen verdeelde hij alles in zonlicht en duister, goed en kwaad. Dat was precies de manier waarop de Essenen de wereld zagen. Ze noemden zichzelf Zonen van het Licht en beschouwden zichzelf als verwikkeld in een strijd op leven en dood tegen de Zonen der duisternis. En ze kenden ook een vorm van zonneverering. Ze beschouwden God als het 'volmaakte licht' en richtten elke morgen gebeden naar het oosten om de zon te smeken op te gaan. Ze droegen zelfs troffels met zich mee om hun ontlasting te begraven om de zon niet te krenken. Ze gebruikten een zonnekalender, precies zoals hier. En vanuit Amarna kijk je twintig graden zuidelijk van het echte oosten, en Qumran ligt precíés op dezelfde as.'

128

'Jezus!' mompelde Lily.

'Het rituele linnen van de Essenen kwam uit Egypte, en hun verfstoffen ook. Ze begroeven hun doden net als de Egyptenaren. Archeologen hebben bij Qumran zelfs een in een grafsteen gebeiteld ankh-kruis gevonden, en het ankh-kruis was, zoals je weet, Echnatons zinnebeeld voor het leven. En ze markeerden hun rollen ook met rode inkt, een gewoonte die je verder alleen maar vindt in Egypte. En dan heb je de Koperen Rol zelf nog. De oude Egyptenaren graveerden belangrijke documenten soms op koper. Dat werd nergens anders gedaan, althans voor zover ik weet. En de andere Dode Zeerollen staan werkelijk bol van verwijzingen naar de geestelijke leider van de Essenen, een soort Messiasfiguur die alleen maar bekend was als de 'Leraar der Gerechtigheid'. Dat is precies hoe Echnaton hier in Amarna bekend stond.'

'Dan is het waar. Dat kan niet anders.'

'Dat hoeft niet per se. Vergeet niet dat er duizend jaar tussen Amarna en Qumran ligt. En alles wat ik zojuist gezegd heb zijn bijkomstigheden. Niemand heeft ooit een onweerlegbaar bewijs gevonden.'

'De Koperen Rol is geen bijkomstigheid,' wees Lily haar terecht.

Een korte stilte. 'Nee,' gaf Gaille toe. 'Inderdaad.'

II

De schilders waren Augustins flat al een week uit, maar ze hadden hun typische luchtje achtergelaten, dat zurige mengsel van verf en oplosmiddel, dat het sterkst rook op deze tijd van de ochtend, bij het onwelkome krieken van een nieuwe dag en de manier waarop die naadloos aansloot op zijn zeurende kater en de spottende lege plek op het matras naast hem. Hij had dit verdomde bed al twee weken en het was nog steeds niet getest. Er was iets grondig misgelopen in zijn leven.

Gebons op zijn voordeur. Die klootzakken van buren hadden voortdurend wat te klagen. Hij draaide zich op zijn zij, legde een kussen op zijn oor en wachtte tot ze opgesodemieterd waren. God, wat was hij moe. Zijn dure nieuwe bed en matras, zijn fraaie linnen, zijn donzen kussens. Hij kon zich niet herinneren ooit zo slecht geslapen te hebben. En zo'n genadeloze uitputting had hij ook nog nooit meegemaakt.

Het bonzen hield niet op. Met een kreet van ergernis kwam hij uit bed, trok een spijkerbroek en een sporttrui aan en deed open. 'Wat moet je verdomme?' vroeg hij kwaad toen hij Knox zag. Maar toen zag hij hoe gewond en gekneusd zijn vriend was. 'Jezus! Wat is er gebeurd?'

'Auto-ongeluk,' zei Knox onduidelijk. 'Alles vergeten.'

Augustin keek hem vol afschuw aan, draaide zich om en liep terug naar zijn slaapkamer om zijn jack te pakken. 'Ik breng je naar het ziekenhuis.'

'Nee,' zei Knox. 'Niet veilig. Een man. Hij duwde een kussen op mijn gezicht.'

'Wat? Wie?'

'Geen idee. Te donker.'

'Ik bel de politie.'

'Nee! Geen politie. Geen artsen. Alsjeblieft. Ontdekken wat er gaande is.'

Augustin haalde zijn schouders op, hielp Knox naar zijn sofa en liep naar de keuken om voor allebei een glas water in te schenken. Hij dronk het zijne in één teug leeg. 'Goed,' zei hij, zijn mond afvegend. 'Vanaf het begin. Een auto-ongeluk. Waar?'

Knox schudde zijn hoofd. 'Weet ik niet meer. Het laatste wat ik me herinner is dat ik met jou koffiedronk.'

'Maar dat was eergisteren!' wierp Augustin tegen. 'Heb je bonnetjes? Een manier om na te gaan waar je geweest bent?'

'Nee.'

'En je mobiel. Om te zien wie je gebeld hebt.'

Knox klopte nadrukkelijk op zijn zakken. 'Kwijt.'

'E-mail dan.' Hij hielp Knox naar zijn ontbijttafel, zette zijn laptop aan, maakte verbinding. Knox ging naar zijn mailbox, vond een bericht van Gaille.

Hoi Daniel,

Hier zijn je Therapeutae-foto's terug, althans die waarvan iets te maken was. De rest was te donker of te vaag voor de weinige tijd dat ik had, maar ik zal eraan blijven werken. Waar heb je ze

130

genomen? Ben je weer streken aan het uithalen? Ik ben
bloednieuwsgierig. Vandaag heb ik taxidienst in Amarna, maar ik
zal je vanavond bellen.
Ik mis jou ook.
Alle liefs,
Gaille.

Knox' hart bonkte toen hij de boodschap las. Hij voelde het bloed weg-
trekken uit zijn gezicht. 'Alles goed?' vroeg Augustin, hem nieuwsgierig
aankijkend.

'Therapeutae-foto's?' vroeg Augustin. 'Waar heb je verdomme Therapeutae-foto's genomen?'

'Hoe kan ik dat weten?' riposteerde Knox. 'Hersenschudding, weet je
nog wel?'

Augustin knikte. 'Download die verdomde foto's dan, ja. Dit begint
interessant te worden.'

III

In de bijlagen van Staffords boek stonden volledige afschriften en verta-
lingen van de Koperen Rol. Gaille en Lily lazen de vertaling samen. 'Hoeveel woog een talent eigenlijk precies?' vroeg Lily.

'Dat varieerde van plaats tot plaats,' antwoordde Gaille. Ergens tussen
de twintig en de veertig kilo.'

'Maar hier hebben ze het over een voorraad van negenhonderd talenten,' protesteerde Lily. 'Dat zou achttienduizend kilo goud zijn. Dat kan
toch niet.'

Gaille fronste haar wenkbrauwen. Lily had gelijk. De hoeveelheden
waren gewoon niet te geloven. Ze controleerde het afschrift van het oorspronkelijke Hebreeuws. 'Kijk,' zei ze. 'De gewichten worden aangeduid
met de letter "q". Dat hebben ze vertaald als talenten omdat die door de
joden en in de bijbel gebruikt werden. Maar als dit Echnaton was, kwam
de schat uit Egypte en zouden ze zeker gewichtseenheden uit de Achttiende Dynastie gebruikt hebben, en in die tijd gebruikten ze geen talen-

ten voor goud. Ze gebruikten iets wat ze qedet noemden, aangegeven door de letter "q". Eén qedet was maar een fractie van een talent, ongeveer tien of twaalf gram.'

'Dat maakt deze getallen inderdaad logischer.'

'Veel logischer. Ik bedoel, het zou nog steeds een gigantische hoeveelheid zijn, maar veel aannemelijker, snap je? En kijk eens naar dit nummeringssysteem. Die schuine strepen, dat getal 10. Dat is klassiek voor de Achttiende Dynastie.'

Lily deed hoofdschuddend een stapje achteruit. 'Maar waarom zouden Echnatons volgelingen hun goud begraven? Waarom namen ze het niet gewoon mee?'

'Omdat dat niet ging,' zei Gaille. 'Vergeet niet dat er na Echnatons dood een enorme ommekeer plaatsvond. De traditionalisten namen de macht over en maakten meteen overal een eind aan. De meeste atonisten erkenden hun dwaling en verhuisden naar Thebe, maar niet allemaal. Als dat inderdaad de joden waren zoals je zegt, vertrokken ze volgens Exodus in het holst van de nacht. En in zo'n geval kun je niet erg veel goud meenemen. Dat zou veel te veel vertraging opleveren.'

'En dus begroeven ze het,' zei Lily. 'En beschreven ze de plaats waar het lag op een koperen rol.'

'Ze maakten zich waarschijnlijk niet al te sappel,' zei Gaille knikkend. 'Tenslotte was dit het huis op aarde van de ene ware god en waren zij de ware gelovigen, wat inhield dat ze spoedig triomfantelijk terug zouden keren. Maar zo ging het uiteraard niet. Ze vluchtten Egypte uit, vestigden zich in Kanaän en overtuigden zichzelf ervan dat dat hun Beloofde Land was. En toen hun oorspronkelijke koperen rol dreigde te oxideren, of misschien toen ze geen Egyptisch meer konden lezen, maakten ze een kopie, alleen in het Hebreeuws ditmaal. En misschien later nog een keer. En op de een of andere manier kwam die in Qumran terecht.' Ze dacht fronsend na. 'Je hebt neem ik aan wel eens van het Einde der Dagen gehoord, niet? De grote veldslag bij Meggido?'

'Armageddon,' zei Lily.

'Precies. Na afloop daarvan wordt God geacht te heersen vanuit een nieuw Jeruzalem, een stad die beschreven wordt in Ezechiël en in Openbaringen. In Qumran is een andere rol over "Nieuw Jeruzalem" gevonden. Zés versies ervan zelfs, wat doet vermoeden dat dit erg belangrijk was voor de Essenen. Het bouwplan van de stad wordt er exact in weergegeven. Grootte, plaatsbepaling, wegen, huizen, tempels, water, alles. En dat plan heeft verrassend veel weg van één bijzondere antieke stad.'

'Welke?' vroeg Lily, hoewel ze een vermoeden gehad moest hebben van het antwoord.

'Deze,' zei Gaille, haar handen spreidend. 'Amarna.'

IV

Knox klikte in stomme verbazing door Gailles foto's. Een half uitgegraven graf, een beeldje van Harpocrates, catacomben, gemummificeerde menselijke resten, een doos afgesneden mensenoren. 'Goeie God!' mompelde hij toen hij het mozaïek zag.

Augustin tikte op het scherm. 'Weet je waaraan dit me doet denken?'

'Waaraan dan?'

'Heb je ooit van Eliphas Levi gehoord? Een Franse occultist, net als Aleister Crowley, alleen eerder. Hij heeft een beroemde afbeelding van een obscure godheid van de tempeliers gemaakt, ene Bafomet, die model stond voor de moderne iconografie van de duivel. Op die afbeelding zat hij in dezelfde houding... benen gekruist, rechterhand omhoog. En hij zag er ook hetzelfde uit. Die lange kin, die langwerpige ogen, die uitstekende jukbeenderen. Zie je wat ik bedoel?'

'Langzaam aan graag,' zei Knox, op zijn gehavende voorhoofd wijzend.

'Niemand weet met zekerheid waar Bafomet vandaan kwam,' zei Augustin knikkend. 'Sommige mensen beweren dat zijn naam een verbastering van Mohammed was. Anderen dat het van het Griekse "Baphe Meti" kwam, het doopsel der wijsheid. Maar er is een andere theorie, gebaseerd op het cijfer van Atbash, een joodse versleutelingscode die A vervangt door Z, B door Y, enzovoort.'

'Die ken ik,' zei Knox. 'De Essenen gebruikten hem ook.'

'Precies. Wat klopt als deze plek van de Therapeutae was. Maar goed, als je Bafomet door de Atbash haalt, krijg je Sophia, de Griekse godin van

133

de wijsheid, eerstgeborene van God. Sophia was uiteraard een vrouw, maar Levi beeldde Bafomet uit als een hermafrodiet met borsten, een beetje als de figuur in het mozaïek.'

Knox keek nauwkeuriger. Het was hem nog niet opgevallen, maar Augustin had gelijk. De figuur in het mozaïek had een mannelijk voorkomen, maar was duidelijk afgebeeld met borsten.

'Hermafrodieten waren heilig in die tijd,' zei Augustin. 'De Grieken beschouwden ze als theoeides, goddelijk van vorm. In de orfische traditie geloofde men dat het universum begon toen Eros als hermafrodiet uit het ei kwam. Het is tenslotte makkelijker om je voor te stellen dat er één ding uit de leegte kwam dan een heleboel dingen. En als alles met één ding begint, moet dat ding zowel mannelijk als vrouwelijk zijn.'

'Net als Aton,' zei Knox. In de Egyptische mythologie was Aton opgerezen uit de oersoep die hij zelf geschapen had. Omdat hij eenzaam was, masturbeerde hij in zijn hand een voorstelling van de vrouwelijke voortplantingsorganen, baarde Shu en Tefnut en zette de waterval van het leven in beweging.

'Precies. Het is zelfs vrijwel zeker dat de orfische traditie het idee daar vandaan heeft... het wemelt er van de goddelijke hermafrodieten. Wist je dat de Hebreeuwse engelen hermafrodiet waren? En de zielen van de kabbala zijn hetzelfde als op dat beroemde wiel van Plato... hermafrodieten die in hun mannelijke en vrouwelijke aspecten gescheiden worden alvorens de wereld binnen te gaan en gedoemd zijn om de aarde af te speuren naar hun andere helft. Volgens sommige tradities was zelfs Adam een hermafrodiet. "Mannelijk en vrouwelijk schiep Hij hen, en Hij noemde hun naam Adam." Daar had Jezus het over toen hij zei: "Daarom zijn zij niet twee, doch één vlees." En het gnosticisme staat er vol mee. Het staat zelfs in de *Sophia* zelf, nu ik er bij stilsta.'

'Hoe weet je al deze dingen?'

'Een paar jaar geleden schreef ik voor een krant. Die zijn dol op dit soort lulverhalen. De meeste kreeg ik van Kostas.'

Knox knikte. Kostas was een bejaarde Griekse vriend van hen, een bron van kennis over de gnostici en de kerkvaders van Alexandrië. 'Misschien kunnen we hem beter bellen.'

'Het is beter om eerst te kijken wat we hebben.' Hij pakte de muis en klikte door de rest van de foto's. Hemellichamen op het plafond, jonge mannen en vrouwen die geknield op doeken muren schoonmaakten. Een wandschildering van een figuur in het blauw die voor de opening van een grot voor twee mannen geknield ligt, met een onderschrift in het Grieks, dat net leesbaar was. Augustin zoomde in en keek met half dichtgeknepen ogen naar het scherm '"Zoon van David, wees mij genadig,"' vertaalde hij. 'Zegt dat je iets?'

'Nee.' Knox leunde achterover. 'Heb je dit soort dingen eerder gezien?'

'Nee.'

'En je zou ze zeker te zien gekregen hebben, niet? Ik bedoel, als een fatsoenlijk team zoiets hier in de buurt gevonden had, dan zou jij dat weten, niet? Zelfs als ze het geheim hielden voor het plebs, zoals ik, dan zou jij er nog van gehoord hebben, toch?'

'Ik hoop van wel,' zei Augustin. 'Maar vergeet niet dat dit Egypte is. Misschien kan ik Omar beter bellen.'

'Goed idee.'

Omars mobiele telefoon werd niet opgenomen, dus Augustin probeerde zijn kantoor. Knox keek hem verbaasd aan toen hij bleek wegtrok en zijn gezicht steeds somberder werd. 'Wat is er?' vroeg hij.

Augustin hing op en wendde zich vol ontzetting tot Knox. 'Omar is dood,' zei hij.

'Wát?'

'En ze zeggen dat jij daar verantwoordelijk voor bent.'

19

'Waarom kijk je me zo aan?' vroeg Knox vol afschuw. 'Je denkt toch niet... je kúnt toch niet denken dat ik Omar vermoord heb?'

Augustin legde een hand op zijn schouder. 'Natuurlijk niet, mijn vriend. Maar we moeten de feiten onder ogen zien. Omar is dood, en je zei zelf dat je een auto-ongeluk gehad hebt en dat je er niks meer van weet.' Hij pakte zijn jack en stak zijn portefeuille, mobiel en sleutels in zijn zak. 'Ik ga naar het ziekenhuis en de ORA om te kijken wat ik te weten kan komen. Jij kunt hier blijven en uitrusten. Dat is vaak de beste manier om je geheugen terug te krijgen. En maak je maar niet ongerust. We lossen dit wel op.' Waarna hij de deur achter zich dichttrok en hem op slot deed.

II

Lily keek ietwat duizelig naar de grond onder haar voeten. 'Je denkt toch niet... ik bedoel het is toch niet mogelijk dat een deel van die schatten hier nog ligt, wel?'

'Dat betwijfel ik,' zei Gaille. 'Deze plek is in de loop der jaren grondig afgespeurd zonder dat er iets van belang gevonden is. Wat juwelen van Nefertite in de negentiende eeuw. Een paar bronzen tempelvaten. Die kunnen er deel van hebben uitgemaakt, neem ik aan. En dan was er iets wat de Pot met Goud genoemd wordt, een kruik halfvol goudstaafjes. Die werden gemaakt door met de vingers groeven in het zand te maken, daar gesmolten goud in te gieten en dan te wachten tot ze stolden. Ik heb altijd gedacht dat het iemands spaargeld of de voorraad van een goudsmid was, maar ik neem aan dat het ook een deel van de schat kon zijn.'

'Verder niks?'

'Niet dat ik weet. Maar je verwacht ook niet veel te vinden. Vergeet niet dat de hele stad na de dood van Echnaton met de grond gelijk gemaakt werd.' Gaille stiet een droog lachje uit. 'Wie weet was dat zelfs de réden dat ze hem sloopten en niet alleen maar verwoestten of achterlieten. Ga maar na. Als de nieuwe autoriteiten zich realiseerden wat de atonisten gedaan hadden, misschien omdat ze een paar schatplaatsen gevonden hadden of omdat iemand zijn mond voorbijgepraat had…'

Lily knikte enthousiast. 'Dan zouden ze de stad steen voor steen afgebroken hebben tot ze alles gevonden hadden.' Ze raakte Staffords boek aan. 'Staat hierin waar die dingen begraven werden?'

De zon blikkerde op het witte papier. Ze draaiden zich om naar de schaduw. 'In het fort in het dal van Achor,' fluisterde Gaille. 'Veertig ellen onder de oostelijke trap. In het grafmonument. In de derde rij stenen. In het grote waterreservoir op de binnenplaats van de zuilengalerij, verborgen in een gat in de grond.'

Lily trok haar neus op. 'Tamelijk vaag, niet?'

'Je kunt ook niet anders verwachten,' antwoordde Gaille. 'Als wij gelijk hebben, dachten de atonisten dat hun verdrijving louter een tijdelijke tegenslag was. Ze hadden geen exacte aanwijzingen nodig, alleen maar een geheugensteuntje.'

'En die plaatsnamen? Secacah. De berg Gezirim, het dal van Achor?'

'Die liggen allemaal in de buurt van Jeruzalem,' gaf Gaille toe. 'Maar dat is misschien ook niet zo vreemd. Ik bedoel, als onze theorie klopt, is dit minstens twee keer vertaald. Eerst van het Egyptisch in het Hebreeuws en toen van het Hebreeuws in het Engels. En al die plaatsnamen werden in eerste instantie alleen maar aangegeven door een reeks medeklinkers, aangezien noch het Egyptisch noch het Hebreeuws klinkers had. Dus als vertalers een plaatsnaam tegenkwamen die niet precies bij hun ideeën aansloot, is het best begrijpelijk dat ze er wat aan sleutelden tot hij wel paste. Ik bedoel, neem de koninklijke wadi hier. Die stond vroeger in het Egyptisch bekend als het "dal van de Horizon" of het "dal van Achet". Is het dan zo vergezocht om te denken dat ze dit vertaalden als het dal van Achor? Of dat Secacah oorspronkelijk misschien Saqqara was?'

'Ik dacht dat Saqqara in de buurt van Caïro lag.'

'Dat ligt het ook, maar de naam komt van Sokar, een god van de doden die in heel Egypte aanbeden werd. Begraafplaatsen werden vaak…'

Voetstappen knarsten in het droge zand achter haar. Ze sloeg het boek dicht, draaide zich met een ruk om en zag Stafford aan komen lopen met de cameratas aan zijn schouder. 'Je kunt het niet neerleggen, hè?' vroeg hij zelfvoldaan.

'Nee,' gaf Gaille toe. 'Het is buitengewoon.'

'Daarom heb ik het ook geschreven.' Hij keek op zijn horloge en knikte naar de Discovery. 'Als jullie zover zijn,' zei hij, de camera op de achterbank leggend. 'We hebben namelijk een programma af te werken.'

III

Peterson hield nog steeds de wacht buiten het flatgebouw van Augustin Pascal. Plotseling zag hij de balkondeuren op de zesde verdieping opengaan en Knox naar buiten komen. Hij zag er vermoeid en ontzet uit, alsof hij zojuist slecht nieuws gekregen had. Enkele seconden later vloog de voordeur van het flatgebouw open en kwam een man in een spijkerbroek en leren jack naar buiten. Pascal. Dat kon niet anders. Hij nam een lange trek aan zijn sigaret, gooide hem op het beton, stapte op een met veel chroom versierde zwarte motor en reed met een armzwaai naar Knox weg.

Knox boog zich diep over de balustrade om hem na te wuiven. Toen Peterson dat zag, kreeg hij een hoogst levensecht visioen: dat Knox zich te ver vooroverboog, zich vergeefs vast probeerde te houden en naar zijn dood viel. Zulke droombeelden waren niet nieuw voor Peterson en hij nam ze uiterst serieus. Mensen zonder geloof en de zwakken van geest beschouwden bidden als een manier om de Heer te smeken hun de dingen te geven die ze begeerden. Maar echt bidden was anders. Echt bidden was de manier waarop een gelovige ontdekte wat de Heer van hem verlangde.

Een man die overweldigd is door de dood van een intieme vriend waar hij zichzelf de schuld van geeft. Jazeker. Iedereen zou het begrijpen als zo iemand van een balkon sprong.

Hij wachtte tot Knox weer naar binnen ging, stapte uit zijn Toyota en liep kalm naar de voordeur.

Hij was altijd kalm als hij het werk van de Heer moest doen.

IV

'Ik dacht dat jullie geen haast hadden,' zei de patholoog-anatoom toen hij Naguib door de donkere ziekenhuisgangen voorging naar zijn kantoortje.

'Zeiden ze dat?'

'Ja, dat zeiden ze.'

Naguib haalde zijn schouders op. 'Mijn chef vindt dit niet het geschiktste moment voor een onderzoek als dit.'

'En daar bent u het niet mee eens?'

'Ik heb een dochter.'

De patholoog knikte ernstig. 'Ik ook.'

'Bent u… al begonnen?'

'Ze staat op de lijst voor vanmiddag. Maar ik kan eerder beginnen als u wilt.'

'Dat zou ik op prijs stellen.'

'Eén ding,' zei de patholoog. 'Het heeft niks te maken met de doodsoorzaak, maar misschien vindt u het interessant.'

'Ja?'

'Mijn assistent vond het toen hij haar binnenbracht. Een zakje aan een touwtje om haar hals.'

'Een zakje?' vroeg Naguib fronsend. 'Zat er iets in?'

'Een stukje van een oud beeldje,' zei de patholoog. 'Als u wilt mag u het meenemen.'

20

Toen Knox van het balkon kwam, rook hij zichzelf. Geen aangename ervaring. Hij ging naar de badkamer en kleedde zich uit. Zijn verbanden waren grijs en slap, precies zoals hij zich voelde. Hij waste er omheen met zeep en een washandje, om de paar seconden een gezicht trekkend, minder om de pijn dan vanwege het vreselijke nieuws over Omar.

Hij ging weer naar buiten. Hij had hier wel honderd keer geslapen na een halve nacht bomen over wereldproblemen en 's morgens meerdere malen ongevraagd een overhemd geleend. Maar Augustins slaapkamerdeur was dicht, en nu Knox erbij stilstond herinnerde hij zich dat Augustin zich op weg naar zijn voordeur bedacht had, terugkwam, even in zijn slaapkamer verdween en de deur na afloop heel zorgvuldig dichttrok. Dus misschien was daar iemand. Dat zou niet de eerste keer zijn. Augustin deed daar nooit moeilijk over, maar misschien dacht de persoon in de kamer anders over dat soort dingen.

Knox aarzelde. Hij wilde zich liever niet opdringen. Maar toen herinnerde hij zich de stank van zijn overhemd. Dát ding trok hij niet meer aan. Hij klopte zacht op de deur. Geen reactie. Hij klopte harder, riep hallo. Nog steeds niets. Hij opende de deur op een kier, keek naar binnen, gooide hem open en keek verbaasd de kamer in. Augustines appartementen waren altijd een zwijnenstal, vooral zijn slaapkamer. Een plaats om vrouwen naartoe te brengen, geen plek waar ze wilden blijven. Dat was veranderd. Het licht van de ochtendzon stroomde door blikkerend schone ruiten op een dikke, donkerrode vloerbedekking en een enorm nieuw blinkend koperen tweepersoonsbed. Het gerafelde behang was verdwenen en de muren waren perfect gepleisterd en koningsblauw geverfd. Litho's van de beroemdste monumenten van Egypte sierden de muren. De kroonlijsten, de plinten en het plafond waren spierwit. Een ingebouwde klerenkast van glanzend mahoniehout. Een bijpassende toilettafel en stoel. En nu hij de slaapkamer gezien had, realiseerde hij zich plotseling ook dat de huiskamer eveneens opgeknapt was en nieuwe vloerbedekking had, zij het minder exorbitant. Hij was gewoon te veel in de war geweest om het te zien.

Hij trok de klerenkast open. God nog aan toe! Colberts en fris gestreken overhemden op houten hangers. Planken met netjes opgevouwen ondergoed. Hij tilde een stapel T-shirts op, zag de hoek van een paarse map. Zijn hart begon meteen sneller te kloppen. Hij wist instinctief dat dit de reden was dat Augustin teruggegaan was – om dit te verbergen. Hij wist ook dat hij er af hoorde te blijven, maar dat hij dat niet zou doen. Hij nam de map mee naar het raam en maakte de flap open. Er zaten foto's in. Hij haalde ze eruit en bekeek ze met groeiend ongeloof, zich met een knagend gevoel in zijn maag afvragend wat dit betekende. Maar de betekenis was zonneklaar, en hij kon niets anders doen, op dit moment althans, dan de foto's weer in de map stoppen en hem terugleggen op de plaats waar hij hem gevonden had.

Hij had nog steeds een schoon overhemd nodig, dus haalde hij er een van zijn hanger, haastte zich de slaapkamer uit en trok de deur dicht. Daarna ging hij aan de keukentafel zitten broeden op wat hij zojuist ontdekt had, in het onaangename besef dat hij zijn beste vriend misschien niet meer volledig kon vertrouwen.

II

Toen Faroek op zijn werk kwam, stond Salem, wazig van die nacht de wacht houden voor Knox' ziekenhuiskamer, bij zijn bureau. 'Ja?' vroeg Faroek.

'Hij is ontsnapt, chef,' mompelde Salem.

'Ontsnapt?' vroeg Faroek ijzig. 'Hoezo, ontsnapt?'

'Hij is vertrokken. Uit een raam gesprongen. En hij nam een taxi.'

'En jij liet hem gewoon begaan?'

Salem trok een gezicht, alsof hij op het punt stond om in tranen uit te barsten. 'Hoe kon ik weten dat hij uit het raam zou springen?'

Faroek stuurde hem met een boos handgebaar weg, maar in werkelijkheid voelde hij zich eerder opgewonden dan ontzet. Bevestigd. Zijn instinct was juist gebleken. Slachtoffers van auto-ongelukken, zelfs in Egypte, vluchtten niet zonder reden een ziekenhuis uit. En sprongen zeker niet uit ramen. Alleen een man met bloed aan zijn handen zou zo'n wanhoopssprong maken.

Hij leunde achterover in zijn stoel, zodat die kraakte in zijn voegen, en zette de hem bekende feiten op een rijtje. Een archeologische opgraving. Een onaangekondigd bezoek van de ORA. Een nieuw bezoek onder dekking van de duisternis. Een jeep die in een sloot gereden was. Een dode. Een belangrijke dode ook nog. Hij knaagde nadenkend aan een knokkel. Was het mogelijk dat er iets op Petersons opgraving lag? Iets wáárdevols? Dat zou zeker een en ander verklaren, onder meer zijn sterke gevoel dat niet alleen Knox iets in zijn schild voerde, maar Peterson ook.

Hij hees zich uit de stoel en pakte zijn autosleutels. Hij kon beter zelf een kijkje op die opgraving gaan nemen. Toen aarzelde hij. Hij had er immers geen flauw idee van waar hij naar zocht. En als Peterson inderdaad iets te verbergen had, zou hij het ongetwijfeld proberen te begraven onder bergen jargon. Faroek had de pest aan jargon. Dat gaf hem altijd het gevoel dat hij een ongeschoolde niemendal was.

Hij keek op zijn horloge. Hij moest toch naar het kantoor van de ORA om ze op de hoogte te brengen van het ongeluk en te proberen meer over Tawfiq en Knox te weten te komen – onder andere waarom ze überhaupt naar Borg el-Arab gegaan waren. En misschien, als hij het heel netjes vroeg, zouden ze hem een archeoloog lenen om mee naar de opgraving te nemen.

III

De hoge zandstenen muren van de koninklijke wadi maakten weinig indruk op kapitein Chaled Osman toen Nasser hen over de nieuwe weg naar Echnatons koninklijke graftombe reed. Hij had de afgelopen maanden tientallen toeristen over deze weg geëscorteerd, maar was nog nooit zo nerveus geweest. Misschien kwam het doordat dit tv-mensen waren, want hij wist uit bittere ervaring hoeveel schade tv-mensen konden aanrichten.

Ze kwamen bij het generatorgebouw. Nasser stopte en maakte het hek open. Vijfhonderdduizend Egyptische ponden hadden ze in die nieuwe generator gestoken. Een *half miljoen!* De gedachte aan zo veel geld maakte hem ietwat onpasselijk toen Nasser naar de iets verderop gelegen laagte met de graftombe reed en naast de Discovery parkeerde. Hij maakte zijn portier open en sprong uit de truck. De zon stond nog steeds zo laag dat het dal in de schaduw lag. Hij onderdrukte een rilling. Er waren spoken hier. Hij legde zijn hand op de holster van zijn Walther en voelde zich meteen iets beter.

Zijn jeugdvrienden hadden bitter geklaagd over de dienstplicht, het vooruitzicht van huis en haard te zijn weggerukt en in het leger ingelijfd te worden. Chaled was de enige die ernaar uitgekeken had. Hij had nooit aan een ander leven gedacht. Hij hield van de discipline, genoot van het kille gezag van een vuurwapen en was dol op de manier waarop vrouwen naar een knappe man in uniform keken. Hij had met vlag en wimpel de basisopleiding voltooid en zich opgegeven voor de Speciale Eenheden. Zijn officieren hadden laten doorschemeren dat hij een rijzende ster was.

Hij liep naar de ingang van de graftombe, ontsloot de deur, duwde hem open en onthulde de schuine schacht met de trap naar de grafkamer beneden. Aan beide kanten gloeiden zacht zoemende vloerlampen – als insecten. Met een zuur gezicht keek hij toe hoe de tv-mensen naar binnen gingen en de trap afdaalden.

Zijn carrière in het leger was op een middag in Caïro abrupt afgebroken. Een straatjongen spuugde op zijn voorruit toen hij zijn bevelvoerend officier naar een vergadering in het ministerie bracht. Zo'n gebrek aan eerbied kon eenvoudigweg niet getolereerd worden, vooral niet met zijn commandant erbij. Een toerist had gefilmd wat er daarop gebeurde en de opnamen doorgespeeld naar een of andere Joris Goedbloed van een journalist, die het jongetje opspoorde en hem filmde terwijl hij als een gezwachtelde mummie in zijn bed lag. Zijn commandant had ingegrepen om hem een strafproces te besparen, maar hij had erin moeten toestemmen zich uit het leger te laten ontslaan, dienst te nemen bij deze ellendige toeristenpolitie en zich over te laten plaatsen naar deze met kranten dichtgeplakte negorij. Zes maanden, hadden ze hem beloofd. Tot het stof opgetrokken was.

Dat was achttien maanden geleden.

De tv-mensen bereikten de voet van de trap en liepen over de houten vlonder over de schachtput de grafkamer in. Chaled keerde hen de rug toe. Wat ze daar beneden uitvoerden ging hem niet aan. Hij hoefde ze alleen maar bovengronds in de gaten te houden.

Zes maanden geleden was Amarna getroffen door zo'n hevig onweer dat het laatste uur van de wereld leek te hebben geslagen. De volgende morgen waren hij en zijn mannen hier naartoe gereden. Faisal zag haar liggen, niet ver van deze plek, op haar buik op de rotsen, met een arm boven haar hoofd en de andere onder een bizarre hoek gebogen; samen geklit haar dat met geronnen bloed aan een blauw zeildoek plakte.

Chaled was naast haar neergeknield, had haar wang aangeraakt. Haar huid was wasachtig en koel, bespikkeld met zand en steentjes. Hij had verhalen gehoord over plaatselijke kinderen die na een storm de wadi's afschuimden in de hoop dat de regen een nog onontdekt graf opengebroken had of, reëler, om het zand af te zoeken naar scherven aardewerk; het blinkende, karakteristieke Amarna-blauw, schoongespoeld door de harde slagregens. *Arm dom ding. Om zo veel te riskeren voor zo weinig.*

'Kapitein!' riep Nasser toen. 'Kijk!'

Toen hij opkeek, zag hij Nasser naar een smalle zwarte spleet wijzen, hoog boven hun hoofden in de zandstenen wand. Zijn hart balde zich als een vuist toen hij zich realiseerde dat het meisje bij nader inzien toch niet tijdens het jagen op aardewerkscherven gestorven was. Ze had een grotere prooi in gedachten gehad.

Dit was zo'n moment waarop een man zijn bestemming koos. Of misschien gewoon het moment waarop hij leerde wie hij werkelijk was. Chaled kende zijn plicht – hij hoorde dit terstond aan zijn superieuren te melden. Wie weet zou het hem zelfs gratie opgeleverd hebben, terugkeer naar het leger. Maar hij had er geen seconde over nagedacht. Nee. Hij liep recht naar de rotswand en begon te klimmen.

21

Augustin Pascals voordeur kierde enigszins weg van de deurstijl, voldoende voor Peterson om te weten dat hij niet op slot zat – een fluitje van een cent voor iemand met zijn verleden.

Beneden sloeg een deur dicht. Hij deed een stapje achteruit en vouwde zijn handen respectvol voor zijn lichaam, alsof hij zojuist aangeklopt had en op een reactie wachtte. Liftkabels kraakten. Deuren gingen open en dicht. Iemand stapte uit de lift. Het flatgebouw werd weer stil.

Hij legde zijn oor tegen de deur. Niets. Hij opende de deur met een creditcard en glipte naar binnen. De badkamerdeur stond halfopen en hij hoorde het spatten van een man die een plas doet. Op de keukentafel stond een geopende laptop met een foto van het mozaïek in zijn opgraving op het scherm. Zijn mond viel open. Geen wonder dat de Heer hem hierheen gebracht had.

De wc werd doorgetrokken. Peterson liep haastig naar de slaapkamer en liet de deur op een kier staan om zicht op de huiskamer te hebben. Even later kwam Knox de badkamer uit, zijn handen afvegend aan zijn broek. Hij liep naar de keuken, ging met zijn rug naar Peterson aan de tafel zitten, klikte met de muis van de laptop en opende een internetbrowser.

Peterson was een van nature sterke man die ervoor zorgde dat hij in conditie bleef. Hij verachtte mensen die geschenken van God teloor lieten gaan. Als jongeman was hij bovendien een talentvol worstelaar geweest die ervan genoot zijn kracht en techniek met anderen te meten: het wederzijds respect van het handgemeen, het afmatten van je tegenstander als een boa constrictor zijn prooi, de spanning en pijn van uitgerekte spieren, de glibberige glans van zwetend vlees, gezichten centimeters van elkaar, zodat de ander gedurende die paar intense minuten van de krachtmeting je hele wereld vormde. En hij genoot vooral van dat heerlijke moment van overgave, die bijna onhoorbare ademtocht als zijn tegenstander zich verslagen wist en zijn nederlaag accepteerde. Hij wist dus dat hij alle noodzakelijke eigenschappen bezat voor de taak die hem wachtte. Toch was hij nerveus. De duivel was een machtig tegenstander die niet onderschat mocht worden en Peterson had zelden iemand ontmoet waarin die zo sterk aanwezig was als in Knox. Bovendien liep hij, zelfs als alles op rolletjes liep, op zijn minst één seconde het risico gezien te worden. Hij moest ervoor zorgen dat hij, zelfs als de man hem zag, onherkenbaar zou zijn.

Op de bovenste plank van de klerenkast vond hij een motorhelm. Perfect. Hij zette hem op en maakte de kinriem vast. Zijn ademhaling klonk luid in de helm, bijna alsof hij bang was. Knox was nog steeds verdiept in zijn laptop. Langzaam duwde Peterson de deur open en sloop naar hem toe.

II

'Is deze grafkamer echt gebouwd voor de man die we kennen als Mozes?' vroeg Stafford retorisch, terwijl Lily filmde. 'Ik geloof van wel.'

Gaille stond zwijgend buiten de grafkamer terwijl hij zijn verhaal afstak, ver uit beeld en uit Staffords zicht. Hij kon niet tegen afleiding, hij kon eigenlijk nergens tegen.

'Er is hier nooit een spoor van Echnatons lichaam gevonden,' ging hij verder. 'Van geen enkel lichaam. Geeft dat niet te denken? Deze prachtige grafkamer waar niemand begraven ligt.'

Gaille perste haar lippen op elkaar. Volgens de rapporten waren hier wel degelijk menselijke resten gevonden, hoewel er niets bewaard gebleven was om te analyseren. En er waren zeker fragmenten gevonden van een voor Echnaton gebouwde sarcofaag, samen met een heleboel sjabti's, kleine Echnatonfiguurtjes, bedoeld om het huishoudelijke werk in het hiernamaals te doen, zodat dit Echnatons geest zelf bespaard werd. En zelfs als Stafford het bij het rechte eind had dat de joden uit Amarna kwamen, dan nog was het moeilijk te accepteren dat Echnaton Mozes was. De Egyptische samenleving was intens hiërarchisch. Farao's werden gehoorzaamd, zelfs ketterse farao's. Zolang Echnaton leefde was hij aan de macht geweest en zou hij geen reden hebben gehad om Amarna te verlaten. Anderzijds wilde ze best aannemen dat hij niet in deze grafkamer begraven lag. Die zou een te makkelijk doelwit voor wraakzuchtige vijanden geweest zijn. Dus misschien hadden ze zijn lijk meegenomen, het naar het Dal der Koningen gebracht, of wie weet ergens hier in de buurt begraven.

'Wat is er dan wél met Echnaton gebeurd?' vroeg Stafford. 'Waar ging hij naartoe? En hoe zit het met al zijn volgelingen, zijn mede-atonisten? Ga met me mee op een wonderbaarlijke reis waarop ik voor het eerst het ware verhaal van Mozes en de geboorte van de joodse natie uit de doeken doe. Ga met me mee op mijn buitengewone speurtocht naar de grote uittocht uit Egypte.'

Hierop volgden een paar seconden stilte waarin Lily de grafkamer opnam en de verbleekte gipsen wandreliëfs filmde. Daarna liet ze de camera zakken en gaf Stafford de koptelefoon, zodat hij de opnamen kon bekijken. 'Ik vind de eerste beter,' gromde hij.

'Ik zei toch dat die prima waren.'

'Dan zullen we weer naar boven gaan. De beste plek zoeken om de zonsondergang te filmen.'

'Zonsondergang?' vroeg Gaille.

'Vanaf de tegenoverliggende heuvel,' zei Stafford knikkend. 'Eerst een panoramashot van de ingang van de graftombe naar de koninklijke wadi bij wijze van afsluiting. Heel toepasselijk, aangezien we beginnen met de zonsopgang boven Amarna, snap je?'

'En eindigen met beelden van de ondergaande zon?'

'Precies,' zei Stafford, als eerste de trap op lopend. 'De symboliek, begrijp je?'

'Juist ja.'

Hij gaf haar een zuur glimlachje. 'Academici,' zei hij. 'Allemaal hetzelfde. Jullie zouden je ziel verkopen voor wat ik weet.' Ze kwamen weer in het daglicht. Zonder op of om te kijken stak hij met grote passen de weg over naar de andere kant van de wadi en zocht naar een plek om naar boven te klimmen.

'Hé daar! Stop!'

Gaille keek om. Kapitein Chaled Osman beende strijdlustig op Stafford af met een kwade gezichtsuitdrukking, waarin ze vreemd genoeg ook iets van angst bespeurde. Stafford besloot hem te negeren en begon te klimmen, maar Chaled pakte zijn been en trok hem met een ruk naar beneden. Stafford tuimelde op de rotsachtige grond en haalde zijn handpalmen open. Hij stond op en wendde zich ongelovig tot Gaille. 'Zag je dat?' vroeg hij kwaad. 'Hij werd handtastelijk.'

'Jullie zijn klaar hier,' zei Chaled. 'Ga weg.'

'Weg? Ik zal zelf wel uitmaken wanneer ik vertrek.'

'U vertrekt nu meteen.'

'Dit gaat zomaar niet. We hebben een vergunning.' Hij wendde zich tot Lily, die juist uit de graftombe kwam. 'Laat hem onze papieren zien.'

Lily keek Gaille vragend aan, maar die haalde alleen maar verbijsterd haar schouders op. Lily opende haar map en trok er verscheidene met paperclips aan elkaar bevestigde papieren uit. 'Hier!' zei Stafford, ze uit haar hand trekkend en onder Chaleds neus houdend. 'Ziet u wel?'

Chaled sloeg Staffords hand weg. De papieren fladderden als een gewonde vogel naar de grond. 'Ga weg,' zei hij.

'Niet te geloven,' mompelde Stafford. 'Godverdomme niet te geloven gewoon.'

Lily raapte de papieren op, zocht de vergunning om bij de koninklijke graftombe te filmen en wist een brede, eerbiedige glimlach op haar gezicht te toveren toen ze het betreffende vel papier eruit trok. 'We hebben echt een vergunning hoor,' zei ze, Chaled het papier opnieuw voorhoudend.

Chaled liep rood aan. Hij pakte het papier, scheurde het in kleine stukjes en gooide ze minachtend in de lucht. 'Ga weg,' zei hij, zijn hand veelbetekenend op zijn holster leggend. 'Jullie allemaal. Nu meteen.'

Gailles hart bonkte in haar borst. 'We kunnen beter doen wat hij zegt,' fluisterde ze, terwijl ze Staffords arm pakte. Ondanks zijn woede stond hij haar toe hem naar de Discovery te loodsen. Van zijn bravoure was niets meer te merken. Gaille deed haar veiligheidsgordel om, reed de koninklijke wadi uit en nam de weg door Amarna terug naar de veerpont, met Chaled en zijn truck als een vervloeking in haar spiegeltje.

III

Knox voelde een zwak en duidelijk ongeoorloofd steekje van opwinding toen hij het webadres van Gailles Opgravingsdagboek intikte. Hij bezocht de site van tijd tot tijd om te weten wat ze uitvoerde, omdat hij daar vreemd genoeg troost uit putte. En deze morgen, na alles wat hij doorgemaakt had, hunkerde hij nog meer naar die troost dan anders.

Er stond een nieuw footootje op: Gaille voor haar kamer met twee van Fatima's stafleden, blijmoedig glimlachend in het zonlicht en duidelijk stralend van vriendschap en vrolijkheid. Hij klikte erop om hem te downloaden. Terwijl hij wachtte, opende hij een tweede browser en herlas haar e-mail.

Ik mis jou ook.

Dat 'ook' intrigeerde hem. Hij moest de eerste geweest zijn die dit gezegd had. En het was natuurlijk ook waar. Het verbaasde hem alleen dat hij het uitgesproken had. Sinds ze partners waren, had hij er steeds zorgvuldig op toegezien dat zijn persoonlijke gevoelens hun beroepsmatige relatie niet in de weg stonden. Gailles vader was tenslotte zijn mentor geweest. Zijn dood had Knox in een vreemde positie geplaatst. Hij voelde een zekere verantwoordelijkheid jegens haar, bijna alsof hij *in loco parentis* was.

De manier waarop haar haar om haar gezicht waaierde als ze haar hoofd omdraaide. Het gevoel van haar vingertoppen op zijn onderarm als ze hem de straat over loodste. Daar was helemaal niets *in loco parentis* aan.

Eindelijk verscheen de foto op het scherm. Terwijl hij ernaar keek, zag hij een schimmige reflectie in het scherm van een man met een motorhelm op die hem van achteren besloop. Hij draaide zich met een ruk om, maar het was te laat. De man greep hem beet en klemde zijn armen tegen zijn lichaam – als een dwangbuis. Knox sloeg met zijn ellebogen en achterhoofd, maar zonder resultaat. De man was te sterk. Hij sleurde Knox door de openstaande glazen deuren naar het betonnen balkon, tilde hem op en smeet hem over de balustrade, waarna hij schreeuwend door de lucht vloog.

22

Knox stak in een reflex zijn hand uit toen hij van Augustins balkon viel, greep de pols van zijn aanvaller en klemde zich er met de kracht der wanhoop aan vast, zodat hij niet wegvloog maar recht omlaag viel en hangend aan 's mans arm als een slopersbal met een pijnlijke klap tegen de betonnen bodem van het balkon sloeg. De klap perste de lucht uit zijn longen en alle kracht uit zijn spieren. Zijn hand schoot los en hij tuimelde verder tot zijn linkerknie de metalen balustrade van het balkon van de vijfde verdieping raakte. Zijn knie gleed van het metaal en vertwijfeld om zich heen graaiend viel hij verder. Even kreeg hij houvast aan een gietijzeren spijl. Zijn hand gleed omlaag, ontveld door de ruwe roestlaag, tot zijn pols tegen de betonnen vloer sloeg en hij opnieuw los moest laten. Door de zwaai viel hij ditmaal evenwel op de binnenkant van de balustrade van de verdieping eronder en tuimelde op het balkon. Opnieuw sloeg alle lucht uit zijn longen. Zijn hele lichaam was gekneusd, maar op de een of andere manier leefde hij nog.

Moeizaam overeind krabbelend leunde hij tegen de balustrade en keek omhoog. Zijn aanvaller had zijn vizier geopend en Knox zag een glimp van een gezicht dat een huiveringwekkende herinnering losmaakte. Maar de man verdween voordat Knox hem kon herkennen of zijn gezicht in zijn geheugen kon prenten.

Hij keek om zich heen. Voor het appartement aan het balkon zat een metalen rolluik. Vergeefs probeerde hij er zijn vingers onder te steken om het op te tillen. Hij rammelde eraan, bonsde erop met zijn vuisten om de aandacht van de bewoners te trekken. Maar niemand reageerde. Hij boog zich opnieuw over de balustrade. De parkeerplaats beneden was leeg. Hij wilde om hulp roepen, maar bedacht zich. Zelfs als hij iemands aandacht wist te trekken zouden ze toch alleen maar de politie bellen, en hij voelde er weinig voor om zich op dit moment voor hen te moeten verantwoorden, niet zolang ze hem schuldig achtten aan Omars dood. Wat inhield dat hij hier vastzat, terwijl een onbekende met een motorhelm op manieren bedacht om hem te vermoorden.

Niemand in het ziekenhuis wilde iets zeggen, dus Augustin ging naar de ORA, waar het gonsde van de geruchten en iedereen radeloos was van verdriet. Omar was kennelijk iemand die pas echt gewaardeerd werd als hij dood was. Mansoor, Omars plaatsvervanger, zat in zijn rommelige kantoor. Zijn zorgelijke gezicht was grauw. 'Een afschuwelijke situatie,' zei hij hoofdschuddend. 'Ik kan niet geloven dat Knox er iets mee te maken had.'

'Dat had hij ook niet.'

'Er is hier een politieman die daar anders over denkt.'

'De politie!' zei Augustin spottend. 'Alsof die iets weet.'

Mansoor keek hem doordringend aan. 'Heb je iets gehoord?'

'Nee.'

'Je kunt me echt vertrouwen.'

'Dat weet ik,' zei Augustin. Hij nam een stapel rapporten van een stoel en ging zitten. 'Maar waarom denk je dat ik je wijzer kan maken? Ik weet niet eens wat er gebeurd is. In het ziekenhuis verdomden ze het om iets los te laten.'

'Dan kun je beter met deze politieman praten,' stelde Mansoor voor. 'Hij is nog steeds ergens op kantoor. Ik heb hem beloofd dat ik met hem mee zou gaan naar Borg el-Arab.'

'Borg el-Arab?' zei Augustin fronsend. 'Is het ongeluk daar gebeurd?'

'Ja.'

'Wat deden ze daar in godsnaam?'

'Kennelijk een trainingsopgraving bezoeken.'

'Een opgraving? In Borg?'

Mansoor knikte. 'Hier wist ook niemand ergens van. Hij ressorteert kennelijk rechtstreeks onder Caïro.' Hij liep naar zijn dossierkast en schoof een doos met luchtfotografieapparatuur opzij om een la open te kunnen trekken.

'Een draadloos vliegtuig,' gromde Augustin onder de indruk. 'Hoe zijn jullie verdomme aan het geld gekomen voor zoiets?'

'Geleend van Rudi,' zei Mansoor. 'Dat was makkelijker dan het elk seizoen uit Duitsland heen en weer te moeten slepen.' Hij gaf Augustin een verfomfaaid vel papier met zulke kleine lettertjes dat Augustin ermee naar het raam moest lopen om het te kunnen lezen. Mortimer Griffin. Dominee Earnest Peterson. Het Texaans Genootschap voor Bijbelse Archeologie. Een adres in Borg el-Arab. Verder niets. Maar het kon niet anders dan dat Knox' foto's daarvandaan kwamen. 'Ik zou die opgraving zelf ook wel willen zien,' zei hij zacht.

'Dat kan misschien wel geregeld worden,' zei Mansoor. 'Je hebt gezien hoe de jongens ervoor staan. Ik moet vandaag bij ze blijven. Zal ik die politieman vragen of jij in mijn plaats met hem kunt meegaan?'

'Ja,' knikte Augustin. 'Dat is een uitstekend idee.'

III

Peterson haastte zich weer naar binnen, totaal van zijn stuk dat Knox opnieuw aan de gerechtigheid ontsnapt was. De duivel maakte overuren vandaag. De laptop stond nog steeds open op de keukentafel, wat Peterson herinnerde aan de dringende noodzaak al Knox' foto's van zijn opgraving te vernietigen.

Er stonden twee browsers open, een met een foto van een donkerharige jonge vrouw met twee Egyptische mannen in een galabia, de tweede met een e-mail van een zekere Gaille Bonnard, misschien de vrouw op de foto. Hij las de e-mail snel door en besefte al snel dat zij Knox' foto's had. Hij ging zitten en typte een antwoord.

Beste Gaille, bedankt voor de foto's. Ze zijn fantastisch. Maar nog iets. Kun je alle foto's en alle kopieën uitwissen? Ik kan nu niet zeggen waarom. Ik bel je nog wel. Maar doe alsjeblieft wat ik zeg. Wis alles zo snel mogelijk! Nog voor je me belt. Heel, heel belangrijk. Ik kan het niet genoeg benadrukken.
Alle liefs,
Daniel.

Een provisorische oplossing, maar het zou moeten voldoen. Hij stuurde de boodschap weg en verwijderde haar e-mail uit Knox' Hotmail-account, zodat bericht en aanhangsels voorgoed verdwenen waren. Hij was geen computerdeskundige, maar hij had verhalen gehoord over sodomieten en andere boosdoeners die gearresteerd waren op grond van foto's die zelfs na uitgewist te zijn toch nog op hun harde schijf stonden. Hij kon niet het risico lopen dat iemand deze foto's terugvond, dus hij trok alle stekkers uit de laptop, nam hem onder de arm en haastte zich naar buiten.

23

Kapitein Chaled Osman stond op de oostelijke oever van de Nijl om de veerboot die de Discovery en zijn tv-ploeg meenam na te kijken.

'Dit bevalt me niks, kapitein,' zei Nasser. 'Ze komen te dicht in de buurt. We moeten het afsluiten. Als het rustiger wordt kunnen we altijd weer teruggaan.'

Chaled was al tot dezelfde conclusie gekomen. Nu het lijk van het meisje gevonden was, werd het te gevaarlijk. Hij vroeg Nasser: 'Jij en Faisal hebben alles wat je nodig hebt, ja?'

'Alles ligt er al, kapitein,' bevestigde Nasser. 'Geef ons twee uur en niemand die ooit zal weten dat het er was.'

De veerboot bereikte de oever aan de overkant. De Discovery was een stipje dat de heuvel naar de grote weg op reed en achter de bomen verdween. 'Goed dan,' zei hij. 'Vanavond.'

II

Knox probeerde nog steeds het stalen rolluik op te tillen toen hij de voordeur van het flatgebouw hoorde dichtslaan. Hij keek net op tijd omlaag om zijn aanvaller, nog steeds met Augustins motorhelm op zijn hoofd, met zijn laptop onder zijn arm naar een blauwe fourwheeldrive op het parkeerterrein te zien lopen. De auto stond te ver weg om de nummerplaat te kunnen lezen. De man zette de helm pas af toen hij ingestapt was, zodat Knox geen kans kreeg om zijn gezicht te zien. En toen was hij weg.

Knox begon weer aan het stalen luik, maar hij wat hij ook probeerde, het weigerde open te gaan. Het had er alles van weg dat hij hier opgesloten zou zitten tot de bewoners thuiskwamen. En wie weet hoe ze zouden reageren? Vrijwel zeker door de politie te bellen. Hij boog zich over de balustrade. Het rolluik van het balkon beneden hem was open, evenals de glazen deuren. Hij riep. Geen antwoord. Hij riep harder. Nog steeds niets. Hij dacht even na. Naar het volgende balkon klimmen zou niet meevallen, maar hij vertrouwde erop dat hij het veilig voor elkaar zou krijgen, en het was beter dan hier werkloos afwachten.

Hij gooide een been over de balustrade, draaide zich met zijn gezicht naar het gebouw en zette zijn voeten tussen de stijlen. Het leek veel harder te waaien nu hij recht boven het asfalt stond. Hij zakte door zijn knieën, pakte met elke hand een spijl beet, haalde diep adem en liet zich zakken, trappelend met zijn benen boven de diepte. Zijn maag en borst schraapten langs het ruwe beton. Zijn kin zakte op de rand. Zijn armspieren protesteerden. Hij probeerde van positie te veranderen, even uit te rusten, maar zijn handen gleden weg en hij zakte met een ruk omlaag en bleef met een schok aan de onderkant van de twee spijlen hangen.

Op dat moment kwam een corpulente vrouw met zilvergrijs haar het balkon op. Ze zag Knox hangen, liet haar wasmand vallen en zette het op een gillen.

III

Gaille zag het bloed naar Staffords gezicht stijgen en zijn vuisten zich krampachtig ballen in zijn schoot. Instinctief boog ze zich naar links, weg van hem, alsof hij een landmijn was die op het punt stond om te ontploffen. Maar toen de uitbarsting kwam, begon hij rustiger dan ze verwacht had.

'Gefeliciteerd,' zei hij tegen Lily.

'Pardon?'

'Met het verpesten van mijn programma. Gefeliciteerd.'

'Ik vind niet dat het…'

'Wat moet ik nu verdomme doen? Vertel me dat maar eens.'

Gaille zei: 'Het is waarschijnlijk niet zo erg als…'

'Heb ik jou om je mening gevraagd?'

'Nee.'

'Hou je bek dan.' Hij wendde zich weer tot Lily. 'En? Wat denk je eraan te doen?'

'We rijden door naar Assiut,' zei Lily. 'In het hotel zal ik een paar mensen bellen. We komen er wel uit. Morgen gaan we gewoon terug en…'

'Morgen filmen we,' schreeuwde Stafford, rood van woede. 'En daarna zitten we godverdomme in een vliegtuig. Ik heb namelijk verplichtingen. Ik word in Amerika verwacht. Of wil je soms dat ik mijn ochtendshows afzeg omdat jij je werk niet fatsoenlijk kunt doen?'

'Ik heb alle vergunningen,' zei Lily afwerend. 'Alles was in orde.'

'Maar je hebt het niet ter plékke georganiseerd, wel? De hoofdregel als je naar het buitenland gaat. Organiseer het ter plekke.'

'Ik wilde hiernaartoe vliegen. Jij wilde mijn ticket niet betalen.'

'O, dus nu is het míjn schuld, ja? Ongelooflijk!'

'Zo bedoelde ik het niet.'

'Jij wordt geacht dit soort dingen op te lossen. Dat is je werk. Het enige wat je godverdomme te doen hebt. Het enige waar ik je voor aangenomen heb.'

'Waarom film je de zonsondergang niet hier, vanaf de westelijke oever?' vroeg Gaille. 'Dan heb je je zonsondergang.'

'Maar niet Amarna. Niet de koninklijke wadi. Tenzij je me aanraadt mijn publiek te bedriegen. Bedoel je dat?'

'Je hoeft niet zo'n toon tegen me aan te slaan.'

'Je hoeft niet zo'n toon tegen me aan te slaan,' herhaalde hij spottend. 'Wie denk je verdomme wel dat je bent?'

'De bestuurder van deze auto,' antwoordde Gaille. 'En tenzij je liever gaat lopen…'

'Dit is een ramp,' mompelde Stafford. 'Een godvergeten ramp.' Hij begon weer tegen Lily uit te varen. 'Ik kan niet geloven dat ik je aangenomen heb. Wat mankéérde ik in godsnaam?'

'Zo is het wel genoeg,' zei Gaille.

'Reken maar dat ik iedereen voor jou ga waarschuwen. Ik zal zorgen dat je nooit meer voor de televisie werkt.'

'Nu is de maat vol!' Gaille zette de auto in de berm, trok de sleutels uit het contactslot, stapte uit en liep weg. Achter haar gingen portieren open. Ze keek om en zag Lily haastig achter haar aankomen, met de rug van haar hand haar vochtige ogen afvegend. 'Hoe kun je dat allemaal over je kant laten gaan?' vroeg Gaille.

'Het is mijn carrière.'

'Is die het waard?'

'Ja,' zei Lily. 'De jouwe niet?'

Gaille zuchtte. Lily had gelijk. Zelf had ze zich destijds ook van alles laten welgevallen. 'Hoe kan ik helpen?' vroeg ze.

'Kun je niet iemand bellen? Fatima bijvoorbeeld?'

'Die ligt in het ziekenhuis.'

'Er moet iemand zijn. Alsjeblieft.'

Gaille keek langs Lily heen naar Stafford, die tegen de Discovery leunde en hen woedende blikken toewierp. Ze wist dat dit soort bullebakken altijd zo te werk ging – het leven van iedereen om zich heen ondraaglijk maken tot ze hun zin kregen. Het irriteerde haar mateloos iets te moeten doen om hem uit de problemen te helpen die hij over zichzelf afgeroepen had. 'Je hebt nog steeds je vergunningen om te filmen, niet? Ik bedoel, hij heeft alleen maar die voor de koninklijke graftombe verscheurd, toch?'

'Ja. Waarom?'

'Er is geloof ik wel iets wat we kunnen proberen.'

'Wat dan?'

'Het is bijzonder riskant,' zei Gaille, die alweer spijt had van haar aanbod.

'Alsjeblieft, Gaille. Ik smeek je. Hij kan mijn carrière ruïneren. Echt waar. En hij zal het doen ook, uit pure wraaklust. Je hebt gezien hoe hij is.'

Gaille zuchtte. 'Oké. Zie je, er zijn om de paar kilometer veerponten over de Nijl. Elke stad heeft zijn eigen pont. Iets ten zuiden van hier is de volgende. Ik heb hem wel eens gebruikt toen deze gesloten was voor reparatie. De politie houdt hem niet in de gaten.'

'Een andere veerpont?' Voordat Gaille haar kon tegenhouden draaide Lily zich om. 'Er schijnt iets ten zuiden van hier een andere veerpont te zijn,' zei ze tegen Stafford, die nog steeds bij de auto stond.

'En dat zou mij een zorg moeten zijn omdat…?'

'Jullie hebben vergunning om de zuidelijke graftomben te filmen,' zuchtte Gaille. 'Dat is de plaats waar veel van Echnatons edelen begraven zijn.'

'Ik weet wat de zuidelijke graftomben zijn, dank je. En ik weet ook dat ik geen reden heb om ze te filmen.'

'Maar ze liggen aan de zuidelijke punt van Amarna.'

'En?'

'En als we met die andere veerpont de Nijl weer oversteken, kunnen we er ongezien naartoe gaan. En zelfs als iemand ons aanhoudt, hebben we jullie vergunning om te filmen.'

'Wat is dat voor stommiteit? Ik wil de godvergeten zuidelijke graftomben helemaal niet filmen. Ik wil godverdomme de kóninklijke graftombe filmen.'

'Jawel,' zei Gaille. 'Maar als we daar eenmaal zijn, is het theoretisch mogelijk om over de heuvels naar de koninklijke graftombe te lopen. Het is niet zo ver.'

'Theorétisch mogelijk?' snierde Stafford. 'Wat hebben we daaraan als we geen van allen de weg weten?'

Gaille aarzelde opnieuw. Ze wist dat ze zich niet tot iets onbesuisds mocht laten verleiden door haar antipathie jegens deze man. Maar het gebeurde toch. 'Ik weet de weg,' zei ze.

24

De vrouw hield op met krijsen en rende haar appartement weer in, maar Knox' opluchting was van korte duur. Ze kwam terug met een keukenmes en begon woest op zijn enkels in te hakken. Hij probeerde zichzelf weer op te trekken, maar het ontbrak hem aan de kracht. Het enige wat hij kon doen was heen en weer zwaaien en vervolgens springen. Hij landde op haar gevallen was en viel op zijn handen. Ze haalde uit en de scherpe punt van het mes prikte door zijn kleren in zijn rug. Hij draaide zich om en hief zijn handen als teken van overgave, maar dat kon haar niet vermurwen. Hij krabbelde overeind en strompelde door haar appartement heen naar haar voordeur en naar buiten.

Zijn enkel deed te veel pijn om de trap te nemen. Hij drukte op de liftknop. Achter hem belde de vrouw de politie, hysterisch schreeuwend dat ze meteen moesten komen. Kabels kreunden en kraakten. De vrouw kwam naar haar voordeur, zette het opnieuw op een schreeuwen en riep de hulp van haar buren in. Overal gingen deuren open en bogen mensen zich over de trapleuning. De lift arriveerde. Knox liep naar binnen en drukte op begane grond. Hij hinkte het gebouw uit. Zijn enkel klopte en zijn linkerknie klikte onheilspellend. Op straat hield hij een bus aan, niet geïnteresseerd in waar hij heen ging of het feit dat hij overvol was. Een vrouw met een gebloemde hoofddoek en een zonnebril nam hem nieuwsgierig op. Een politiewagen raasde met gillende sirene voorbij. Knox sloeg zijn ogen neer. Hij voelde zich belachelijk in het oog lopen.

Hij stapte uit bij de Shallalat Tuinen, strompelde naar de Al-Shatby Necropool en duwde de zware deur open. Een bejaarde conciërge leunde op zijn bezem. Verder was het kerkhof uitgestorven. Veel graven hadden bouwsels die op kleine marmeren tempels leken. Knox zocht er een in een hoek, kroop erin en leunde met zijn rug tegen de muur. Daarna deed hij zijn ogen dicht, zette alles uit zijn hoofd en gunde zijn danig mishandelde lichaam de tijd om uit te rusten en te herstellen.

II

Mallawi's Museum van Oudheden bestond uit drie lange, verlopen zalen met hoge plafonds en een slechte verlichting. De curator trok haar wenkbrauwen op toen Naguib het fragment uit het buideltje van het dode meisje op het glazen deksel van een vitrine legde.

'Mag ik?' vroeg ze.

'Daarvoor heb ik het meegebracht,' zei Naguib. Hij keek naar haar toen ze het oppakte en een paar keer omdraaide. 'En?' vroeg hij.

'Wat wilt u weten?'

'Wat is het? Hoeveel is het waard?'

'Het is een stuk van een beeldje van Echnaton in roze kalksteen en in de stijl van Amarna. En de waarde ervan...' Ze schudde spijtig haar hoofd. 'Niet veel, ben ik bang.'

'Niet veel?'

'Het is een vervalsing. Een van de duizenden.'

'Maar het ziet er oud uit.'

'Het ís ook oud. Veel vervalsingen zijn zestig of zeventig jaar geleden gemaakt. Toen was er een grote markt voor oudheden uit Amarna. Maar het blijven vervalsingen.'

'Hoe kunt u dat zo zeker weten?'

'Omdat alle echte al tientallen jaren geleden gevonden zijn.'

Een groep schoolkinderen kwam schreeuwen en stoeiend binnen, opgetogen dat ze uit de gevangenis van hun klas ontsnapt waren. Naguib wachtte tot hun onderwijzers hen gegeneerd verder geloodst hadden, alvorens zijn volgende vraag te stellen. 'Dus er zijn wel echte?'

'In musea, inderdaad.'

'En kunt u altijd het verschil zien? Ik bedoel, alleen maar door ernaar te kijken.'

'Nee,' gaf ze toe.

'Dus het is mogelijk dat er een kwijtgeraakt is? Begraven onder het zand, bijvoorbeeld, of in een nog onontdekt graf.'

'Het zou niet meevallen om een koper daarvan te overtuigen.'

'Ik heb geen koper,' antwoordde Naguib daarop kortaf. 'Wat ik heb is een dood meisje dat misschien hiervoor vermoord is. Dus vertel eens:

hoeveel zou zo'n beeldje waard zijn als het echt was?'

De curator bekeek het fragment met iets meer respect. 'Moeilijk te zeggen. Echte artefacten uit Amarna worden niet vaak te koop aangeboden.'

'Alstublieft. Alleen maar een ruwe schatting. In Amerikaanse dollars. Honderd? Duizend? Tienduizend?'

'O, meer. Veel meer.'

'Meer?' zei Naguib slikkend.

'Dit zou niet zomaar een beeldje zijn,' zei de vrouw, 'maar een stukje geschiedenis. Geschiedenis van Amarna. Geen prijs zou te hoog zijn. Maar u zou eerst moeten bewijzen dat het echt is.'

'Hoe gaat dat in zijn werk? Zijn er tests?'

'Natuurlijk. Chromatografie, spectrografie. Maar niets is afdoende. Voor elke expert die je één ding vertelt is er een andere die het tegenovergestelde beweert. Uw enige hoop is de herkomst ervan vaststellen.'

'Herkomst?'

'Vind dat onontdekte graf van u. Dan zullen we u geloven.'

Naguib gromde. 'En waar zou ik dat moeten zoeken?'

'In Amarna, dat is zeker. Als ik u was, zou ik gaan zoeken in de wadi's die naar de Oostelijke Woestijn leiden. Daar zijn een hoop oudheden gevonden. De onweren, snapt u. Die hameren op de rotsen als een miljoen houwelen. Het is nog steeds mogelijk dat de verborgen ingang van een oud graf gewoon afbreekt en de inhoud in de wadi's spoelt en vervolgens door een grote rivier de woestijn in gesleurd wordt.'

Naguib verstijfde een beetje. 'Een watervloed,' zei hij.

'Precies,' glimlachte de curator. 'Een watervloed.'

III

Augustin wachtte in Mansoors kantoor, terwijl zijn vriend ging proberen de politieman over te halen een vervanger mee te nemen naar Borg el-Arab. Hij doodde de tijd door op het internet informatie over het Texaans Genootschap voor Bijbelse Archeologie te zoeken. Het had zijn eigen website met groepsfoto's en korte overzichten van opgravingen in

Alexandrië en Cephallonië. Op de 'Over ons' pagina werd gewag gemaakt van zijn connectie met de Verenigde Methodistische Kerk, maar zonder link of verdere uitleg. Wel bevatte hij een profiel van Griffin, die verrassend hoog gekwalificeerd was voor zo'n kleine organisatie.

Een nieuwe speurtocht naar dominee Earnest Peterson leverde een enorm aantal resultaten op. De man was duidelijk een controversiële figuur, verfoeid en gevreesd als gevolg van zijn onbuigzame godsdienstige opvattingen, maar ook bewonderd om het verpleeghuis, het ziekenhuis, het opvangcentrum voor daklozen en het revalidatiecentrum die zijn kerk gesticht had en financierde. Ook financierde hij een kleine christelijke privé-universiteit, de universiteit van de Missie van Christus, waarschijnlijk van dezelfde VMK die op de website van het TGBA genoemd werd, met een theologische faculteit en faculteiten voor Scheppingstheorie, Rechten, Politieke Wetenschappen en Archeologie.

Petersons kerk had zijn eigen website. Het scherm werd donkerblauw toen Augustin op de link klikte, en er verscheen een regel witte tekst: *Bij een manspersoon zult gij niet liggen met vrouwelijke bijligging; dit is een gruwel...* De tekst vervaagde en werd vervangen door een nieuwe regel. *Het gelaat huns aangezichts getuigt tegen hen, en hun zonden spreken zij vrij uit, gelijk Sodom; zij verbergen ze niet. Wee hun ziel, want zij doen zichzelven kwaad.* Daarna verscheen een foto van een kerk, met aan weerszijden een lijst met links. De linkerkolom was getiteld *Wat Christus zegt over...* met onderwerpen als homoseksualiteit, feminisme, overspel, abortus en afgodenverering en een lijst verzen uit Deuteronomium, Leviticus, Numeri en andere oudtestamentische boeken.

De rechterkolom bevatte titels als *Het kwaad van het liberalisme* en *De zonde van Sodom*. Augustin klikte op *De agenda der gruweldaders*, waarop een nieuw venster verscheen waarin Peterson onhoorbaar tegen de camera praatte. Hij klikte op een andere link die helemaal apart stond en *Het gelaat van Christus* heette. Opnieuw Peterson, maar met een heel andere stem. Zachtmoedig. Vervoerd. '*U vraagt me hoe ik tot God gekomen ben,*' zei hij. '*Ik zal u vertellen hoe ik tot God gekomen ben. Ik was een miserabele zondaar, een dief, een drinker, een man vol oneerlijkheid en geweld, bekend bij de politie hoewel ik nog maar een jongeman was. En ik kwam tot God omdat Hij op een dag, op mijn dieptepunt, in Zijn oneindige genade*

Zijn Zoon naar me toezond. Een visioen van Zijn Zoon. En laat me u dit vertellen: niemand kan het aangezicht van Christus aanschouwen en niet geloven. En dat is de missie die God me gaf voor mijn tijd op deze aarde: het gelaat van Christus over de hele wereld uitdragen. Maak dat ook uw missie, dan zullen we samen zeker…'

De deur achter hem ging open. Toen hij omkeek, zag hij een politieman staan. 'Dr. Augustin, ja?'

'Inderdaad.'

'Ik ben inspecteur Faroek. Uw collega Dr. Mansoor zei dat u zo goed zou willen zijn om me naar Borg el-Arab te vergezellen.'

'Dat klopt.'

'Uitstekend. Bent u klaar?'

Augustin knikte. Met een lichte huivering sloot hij de browser af en stond op. 'Vooruit dan,' zei hij.

IV

Peterson reed zo snel als de weg toeliet terug naar zijn opgraving, alleen maar even stoppend om Knox' laptop en mobiele telefoon in de met riet omzoomde wateren van het meer van Mariut te gooien. Met voldoening zag hij ze in het water plonzen en zinken.

Claire kwam het kantoor uit om hem te begroeten. Een stuntelige jonge vrouw met lange, stakerige ledematen, maar ook met een zekere wilskracht. Hij had haar liever thuisgelaten, maar haar medische kennis en vloeiend Arabisch waren te nuttig. 'Hoe is het met die mannen?' vroeg ze met haar armen voor haar borst geslagen.

'Welke mannen?'

'Waar Nathan me gisteravond over vertelde. Hij was in alle staten.'

'Ze maken het prima,' verzekerde Peterson haar. 'Ze zijn in Gods handen.'

'Wat moet dat betekenen?'

'We zijn allemaal in Gods handen, zuster Claire. Of denk je daar misschien anders over?'

'Natuurlijk niet, eerwaarde. Maar ik zou toch graag willen weten…'

'Later, zuster Claire. Later. Op dit moment heb ik dringende zaken te bespreken met broeder Griffin. Weet je waar die is?'

'Op de begraafplaats. Maar ik…'

'Als je me dan wilt excuseren,' zei hij, met grote stappen weglopend.

Griffin moest zijn auto gehoord hebben, want hij kwam hem halverwege de begraafplaats tegemoet. 'Wat is er gisteravond verdomme gebeurd?' wilde hij weten.

'Alles op zijn tijd,' zei Peterson. 'Eerst dit. Heb je alles gedaan wat ik zei?'

Griffin knikte. 'Wil je het zien?'

'Jazeker, broeder Griffin.'

Ze bezochten het leeggehaalde magazijn en vervolgens de schacht. Tot Petersons verbazing kostte het hem moeite om te zien waar die geweest was, zelfs toen hij er vlak naast stond. 'Dat zal genoeg moeten zijn,' zei hij. Zijn grootste zorg was nu dat iemand zijn mond voorbijpraatte. Met name Griffin of Claire. Hij keek naar het kantoor. 'Ik wil niet dat Claire hier is als de politie of de ORA komt opdagen. Neem haar mee terug naar het hotel. Hou haar uit de buurt.'

'Maar wat moet ik tegen haar zeggen?'

'Zeg maar dat je met de mensen in het hotel moet praten en een tolk nodig hebt.'

'Maar in het hotel spreken ze Engels.'

'Dan bedenk je maar iets anders,' beet Peterson hem toe. Hij keek Griffin na toen die weg drentelde en liep naar de begraafplaats. Vroeg of laat zouden ze zeker een bezoekje van de autoriteiten krijgen. Zijn studenten dienden te weten wat ze tegen hen moesten zeggen.

V

Kapitein Chaled Osman was onverwacht nerveus toen Nasser hem en zijn mannen over de weg naar de koninklijke wadi reed. Hij bezocht het graf liever niet voor het donker, maar Faisal had bij hoog en bij laag volgehouden dat hij daglicht nodig had om bij te werken. Ze zouden weinig risico lopen, hield hij zichzelf voor. Zo laat kwamen er nooit toeristen.

Amarna was gewoon te groot om in minder dan een halve dag te bekijken. En hij had de plaatselijke bevolking heel duidelijk aan het verstand gebracht dat ze hier voortaan niet meer welkom waren.

Ze parkeerden achter het generatorgebouw. Abdoellah liep een stukje terug om voor alle zekerheid de wacht te houden, terwijl Osman, Faisal en Nasser hun uniform verruilden voor een oud overhemd en een oude broek. Wat hun te doen stond, was smerig werk. Hij zou het liever aan Faisal en Nasser overgelaten hebben, maar hij was bang dat ze zonder toezicht geen goed werk af zouden leveren. Bovendien voelde hij de behoefte om het nog één keer te zien.

Hij deed zijn koppelriem weer om. Hij voelde zich naakt zonder zijn Walther, zijn oogappel, een onofficieel aandenken uit zijn legertijd dat hij clandestien meegenomen had, samen met een AK-47 en een doos handgranaten om mee te vissen. Fatsoenlijk wapen ook, heel anders dan die troep van Egyptische makelij waar zijn mannen het mee moesten stellen. Ze staken de draineersloot over en zochten voorzichtig hun weg over rotsblokken en losse stenen.

'Die verdomde schoenen!' mompelde Faisal, die altijd geagiteerd raakte als ze in de buurt kwamen van de plek waar ze het meisje gevonden hadden.

De makkelijkste manier om bij de ingang van het graf te komen was er voorbijlopen, tegen de wand van de wadi op klauteren en over het plateau teruglopen naar een smalle richel. Faisal ging voorop. Die leek wel een berggeit. Bij de opening van het graf gekomen trok hij het juten gordijn opzij dat je pas van een paar passen afstand kon zien. Stof en steentjes regenden neer op Chaleds haar toen hij achter hem het graf binnenging. 'Hoe lang heb je nodig?' vroeg hij.

'Dat hangt er van af, kapitein,' antwoordde Faisal.

'Waarvan?'

'Van hoeveel hulp ik krijg.'

Chaled bleef aarzelend staan. Iets op deze plek leek insubordinatie aan te moedigen. 'Ik neem nog één keer een kijkje,' zei hij, een zaklantaarn pakkend. 'Je weet maar nooit.'

'Tuurlijk,' zei Faisal. 'Je weet maar nooit.'

Nog steeds ziedend liep Chaled door de gang naar de grafkamer. Wat dacht die verdomde Faisal wel? Maar hij vergat zijn woede in de grotere teleurstelling dat hij hier gefaald had. Bij hun eerste bezoek hier hadden ze drie stukken van een beeld, een scarabee en een zilveren amulet in het puin gevonden. Toen geloofde hij nog echt dat hun grote rijkdommen wachtten. Maar ze vonden steeds minder en kregen er maar een fractie voor van wat ze gehoopt hadden, omdat niemand geloofde dat ze echt waren – niet eens genoeg om met zijn mannen te delen. Het was een karige beloning voor zo veel werk. Hele stukken plafond waren in de loop der eeuwen ingestort, zodat de grafkamer vol zand en puin lag. Die konden ze niet naar buiten gooien, want dat zou in de gaten lopen, dus er zat niets anders op dan het van de ene kant naar de andere te scheppen, alsof je een huis schoonmaakte. En alles moest 's nachts gebeuren, de enige tijd dat ze vrij waren. Ze kregen steeds meer hun buik vol van het werk en hun wederzijdse irritatie nam toe, maar ze hadden nooit kunnen besluiten het bijltje erbij neer te gooien. Zo was de wrede lokroep van de hoop nu eenmaal.

Voor de grafkamer was een zinkput, net als in de koninklijke grafkamer. In de loop der millennia was er zo veel zand en puin in gevallen dat ze hem in eerste instantie niet eens opgemerkt hadden. Maar hij was er wel degelijk en hij nam de hele breedte van de gang in beslag. En hij was diep! Toen ze alle andere plekken afgewerkt hadden, begonnen ze aan de put. Ze haalden hem met manden leeg, dieper en dieper, tot ze een touwladder mee moesten brengen om omlaag te klimmen en een touw aan de manden moesten knopen, zodat een van hen op de bodem kon blijven om hem te vullen en de anderen hem konden ophijsen om de inhoud te zeven en weg te gooien.

Chaled klom de touwladder af voor een laatste blik, maar het licht van zijn zaklantaarn onthulde slechts hun eigen afval: lege waterflesjes en wikkels, een stukje kaars, een boekje lucifers. Discipline was een van de eerste slachtoffers van hun fiasco. Al zes meter diep en nog steeds waren ze niet op de bodem! *Zes meter!* Hij schudde zijn hoofd om de absurditeit van zijn antieke voorzaten. Zo veel werk! En zo nutteloos.

Wie ter wereld had tenslotte een zes meter diepe zinkput nodig?

25

Knox was in een verkwikkende slaap gevallen in de Al-Shatby Necropool en werd wakker van voetstappen op de plavuizen buiten het grafmonument. Even was hij bang dat hij ontdekt zou worden, maar de voetstappen gingen voorbij zonder van ritme te veranderen. Hij wachtte tot het weer stil was en hees zichzelf grimassend overeind – hij was helemaal verstijfd. Hij strompelde de necropool uit, kocht een telefoonkaart in een supermarkt en zocht een afgelegen telefooncel om Augustin te bellen.

'Cedric, mon cher ami!' baste Augustin toen hij Knox' stem herkende.

Knox snapte meteen wat er gaande was en ging soepel over in het Frans. 'Is er iemand bij je?'

'Een eerlijke politieman. Hij spreekt een beetje Engels, maar ik denk dat we in het Frans niks hoeven te vrezen. Momentje.' Knox hoorde wat gemompel. Augustin legde zijn hand op de hoorn. Even later was hij weer terug. 'Geen probleem,' zei hij. 'Ik heb net tegen hem gezegd dat zijn moeder een vette zeug is. Geen reactie.'

Knox lachte. 'Wat doe je bij de politie?'

'Op weg naar Borg.' Snel legde hij uit wat hij over het Texaans Genootschap voor Bijbelse Archeologie te weten gekomen was, hun relatie met de VMK, hun opgravingen in Cephallonië. Daarna vertelde Knox Augustin over de geheimzinnige aanvaller en dat hij er met zijn laptop vandoor was gegaan.

'Shit!' riep Augustin. 'Ik had het verdomde ding net gekocht. Maar met jou is alles goed, ja?'

'Ik mankeer niks, maar ik moet nodig ergens onderduiken. Ik dacht aan Kostas. Dan kan ik hem meteen uithoren. Maar ik ben zijn adres vergeten.'

'Sharia Muharram Bey, nummer vijfenvijftig. Derde verdieping. En zeg tegen hem dat ik mijn Lucretius terug wil. Dat heeft de klootzak al maanden.'

'Komt voor elkaar,' zei Knox.

II

Dit was de beste tijd om naar de woestijn te gaan, als de late middagzon scherpe contrasten ontlokte aan de rotsen die eerder op de dag kleurloos leken, maar zich nu in frisse kleuren van een vruchtencocktail tegen de westelijke horizon aftekenden. Gaille reed voorbij de zuidelijke punt van de rotsen van Amarna, draaide naar het noorden en reed in een boog naar de oostkant van de koninklijke wadi. Ze wees over het zand. 'De woestijnweg ligt ongeveer vijf kilometer die kant uit.'

'En hij loopt helemaal door tot Assiut, niet?' vroeg Lily.

'Inderdaad.' Na zonsondergang voeren de ponten niet meer, dus ze zouden aan deze kant van de Nijl weer naar het zuiden moeten rijden. Ze draaide de wadi in. Hier was geen verharde weg, alleen maar een met stenen bezaaide rotsvloer. Gaille reed er voorzichtig overheen. Stafford, naast haar, had ostentatief zijn armen voor zijn borst geslagen en slaakte om de paar seconden een zucht. Even later stonden ze voor een ontoegankelijke barrière van losse stenen.

'Ik dacht dat je de weg wist,' zei Stafford.

'Van hieruit is het te lopen. Recht vooruit. Maar een paar kilometer.'

'Twee kilometer!'

'Dan kunnen we beter voortmaken, vind je ook niet?' zei Lily. 'Tenzij je die opnamen niet meer wilt.' Stafford keek haar vernietigend aan, maar stapte uit en beende de wadi in. 'Goed zo,' mompelde Lily. 'Help me vooral niet mee om de spullen te dragen.'

'Wat een zak!' zei Gaille. 'Hoe hou je het bij hem uit?'

'Nog maar een paar dagen,' zei Lily, eveneens uitstappend. Ze draaide zich om. 'Ga je niet mee?"

'Ik kan beter bij de Discovery blijven. Voor het geval dat…'

'Natuurlijk. Ik wed dat het hier vergeven is van de autodieven.' Ze hield haar hoofd scheef. 'Alsjeblieft. Alleen kan ik hem niet aan.'

'Oké,' zei Gaille, met moeite een glimlach forcerend. Ze klom uit de Discovery en deed hem op slot.

III

Augustin begon zich te vervelen tijdens de rit naar Borg. Faroek was allesbehalve 's werelds onderhoudendste causeur. Na een paar botte vragen over Omar en Knox die Augustin vrij moeiteloos wist te ontwijken was hij in vrijwel volstrekt stilzwijgen vervallen. Augustin pakte zijn sigaretten en bood Faroek er een aan.

'Dank u,' gromde Faroek, een sigaret uit het pakje nemend.

Augustin stak de zijne aan, gaf zijn aansteker aan Faroek, draaide zijn raampje open en stak zijn hand naar buiten om af te koelen. Een witte pick-up kwam van de andere kant. De zon blonk op de stoffige voorruit, zodat hij pas zag wie erin zat toen ze vlakbij waren. Augustin zag de bestuurder en zijn passagier, een jonge vrouw met lang blond haar die hem heel even aankeek.

Een kilometer verderop namen ze een scherpe bocht naar rechts en reden een lang pad op. Daarna sloegen ze linksaf over een lemen brug over een irrigatiekanaal en bleven staan om met een bewaker te praten. Ze hadden Griffin kennelijk net gemist. Dat moest de bestuurder van de pick-up met het blonde meisje geweest zijn. Maar Peterson was er wel. De bewaker zei dat ze bij het kantoor moesten wachten. Ze stonden er pas een minuut toen ze Peterson zagen aankomen. 'Inspecteur Faroek,' zei hij. 'Een onverwacht genoegen. Wat kunnen we voor u doen?'

'Alleen maar een paar details ophelderen. Kent u dr. Augustin Pascal?'

'Van reputatie,' zei Peterson.

'Hij heeft aangeboden om me te helpen. Archeologische termen uitleggen, dat soort werk.'

'Heel aardig van hem.'

Faroek knikte en pakte zijn mobiel. 'Als u me even wilt excuseren. Ik moet het bureau bellen.'

Augustin en Peterson keken elkaar taxerend aan toen Faroek wegliep, allebei weigerend hun ogen neer te slaan. Het duurde zeker een minuut voordat Faroek terugkwam, zichtbaar in zijn sas. 'Goed,' zei hij handenwrijvend. 'Dan kunnen we misschien meteen beginnen.'

'Waarmee precies?' vroeg Peterson.

'Ik zou graag met uw mensen praten, kijken wat die gezien hebben.'

'Natuurlijk,' zei Peterson. 'Kom maar mee.'

'Dank u,' knikte Faroek toen ze over het ongelijke terrein op weg gingen. 'Gisteravond vertelde u me dat Knox en Tawfiq u gistermiddag een bezoekje brachten. Dat is toch zo, nietwaar?'

'Inderdaad.'

'Zeiden ze waarom?'

'Dat kunt u Knox misschien beter vragen.'

'Dat zullen we ook,' beloofde Faroek. 'Zodra we hem gevonden hebben.'

'Bent u hem kwijt?' vroeg Peterson fronsend. 'Hoe is dat mogelijk? De man was halfdood.'

'Daar hoeft u niet over in te zitten,' zei Faroek zuur. 'En ik wilde toch uw kant van het verhaal horen.'

'Hij had in Alexandrië een of ander artefact gezien. Het deksel van een kruik, als ik het me goed herinner. We vertelden hem dat er destijds overal rondom het meer van Mariut kruiken gemaakt werden, dus dat er geen reden was om te denken dat het hier vandaan kwam.'

'En daarna vertrokken ze weer?'

'Ja. En we dachten nergens meer aan tot we die indringer kregen. En zelfs toen nog niet. We hadden er geen idee van dat zij het waren. We dachten gewoon dat het een kruimeldief was.'

'Ik heb begrepen dat dit een trainingsopgraving is,' zei Augustin zacht. 'Hebt u waardevolle dingen gevonden hier?'

'Niets van intrinsieke waarde, nee. Maar de plaatselijke bevolking weet dat niet, dus er bestaat altijd het gevaar dat ze onze gegevens verpesten. Daar weet u ongetwijfeld alles van, dr. Pascal.'

'En dus joeg u ze weg.'

'Het was precies zoals ik u gisteravond vertelde, inspecteur. Er is niets veranderd.' Ze kwamen bij de begraafplaats, waar twee stoffige jonge opgravers bezig waren een paar graven te openen. 'U wilt mijn team spreken,' zei Peterson, zijn handen spreidend. 'Wel, hier zijn ze.'

26

Gailles dijspieren deden pijn tegen de tijd dat ze de heuvel onder de koninklijke graftombe aan het eind van de wadi beklommen hadden. Hoewel er niets afgesproken was, werden ze allemaal stil in het besef dat ze, als ze iemand tegenkwamen, een vreselijk probleem zouden hebben om hun aanwezigheid te verklaren. Maar de deur van de koninklijke graftombe was dicht en de weg verlaten. Gaille grinnikte tegen Lily in onuitgesproken opluchting.

'We zijn precies op tijd,' zei Stafford met een knikje naar de laag boven de westelijke horizon hangende zon.

'Dan zou ik maar meteen beginnen,' stelde Gaille voor.

'Als jij uit mijn gezichtsveld zou willen verdwijnen.'

Ze draaide zich om en liep zich verbijtend weg. Maar dat was makkelijker gezegd dan gedaan. Links van haar was de helling ingescheurd, alsof een van de Egyptische goden er met een bijl in geslagen had. En rechts was de rand van het plateau zelf, die steil afdaalde naar de bodem van de wadi. Maar aan die kant stond ze in ieder geval niet in Staffords zicht, dus ze schuifelde zo dicht als ze durfde naar de afgrond, waar ze tot haar verbazing nog geen meter onder zich een smalle richel zag met een duidelijke voetafdruk in het stof waarmee hij bedekt was.

Ze liep een stukje verder tot ze naar de richel af kon dalen. Lily en Stafford waren nog steeds bezig hun apparatuur op te zetten. Die zouden nog wel een paar minuten bezig zijn. Haar tenen tintelden toen ze zich liet zakken, maar haar nieuwsgierigheid won het van haar hoogtevrees, dus ze vermande zich en schuifelde verder.

II

Kostas nam altijd ruim de tijd om zijn deur open te doen, wat hij aan zijn slechter wordende gehoor of zijn slechter wordende benen weet. Hij beschouwde mensen laten wachten als een van de privileges van de ouderdom. Maar uiteindelijk trok hij de voordeur open, streek zijn krans van warrig sneeuwwit haar glad, viste een halvemaansbrilletje uit de zak van zijn colbert en keek over de rand naar zijn bezoeker. 'Mijn beste Knox!' riep hij. 'Wat een héérlijke verrassing.' Toen deinsde hij knipperend met zijn ogen achteruit. 'Jee zeg! Wat is er met jóú gebeurd?'

'Is het zo erg?' vroeg Knox grimassend. 'Mag ik je badkamer even gebruiken?'

'Natuurlijk, natuurlijk. Kom binnen.' Kostas schuifelde door zijn hindernisbaan van een gang, zijn wandelstok als blindenstok gebruikend om tussen de hoge, stoffige stapels academische werken en kratten met exotische artefacten door te navigeren. Het huis leek meer op een bric-à-bracwinkel dan op een appartement. Zijn muren hingen al even vol: een collage van sterrenkaarten, felgekleurde occulte affiches, zijn eigen aquarellen van kruiden en andere geneeskrachtige planten, ingelijste titelplaten van esoterische werken en vergeelde krantenknipsels van zichzelf.

Knox bekeek zichzelf in de badkamerspiegel. Inderdaad geen ponem: geronnen bloed op zijn schedel en voorhoofd, afgepeigerd gezicht, haar vroeg grijs van het stof. Met behulp van een stuk zeep maakte hij zichzelf zo goed en zo kwaad als het ging schoon. Een regel Grieks boven de spiegel ontlokte hem een glimlach: NIΨONANOMHMATAMHMONA-NOΨIN. Een van de vroegste palindromen: *Was je zonden, niet alleen je gezicht.* Hij droogde zich af met een handdoek, die vies bruin werd, en liep weer naar buiten.

'En?' vroeg Kostas ongeduldig. 'Waar heb ik het aan te danken dat je me in deze staat een bezoek brengt?'

Knox aarzelde. Dat viel niet zomaar een-twee-drie uit te leggen. 'Ik neem aan dat je geen internet hebt?' vroeg hij.

'Helaas wel,' zei Kostas, Knox voorgaand naar zijn bibliotheek, waar getemperd licht glansde op het gepoetste leer van ontelbare oude boeken. Hij trok zijn bureaula open en onthulde een dunne laptop. 'Je richt tegenwoordig niks meer uit zonder zo'n ding.'

Knox logde in op het internet en ging naar zijn Hotmail-account. Tot zijn ontsteltenis was Gailles e-mail verdwenen. Die verdomde vent met de motorhelm moest hem gewist hebben. Hij sloot de browser. 'Het lijkt erop dat ik het je gewoon zal moeten vertellen,' zei hij. 'Maar hou me ten goede als alles niet meteen duidelijk is. Ik heb nogal een klap op mijn kanis gekregen.'

'Zoiets was me al opgevallen.'

'Ik schijn gisteravond in de buurt van Borg op een soort antiquiteit gestoten te zijn. Er wordt daar een opgraving gedaan door een stel bijbelse archeologen en misschien heeft hij iets met de Therapeutae te maken. Ik heb een paar foto's gemaakt. Onder andere van een beeldje van Harpocrates. En zes gemummificeerde oren. En een mozaïek van een figuur in een zevenpuntige ster die Augustin deed denken aan een afbeelding van Bafomet van een of andere Fransman wiens naam ik vergeten ben.'

'Eliphas Levi,' knikte Kostas. 'Ik weet over wie je het hebt.'

'En een wandschildering van Dionysus. En een van Priapus. Dat is het wel zo'n beetje.'

'Wat een fascinérende lijst,' zei Kostas verlekkerd. Zijn ogen traanden van plezier. 'Je weet natuurlijk dat de Therapeutae in de buurt van Borg woonden.'

'Ja.'

'En Harpocrates. De Romeinen vereerden hem als de god van de stilte, weet je, omdat de Egyptenaren hem altijd afbeeldden met een vinger voor zijn lippen. Maar in werkelijkheid had dat niets te maken met zwijgen.'

'Inderdaad,' beaamde Knox. Dat was een van de manieren waarop de Egyptenaren jeugd symboliseerden, net als de lok op het voorhoofd van een prins.

'Zijn naam is in feite een verbastering van het Egyptische Har-pachared. Horus het Kind. Horus was de valkgod die zich verenigde met de zonnegod Ra om Ra-Horachty te worden, die elke morgen opgaat in het oosten.'

'Ik ben egyptoloog,' zei Knox droogjes.

'Natuurlijk, beste jongen. Natuurlijk. Daarom zul je ook zeker op de hoogte zijn van de connectie tussen hem en Bafomet.'

'Welke connectie?'

'Aleister Crowleys godsdienst van Thelema, natuurlijk. Crowley ging verder waar Eliphas Levi opgehouden was, zoals je ongetwijfeld weet.

Hij vereenzelvigde Bafomet met Harpocrates, zij het natuurlijk hoofdzakelijk vanwege zijn buitengewone onwetendheid. Maar nu ik er bij stilsta, realiseer ik me dat Harpocrates inderdááád geassocieerd werd met een bepaalde… en bijzonder fascinerende… groep van gnostici uit Alexandrië.'

'Welke groep?'

'Eerst een kop thee, denk ik,' zei Kostas, zijn lippen likkend. 'Jazeker. Thee en gebak.'

III

Chaled klom de touwladder weer op en overwoog een laatste bezoekje aan de grafkamer. De zinkput oversteken was geen aangename bezigheid. Dat kon alleen maar via een provisorisch loopbruggetje van twee planken die maar een paar centimeter over de randen staken en vervaarlijk doorbogen als je erop ging staan.

In het begin was dat geen probleem omdat de put grotendeels vol puin lag en maar een paar meter diep was. Maar nu kon je zelfs met een zaklantaarn amper de bodem zien. Hij had wel eens nachtmerries waarin hij in dat grote, gapende gat viel. Toch had hij niet de eerste willen zijn om voor te stellen langere planken te halen, en hetzelfde gold voor zijn mannen.

Maar hij stak de loopplank zonder ongelukken over en liep de grafkamer in. De wanden gingen grotendeels schuil achter hoge hopen stenen en zand. Ze waren allemaal gepleisterd maar nog niet voorzien van wandschilderingen, waarschijnlijk omdat het graf niet…

Hij verstijfde. Een stem. Een mannenstem. Van boven. Hij spitste zijn oren, maar het bleef doodstil. Hij ontspande zich, glimlachend om zijn dwaasheid. Zijn hartslag kwam tot bedaren. Die oude graftombes! Je zag overal spoken. Ze gaven je het gevoel…

Weer die stem. Geen twijfel mogelijk ditmaal. En hij herkende hem ook. Die verdomde tv-figuur. Hij moest teruggekomen zijn! Vol afschuw keek hij naar het plafond, geschrokken van hoe nabij hij klonk. Misschien *was* hij ook vlakbij. In de heuvel boven hen zat een barst en de eerste keer dat hij hier kwam, stond de vloer onder water. Dat hield in dat er een breuk in de rotsen moest zitten. Hij haastte zich terug over de planken en de gang door naar de ingang. Faisal en Nasser hadden de stemmen ook gehoord. Ze hadden hun zaklantaarns uitgedaan en zaten op hun hurken bij de grafopening. De ondergaande zon kleurde het juten gordijn roodbruin.

'De tv-mensen,' fluisterde Faisal.

Chaled knikte. 'Als ze klaar zijn met filmen gaan ze weer weg.'

'En als ze onze truck zien staan?'

Aan de andere kant van het jute gleed een schoen uit over de schalie. Chaled verstijfde. Faisal giechelde zenuwachtig. Wild met zijn ogen knipperend sloeg hij beide handen om zijn onderkaak om zichzelf het zwijgen op te leggen. Chaled maakte kalm zijn holster open en trok zijn Walther. Hij richtte hem op de ingang van het graf. Een helder visioen van thuis, van zijn jeugd, verscheen voor zijn geestesoog – de trots waarmee zijn moeder over hem opschepte, al die foto's van hem in zijn uniform op haar muren. Opnieuw het geluid van voetstappen op de richel. Een zachte uitroep van verbazing en toen werd het jute opzijgeschoven en zagen ze de vrouw Gaille afgetekend staan tegen de zonsondergang.

Hoe snel kan een leven veranderen, dacht Chaled somber, terwijl ze elkaar aankeken. Hoe snel kan alles in rampspoed verkeren. Hij voelde zich merkwaardig kalm, net als die ene keer dat hij een militaire actie gezien had – bij een controlepost in Sinaï, waar hij een vrachtwagen vol hout en andere timmermansbenodigdheden aanhield, klaar om de chauffeur een kleine baksjisj af te persen, en plotseling de loop van een geweer onder het dekzeil zag blinken. Ook die keer was hij zich volstrekt bewust van de reactie van zijn lichaam, het bruisen van de adrenaline, terwijl zijn geest vreemd genoeg weigerde de realiteit van de situatie te aanvaarden en het tafereel in zich opnam alsof het zich op de tv afspeelde. Het was een heerlijk gevoel: zijn plotseling verscherpte zintuigen, zijn in een noodvaart werkende hersenen, scherper dan ze ooit geweest waren, iemands stokkende adem, de bestuurder die in zijn spiegel keek, de vrachtwagen die even wiegde toen iemand naar zijn wapen reikte… en een wereld van tijd om de situatie naar zijn hand te zetten, alsof iedereen door stroop moest waden en alleen hij vrij was om te handelen.

Maar ditmaal reageerde Gaille als eerste. Ze draaide zich om en sloeg onder het slaken van waarschuwende kreten op de vlucht.

27

Knox droeg het dienblad terug door de bibliotheek en zette het op het lage koffietafeltje. Hij was allesbehalve in de stemming voor een theekransje, maar Kostas duidelijk wel, dus probeerde hij zijn pijn en zenuwen te onderdrukken. In ieder geval was hij veilig hier. Hij schonk twee kopjes bleke, geurige thee in en sneed twee dunne plakken van de vochtige chocoladetaart. 'Je had het over Harpocrates en de gnostici,' hielp hij Kostas op weg, hem zijn bordje overhandigend.

'Inderdaad,' zei Kostas. Hij knabbelde een hoekje van zijn plak taart af en spoelde het weg met een welvoeglijk slokje thee. 'Zie je, er was ooit een groep gnostici die zichzelf de Harpocratiërs noemde. Althans het is mógelijk dat ze zo heetten, hoewel je daar nooit helemaal zeker van kunt zijn. Ze worden namelijk maar een of twee keer genoemd in de bronnen. En er was een andere, veel bekendere groep gnostici die zich de Carpocratinianen noemde en die opgericht was door een Alexandrijn met de naam Carpocrates. Het is dus mogelijk, misschien zelfs waarschijnlijk, dat dit gewoon dezelfde groep was.'

'Een schrijffout?'

'Dat kan altijd. Hoewel onze bronnen mensen waren die het verschil zouden moeten weten. Daarom heb ik altijd vermoed dat die Carpocratinianen misschien de naam hadden dat ze zowel Harpocrates als Christus vereerden en dat de namen derhalve als het ware verwisselbaar waren.'

'Is dat aannemelijk?'

'O, zeker,' zei Kostas heftig knikkend. 'Je moet je er namelijk rekenschap van geven dat gnostici geen christenen waren in de moderne zin van het woord. Zelfs al die groepen onder de noemer van gnostici brengen is eigenlijk al verkeerd, omdat dat impliceert dat ze allemaal dezelfde manier van denken hadden, terwijl elke sekte er in werkelijkheid zijn eigen afzonderlijke denkbeelden op nahield, die ze naar believen ontleend hadden aan de Egyptische of joodse of Griekse traditie, of aan welke andere traditie dan ook. Maar de grote pioniers van het gnosticisme, mensen als Valentinus, Basilides en Carpocrates, hadden wel bepaalde dingen gemeen. Ze geloofden bijvoorbeeld niet dat Jezus de zoon van God was. Sterker nog, ze geloofden niet eens dat de joodse God echt het Opperwezen was. Voor hen was hij enkel een demiurg, een kwaadaardig schepsel van het tweede garnituur dat zichzelf aanzag voor de ware God. Hoe vallen alle verschrikkingen van deze wereld anders te verklaren?'

'Wie was het Opperwezen dan wel?'

'Ah! Nou vraag je me wat!' Zijn ogen traanden rijkelijk en zijn gezicht was rood. Zoals veel alleenstaande mensen had Kostas de neiging overdreven druk te worden als hij bezoek had. 'Volgens de gnostici onttrok het Opperwezen zich aan alle omschrijvingen en kon je er niet eens over nádenken, tenzij misschien in wiskundige termen, en dan alleen nog maar door uitzonderlijk verlichte personen. Een zeer einsteiniaanse God dus eigenlijk. En hier komt Christus om de hoek kijken, want de gnostici beschouwden hem, net als Plato en Aristoteles en anderen, als een begaafd maar in wezen gewoon mens die zijn goddelijke vonk voldoende gevoed had om een vaag besef te hebben van deze waarheid. Maar ik dwaal af. We hadden het over de overeenkomsten tussen Harpocrates en Christus.'

'Bijvoorbeeld?'

'O, mijn beste Daniel! Waar moet ik beginnen! De tempel van Luxor misschien. De reliëfs met de geboorte van Christus. Een pasgeboren farao die afgebeeld wordt als Harpocrates. Daar is natuurlijk niets vreemds aan. Farao's waren de fysieke incarnatie van Horus, dus babyfarao's waren per definitie Horus-het-kind of Harpocrates. Maar de details van dit tableau zijn merkwaardig. Een sterfelijke vrouw die bevrucht is door de heilige geest en nog maagd is. Een boodschap van Thoth, het Egyptische equivalent van de aartsengel Gabriël. Een ster die drie wijzen uit het oosten met geschenken de weg wijst.'

'Dat meen je niet.'

'Ik wist wel dat je dat leuk zou vinden,' zei Kostas glimlachend. 'Maar in feite duiken de wijzen voortdurend op in de verhalen over goddelijke geboorten, vooral bij zonaanbidders. Een astronomische allegorie natuurlijk, zoals zo veel godsdienstige concepten. De drie sterren van de Gordel van Orion wijzen naar Sirius, de sleutel van de antieke Egyptische zonnekalender op grond waarvan ze de jaarlijkse overstroming voorspelden. Goud, wierook en mirre zie je ook vaak. De eerste bezittingen van de mens, zie je, door God gegeven om Adam en Eva te troosten na hun verdrijving uit het aards paradijs. Zeventig roeden goud, als ik me goed herinner.'

'Roeden?' vroeg Knox fronsend. Een roede was een lengte-eenheid, geen gewichtseenheid.

'Volgens *Het boek van Adam en Eva*,' knikte Kostas. 'Of was het *Het boek van de Grot der Schatten*?' Hij zuchtte weemoedig. 'Mijn geheugen, weet je.'

'Ik geloof niet dat het *De Grot der Schatten* was,' zei Knox, die talloze heerlijke zomermiddagen verspild had in een vergeefse poging Aramees te leren door deze tekst te bestuderen, over een grot waarin Adam, Abraham, Noach, Mozes en de meeste andere vooraanstaande joodse patriarchen begraven zouden liggen. 'Nog meer?'

'Er zijn natuurlijk een paar verrassende parallellen tussen Horus' moeder Isis en Maria de moeder van Christus. Die ken je ongetwijfeld. En van Harpocrates dacht men dat hij op een berg geboren was, en de hiëroglief voor berg is dezelfde als die voor kribbe. De oude Egyptenaren vierden zijn geboorte door een kribbe door hun straten te dragen. Makkelijker dan een berg.'

'Ah.'

Kostas knikte. 'Volgens het evangelie van Mattheüs vluchtte de Heilige Familie naar Egypte toen Jezus nog een kind was om de Moord op de Onnozele kinderen te ontlopen. Volgens St.-Eduardus de Martelaar trokken ze zo ver naar het zuiden dat ze in Hermopolis, de stad van Thoth, kwamen. Wat ons netjes terugbrengt bij het begin, aangezien Hermopolis aan de overkant van de Nijl lag, recht tegenover de stad die gesticht werd door de farao over wie ik het had, die in de reliëfs in Luxor.'

'Bedoel je Amarna?' vroeg Knox. 'Was de farao Echnaton?'

'Jazeker,' zei Kostas, terwijl hij zelfingenomen grinnikte. 'Stel je voor! De verhalen over de geboorte van Christus in het Nieuwe Testament zijn geleend van de geboorte van een ketterse Egyptische farao. Om de een of andere reden niet iets wat de Kerk deed trappelen van ongeduld om het bekend te maken.' Hij stak zijn kopje uit. 'Zou je me nog een keer kunnen inschenken?'

II

'Kom terug!' schreeuwde Chaled, achter Gaille aan rennend en bijna uit-glijdend in zijn haast. 'Kom terug!' schreeuwde hij opnieuw. Maar Gaille dacht er niet over. Een flits van beweging en kleur boven zijn hoofd, een waterval van grint en steentjes. Chaled keek omhoog en zag Lily haar ca-mera op hem richten. Hij was ten einde raad. Hij moest voorkomen dat ze ontsnapten, contact met de buitenwereld kregen. Roekeloos klauter-de hij het pad op, uitglijdend over de kalksteen, zich wanhopig met één hand vasthoudend terwijl hij met de andere zijn Walther weer in de hol-ster stak. Faisal verscheen achter hem en bracht hem in veiligheid, maar hij had kostbare seconden verloren en Gaille de kans gegeven haar voor-sprong te vergroten.

Toen hij boven aankwam, zag hij haar in volle vaart achter haar met-gezellen aan rennen. Stafford lag ver voor en Lily waggelde onelegant on-der het gewicht van haar camera. Chaled verhoogde zijn snelheid, liep iets in, maar niet genoeg. Ze renden de heuvel af naar de wadi, klommen over de wal van los puin naar de woestijn. Chaled kon dit tempo niet vol-houden. Hij minderde vaart, kwam tot stilstand. 'Wacht!' riep hij, terwijl hij met zijn handen op zijn dijen uithijgde, vechtend tegen de opkomen-de kramp in zijn beenspieren. Ze bleven staan en draaiden zich om, waarschijnlijk alleen maar om op adem te komen. 'We kunnen praten,' schreeuwde hij, zijn handen opstekend en glimlachend in een poging hen ervan te overtuigen dat hij niets kwaads in de zin had. 'We kunnen dit oplossen.' Maar hij hoorde zelf hoe onoprecht hij klonk.

Ze renden verder. Kwaad trok hij zijn Walther en vuurde in de lucht. Nu renden ze nog harder. Nasser en Faisal kwamen naast hem tot stil-stand, happend naar adem. Ze zetten de achtervolging weer in, met be-nen die zwaar waren van de inspanning. De Discovery kwam in zicht. Lily keek over haar schouder om te zien waar haar achtervolgers waren en struikelde prompt over een steen. Haar camera vloog door de lucht, kletterde op de rotsen en spatte in stukken uiteen. Stafford was bij de Discovery. Hij probeerde een portier, maar het was op slot. 'De sleutels,' schreeuwde hij tegen Gaille, die Lily overeind hielp. 'Gooi me verdomme de sleutels.'

Chaled snakte naar adem. Zijn hemd was uit zijn broek getrokken en om de een of andere duistere reden maakte die vernedering hem woedend. Hij vuurde opnieuw een schot af, maar de vrouwen reageerden niet eens. Met een laatste inspanning begon hij opnieuw te sprinten. Gaille pakte haar sleutels en drukte op de afstandsbediening. De oranje lichten van de Discovery knipperden. Stafford trok het portier aan de bestuurderskant open en klom naar binnen. Ze zouden ontkomen. Chaled bleef staan, mikte zo goed als hij kon en vuurde drie schoten af. Metaal op metaal. Het raampje aan de bestuurderskant spatte uiteen. De twee vrouwen bleven stokstijf staan, alsof ze meenden dat Chaled een scherpschutter was die hen naar believen neer kon schieten. Ze staken hun handen omhoog en draaiden zich om.

Met zijn hand tegen zijn zij gedrukt en naar adem snakkend liep hij naar hen toe, proberend zijn uitputting te verbergen, de indruk te wekken dat hij de situatie meester was. Zweet liep over zijn voorhoofd en sijpelde in kille stroompjes langs zijn zij. Hij hoorde Faisal en Nasser achter zich, maar bleef strak naar de buitenlanders kijken, naar hun afhangende schouders, hun glimmende gezichten en doorweekte haar, hun angstige ogen, dat schrijnende straaltje hoop. Hij trok een grimmig gezicht en verhardde. Dit waren geen mensen. Dit waren problemen. Problemen die om een oplossing vroegen. Problemen die uit de wereld geholpen moesten worden. Hij naderde de twee vrouwen tot op een paar passen afstand, zich afvragend wie hij het eerst zou elimineren.

Die met de sleutels. Gaille.

Op het moment dat hij zijn wapen hief om haar dood te schieten begon Staffords mobiele telefoon te rinkelen.

III

Knox schonk weer thee in voor Kostas en zichzelf en keek naar de suiker die oploste in de draaikolk van zijn lepeltje. 'En de Therapeutae?' vroeg hij. 'Hadden die een connectie met deze Carpocratinianen?'

Kostas trok een gezicht. 'Ik heb mensen horen beweren dat Carpocrates een aanhanger was van de leer van een talmoedische figuur met de naam Jehoshua Ben Panther. Een fascinerende persoonlijkheid. Je zult zeker van hem gehoord hebben, want sommige mensen vereenzelvigen hem met Christus, hoewel hij waarschijnlijk een Esseense leider was.'

'Wat hem een connectie met de Therapeutae geeft.'

'Inderdaad,' knikte Kostas. 'En hun leer komt ook overeen, zij het met één grote discrepantie. De Therapeutae stonden namelijk bekend om hun kuisheid, terwijl de Carpocratinianen berucht waren vanwege hun losbandigheid en orgiën. Maar vrijwel alles wat we van de Carpocratini-anen weten komt van hun vijanden, dus het is best mogelijk dat dat slechts kwaadaardige propaganda was. En dat daar gelaten vertonen de twee groepen opmerkelijk veel overeenkomsten.'

'Op welke gebieden?'

'Op alle gebieden. Lange initiaties. Waterdoop. Het verwerpen van materialisme. Wist je dat de uitdrukking 'Eigendom is diefstal' aan Car-pocrates toegeschreven wordt? Beide groeperingen verafschuwden de slavernij. Beide geloofden in een soort hiernamaals of reïncarnatie. Bei-de gaven vrouwen ongebruikelijk veel macht en respecteerden hen. Een van Carpocrates' befaamdste volgelingen, Marcellina, werd zelfs een belangrijke figuur in Rome. Beide hadden uitgesproken Helleense ele-menten en veel overeenkomsten met het Pythagoreanisme. Beide ver-toonden sporen van zonaanbidding. Beide bestudeerden engelen en demonen. Beide geloofden in en deden aan magie. Beide schreven grote waarde toe aan getallen en symbolen. En beide werden op een afschu-welijke manier vervolgd. Wat mogelijk de reden is dat ze allebei buiten Alexandrië leefden. En nu ik erbij stilsta, de Carpocratinianen verschij-nen rond 120 na Christus, ongeveer in dezelfde periode dat we de The-rapeutae uit het oog verliezen.'

'Wil je daarmee zeggen dat de Therapeutae de Carpocratinianen wérden?'

'Dat lijkt me inderdaad niet uitgesloten. Maar wat ik eigenlijk wil zeg-gen is dat het best mogelijk is dat ze elkaar op de een of andere manier overlapten. Je mag niet vergeten dat dit hele gebied in die tijd bruiste van filosofische en godsdienstige energie… iedereen leende, deelde, discus-sieerde. De godsdiensten waren nog niet verhard zoals tegenwoordig.

Plaatsen die heilig waren voor de ene groep waren dat ook voor andere. Je weet dat veel vroege kerken op de fundamenten van oude tempels gebouwd werden. Dat geldt zelfs voor het Vaticaan. Dus misschien leefden ze een poosje naast elkaar, of misschien namen de Carpocratinianen die antiquiteit die je hebt gevonden over toen de Therapeutae vertrokken waren.'

Knox knikte. Het klonk best aannemelijk, hoewel aannemelijk heel wat anders was dan waar. 'Wat weten we nog meer van de Carpocratinianen?'

'Gesticht in Alexandrië, zoals ik al zei, maar ze bloeiden ook op andere plaatsen. In Rome, zoals ik zojuist zei. En volgens mij hadden ze ook een tempel in...' Hij kwam moeizaam overeind, liep naar zijn boekenplanken, pakte een boek, bladerde er doorheen, zette het hoofdschuddend terug.

'Kom op, Kostas. Vertel op.'

'Geduld, jongeman. Geduld.' Hij trok een zware encyclopedie van kerken van een plank, sjouwde hem naar de hoektafel, bevochtigde zijn duim en wijsvinger en sloeg de dunne pagina's om tot hij de bladzijde die hij zocht gevonden had. 'Inderdaad,' zei hij. 'Ze hadden een tempel op een van de Griekse eilanden.'

Knox dacht fronsend aan zijn recente telefoongesprek met Augustin. 'Niet Cephallonië, neem ik aan?'

Kostas glimlachte verbaasd. 'Hoe ter wereld wist je dat?'

'Wat staat er nog meer?'

Kostas bevochtigde zijn vingertoppen en sloeg de pagina om. 'Ha! Wat zeg je hiervan?'

'Waarvan?'

'O ja. O, hier zul je blij mee zijn.'

'Kom op, Kostas. Zeg het nou maar gewoon, oké?'

'Je weet dat christelijke groeperingen zich aan elkaar bekendmaakten met geheime tekens en symbolen als de vis en het kruis? Nou, de Carpocratinianen hadden hun eigen symbool.'

'Wat dan?'

'Dat staat er niet,' zei Kostas. 'Er staat alleen maar waar het op hun lichaam getatoeëerd stond.'

'En?'

Kostas' ogen schitterden. 'Aan de achterkant van hun rechteroorlelletje,' zei hij.

28

De mobiel bleef rinkelen. 'Zet af,' zei Chaled. Hij herhaalde zijn woorden, luider en met iets van paniek in zijn stem. 'Zet af.' Stafford stak langzaam een hand in zijn zak, haalde zijn mobiel tevoorschijn, zette hem uit. Maar het was te laat. Het kwaad was geschied. Of om precies te zijn, het rinkelen had Chaled opmerkzaam gemaakt op een ernstig probleem. Mobiele telefoons ontvingen niet alleen signalen, maar zonden ze ook uit, zelfs als ze niet gebruikt werden. Ze hoefden alleen maar aan te staan, wat met die van Stafford duidelijk het geval was.

Als Stafford verdween, zou de politie hun bewegingen moeiteloos na kunnen trekken. Ze zouden meteen hierheen komen en hij en zijn mannen zouden automatisch de hoofdverdachten zijn. Ze zouden stokken, tuinslangen, waterboards gebruiken. Een van hen zou zeker doorslaan. Faisal waarschijnlijk. Die had iets bijna vrouwelijks.

Abdoellah had zijn wachtpost verlaten, aangetrokken door het schieten. 'Wat gebeurt er?' vroeg hij hijgend.

'Wat denk je?' vroeg Chaled, met een woedende blik op de buitenlanders. Het graf had een geschenk van Allah geleken, maar nu zag hij wat het werkelijk was: een duivelse val. Vijf jaar in de bak als ze betrapt werden. Minimaal. Eerder tien of zelfs nog meer. En Chaled had de Egyptische gevangenissen van binnen gezien – enge, smerige cellen vol ziekte en geweld. Hij was geen zwakkeling, maar het vooruitzicht vervulde hem met angst.

'Waarom schieten we ze niet gewoon dood, kapitein?' vroeg Nasser, immer praktisch. 'Dan gooien we ze in de woestijn, net als dat meisje.'

'Inderdaad,' schamperde Chaled. 'Zeker omdat dat zo perfect werkte?'

'Deze keer hebben we meer tijd. We hebben de hele nacht.'

'De hele nacht?' snauwde Chaled. 'Weet je niet wat er gaat gebeuren als deze mensen niet op komen dagen waar ze verwacht worden?' Hij richtte zijn pistool op de vrouw Lily. 'Waar wórden jullie verwacht?'

'Assiut,' zei ze, doodsbleek wordend. 'Hotel Cleopatra.'

Hij wendde zich weer tot Nasser. 'Als ze niet komen opdagen belt het hotel meteen de autoriteiten. Ze zijn nérgens zo bang voor als dat buitenlanders iets overkomt, vooral tv-lui. Dat brengt hun investering, hun kostbare toeristendollars in gevaar. Je kunt er vergif op innemen dat ze morgenvroeg de grootste klopjacht opzetten die je ooit gezien hebt! En de eerste plaats waar ze zullen komen kijken is hier. En het eerste wat ze zullen doen is alle bandensporen in het zand volgen naar deze prachtige schuilplaats van je.'

'Dan gooien we ze in de Nijl.' Nasser maakte golven met zijn vingers ter aanduiding van een auto die onder water verdwijnt.

Chaled schudde zijn hoofd. 'Zonder gezien te worden? En als we zo door een wonder de dans ontspringen, kun je er zeker van zijn dat de politie in de rivier gaat dreggen of het net van een visser achter de auto blijft haken. Maar het maakt allemaal geen barst uit. Die verdomde mobiele telefoons zullen ze recht naar ons toe leiden.'

'O,' zei Nasser bedrukt. 'Wat gaan we dan doen?'

'Ik probeer na te denken,' zei Chaled kwaad. 'Als je me even met rust zou kunnen laten?' Hij zakte op zijn hurken met zijn rug naar zijn mannen. Hij wilde niet dat ze zagen hoezeer hij van streek was. Misschien kon hij alle schuld op hen schuiven. Het afschilderen als een uit de hand gelopen confrontatie. Een vuurgevecht waarin de drie buitenlanders en al zijn mannen de dood gevonden hadden. Maar dat was een echte noodsprong. Zelfs een half competente rechercheur zou zo'n verhaal meteen doorzien. Misschien konden ze beter proberen het op een akkoordje te gooien. Maar er was een probleem: de buitenlanders waren op dit moment ongetwijfeld bang genoeg om overal ja op te zeggen, maar als hij ze losliet, zouden ze meteen omslaan.

'Dan schuiven we het gewoon op de terroristen,' mompelde Abdoellah. 'Die vermoorden constant buitenlanders.'

'Uitstekend idee,' schamperde Chaled, de gelegenheid aangrijpend om zijn woede te luchten. 'Maar vertel eens, welke terroristen precies?' Hij maakte een armgebaar naar de uitgestorven wadi. 'Laat eens zien, die terroristen van je, dan geven we ze meteen de schuld.'

'Het was maar een idee, kapitein.'

'Er zijn geen terroristen in Amarna. Wist je dat niet? Die zitten allemaal in Assiut en…' Hij zweeg toen een gedachte zich aandiende. Abdoellah had groot gelijk. De enige mensen in Egypte die buitenlanders zo op durfden te ruimen waren terroristen. En het was een verhaal dat de autoriteiten instinctief zouden geloven. Het geringste teken van terrorisme en zelfs intelligente mensen veranderden in idioten. Iedereen wist dat deze drie vanavond naar Assiut zouden gaan, en daar was het al een poosje erg onrustig. Dat had hij op de tv gezien. Oproer. Demonstraties. Fanatieke moslims die in het geweer kwamen tegen het westen omdat vijf van hun broeders gearresteerd waren voor het verkrachten en vermoorden van twee jonge koptische meisjes. En plotseling had hij de oplossing.

'Ja, kapitein?' vroeg Nasser, die de inspiratie op zijn gezicht kon lezen.

'Wat?'

'Een ogenblikje,' zei Chaled. Hij dacht na over de implicaties, wat ze nodig zouden hebben, de stappen die ze zouden moeten nemen. Het was krankzinnig, jazeker, maar hun situatie was krankzinnig en vereiste krankzinnige maatregelen.

'Alsjeblieft, kapitein,' drong Nasser aan. 'Wat is het?'

Chaled knikte twee keer, haalde diep adem. 'Oké,' zei hij. 'Dit gaan we doen.'

II

Knox zakte onderuit in zijn stoel, zodat het leer weelderig kraakte, en nam even de tijd om deze nieuwe kennis te verwerken. Peterson en zijn team hadden die zes oren van de mummies gesneden om ze met behulp van ultraviolet licht te onderzoeken op tatoeages. In combinatie met de link naar de vorige opgravingen van het TGBA betekende dat ongetwijfeld dat ze hier waren om het spoor van de Carpocratinianen te volgen. Zodat er maar één vraag overbleef: waarom?

Kostas dacht even na toen Knox hem deze vraag voorlegde. 'Die Texaanse archeologen van je, die zijn erg godsdienstig, ja?'

'Inderdaad.'

'Dan is er één mogelijkheid, lijkt me. De Carpocratinianen hadden namelijk de reputatie dat…' Op dat moment ging de bel. Kostas maakte zijn zin niet af maar hees zich met een zucht uit zijn stoel. 'Neem me niet kwalijk.'

'Natuurlijk niet.' Knox liep naar de tafel. De encyclopedie lag nog open. Hij las het artikel over de Carpocratinianen, maar het bevatte niets wat hem trof. Daarom liep hij langs de boekenplanken, pakte een dunne biografie van Philo en bladerde door de roomkleurige pagina's. Het vergane leer van het omslag maakte vegen op zijn handen en vingers die op geronnen bloed leken.

De deur van de bibliotheek ging weer open. Knox keek om en zag Kostas staan, bleek en onthutst. 'Wat is er?' vroeg Knox fronsend. Toen zag hij de twee politiemannen achter Kostas in beeld komen en verstijfde. Hij meende hier veilig te zijn en had zichzelf toegestaan zich te ontspannen. Maar ze hadden hem op de een of andere manier opgespoord. Hij had de krankzinnige aanvechting om op de vlucht te slaan, maar hij kon nergens heen. Toen zag hij een flauw glimlachje om de mond van de kleinste politieman spelen, alsof dat precies was wat hij wilde: een excuus om erop te slaan. Daarom dwong hij zichzelf zich te ontspannen en besloot rustig mee te gaan om te zien of hij kon ontdekken wat er verdomme aan de hand was en hoe ze hem hier gevonden hadden.

III

Augustin en Faroek werden helemaal niets wijzer van Petersons archeologiestudenten, gemillimeterde klonen met glimlachjes à la debielen-voor-Jezus die toevallig allemaal precies hetzelfde verhaal vertelden. 'En je naam is?' vroeg Faroek aan de laatste nieuwkomer.

'Green, meneer. Michael Green.' Hij keek over zijn schouder naar Peterson, die vlak achter hem stond, alsof hij zeker wilde weten dat hij zijn eigen naam goed had.

'En jij hebt die indringer ook gezien?'

'Jawel, meneer.'

'Vertel op dan.'

'Tja, meneer. Het was nogal donker, weet u. Ik weet niet of ik...'

Faroeks mobiele telefoon rinkelde. Hij zuchtte en trok een wenkbrauw op tegen Augustin. 'Ik moet opnemen,' gromde hij. 'Wilt u hem zijn verklaring afnemen?'

'Tuurlijk,' zei Augustin, een geeuw onderdrukkend. Hij knikte naar de jongeman toen Faroek een stukje verderop in zijn telefoon sprak. 'Ga door.'

'Ik zei al dat ik niet weet of ik veel kan toevoegen aan wat de anderen al gezegd hebben.'

'Probeer het toch maar. Wat deed die indringer?'

'Pardon, meneer?'

'Stond hij, knielde hij, kroop hij? Kwam hij jouw kant uit? Liep hij weg? Wat voor kleren droeg hij? Hoe lang was hij? Wat voor kleur haar? Had hij in de gaten dat je hem gezien had?'

'Eh…' Rode vlekjes verschenen op Michaels wangen. Hij keek opnieuw naar Peterson. 'Dat kan ik me niet precies herinneren,' zei hij. 'Alles gebeurde zo snel.'

'Je moet je íéts herinneren.'

Peterson deed een stapje naar voren. 'Is het echt verstandig om een getuige te dwingen u dingen te vertellen die hij niet gezien heeft?'

'Ik wil er zeker van zijn dat hij niets vergeten heeft.'

'Heb je iets vergeten, Michael?' vroeg Peterson.

'Nee, meneer.'

'Alstublieft, dr. Pascal. Hij is niets vergeten.'

'Goed nieuws,' kondigde Faroek aan toen hij uitgesproken was en terugkwam. 'Mijn mannen hebben Knox gevonden.'

Augustins hart sloeg een slag over. 'Wat?'

'Weet u waar ik het meest de pest aan heb, dr. Pascal?' vroeg hij. 'Om voor idioot versleten te worden. Al die lui bij de Opperste Raad vanmorgen. Weet je wat ze tegen me zeiden? Dat ik, als ik Knox wilde vinden, met u moest praten, Augustin Pascal. Pascal zal het zeker weten, zeiden ze. Hij en Knox zijn boezemvrienden. Maar toen ik u over Knox vroeg, zei u niets over deze grote vriendschap van jullie. Geen woord. Denkt u dat ik een idioot ben? Denkt u dat werkelijk?'

'Goeie god! U spreekt Frans.'

Faroeks rechtse deed Augustin pardoes op zijn achterste belanden. 'En dat is voor mijn moeder voor een vette zeug uitmaken,' zei hij.

29

De camera lag nog steeds waar Lily hem had laten vallen. De lens en het scherm waren nog heel, maar de accu was uit zijn huis gekomen en paste er niet meer in, hoe hard Chaled ook draaide en duwde. Hij gaf het aan Faisal, die technisch begaafd was. 'Repareer hem,' zei hij met een kwaad gezicht.

Maar Faisal hoefde maar even te kijken. Hij schudde zijn hoofd. 'Daar heb ik het juiste gereedschap voor nodig,' gromde hij. Hij keek in de zij-zakken van de cameratas, vond een aansluitsnoer. 'Misschien gaat het hiermee,' zei hij. 'We kunnen een van de stopcontacten in de koninklijke graftombe gebruiken.'

Chaled knikte. Dat was een goed idee, hoewel ze de wandschilderin-gen zouden moeten bedekken om zichzelf niet te verraden. 'Nasser,' zei hij. 'Haal de dekens en lakens uit het andere graf. Abdoellah, zet de gene-rator aan.' Hij liep terug naar de buitenlanders. 'Jullie bezittingen, alsje-blieft. Telefoons, portefeuilles, horloges, autosleutels, sieraden. Alles. Op de grond.' Hij deelde een paar klappen uit om de schrik erin te houden, raapte alles op en stopte het in de cameratas. 'Opstaan,' beval hij.

'Wat gaat u met ons doen?' jammerde Stafford.

'Lopen!'

Precies op het moment dat ze bij de koninklijke graftombe kwamen, sloeg de generator aan, zodat de vloerlichten opgloeiden en helder begon-nen te branden. De buitenlanders werden naar de grafkamer beneden ge-dreven. Faisal sloot de kabel aan op een stopcontact en probeerde de came-ra. Het rode lampje ging aan. Het werd onderhand tijd dat er iets meeliep. Abdoellah kwam terug, even later gevolgd door Nasser met zijn armen vol doeken. In de rechterhoek van het vertrek was een ruwe nis in de wand ge-hakt. Daar hingen ze een laken op dat als een gordijn de wandschilderin-gen erachter verborg. Een tweede laken legden ze op de grond.

Tevreden klopte Chaled op zijn zakken om iets te zoeken om mee te schrijven. Daarna ging hij op de grond zitten om zijn boodschap op te stellen.

II

De politieagenten zetten Knox in een klein, vochtig arrestantenhok dat al twee andere gedetineerden bevatte, een lange, magere jongeman met een verwilderde baard in een geelbruine galabaya die doorlopend mompelend met zijn bidsnoer speelde, en een vaal uitziende man van rond de veertig in een verfomfaaid wit pak die rusteloos op de brits tegenover de deur lag en om de paar minuten rechtop ging zitten en als een verslaafde zonder drugs over zijn wangen wreef.

De stenen muren, zacht geworden door het vocht, waren bedekt met graffiti. Knox las ze terwijl hij wachtte en piekerde. Alleen Augustin wist dat hij bij Kostas was. En de foto's die Augustin in die folder bewaarde gaven hem een motief. Maar hij was ook zijn beste vriend, en Knox had nog nooit iemand gekend die zijn vrienden zo trouw was als Augustin. Het was uitgesloten dat hij hem opzettelijk verraden had. Er moest een andere verklaring zijn.

Er ging zeker een uur voorbij voordat de deur schurend over de grond openging en een politieman hem wenkte. Hij ging Knox voor door een recreatiezaal vol agenten buiten dienst die naar een voetbalwedstrijd op een flikkerend tv-toestel hoog tegen de muur zaten te kijken, en vervolgens door een smalle gang naar een verhoorvertrek, waar hij Knox beduidde aan een kale vurenhouten tafel te gaan zitten. Een minuut later kwam een corpulente politieman met een blocnote in de ene en een pak sinaasappelsap in de andere het vertrek binnen.

'Wat is er aan de hand?' vroeg Knox nadrukkelijk.

De man ging zitten alsof hij hem niet gehoord had, schreef Knox' naam op zijn blocnote en keek op zijn horloge om te zien hoe laat het was. Zijn handschrift was verrassend elegant. 'Mijn naam is Faroek,' zei hij. Knox snoof zacht, want de naam Faroek betekende iemand die de waarheid van een leugen kon onderscheiden. Faroek keek met een ruk op. 'Dus u spreekt Arabisch,' zei hij.

'Ik kan me redden.' Pas op dat moment realiseerde hij zich hoe ze hem op het spoor gekomen waren. 'En u spreekt Frans, niet?'

Faroek grinnikte boosaardig. 'Ik kan me redden,' gaf hij toe. 'Woont u al lang in Egypte?'

'Tien jaar.'

'Mag ik uw papieren zien?'

'Die heb ik niet bij me.'

'Als u hier al tien jaar woont, zou u geleerd moeten hebben uw papieren altijd bij u te hebben.'

'Ik kan ze gaan halen als u wilt.'

Faroek tikte met zijn pen op zijn blocnote, nadenkend over de manier waarop hij dit het best kon aanpakken. 'Vertel eens, meneer Knox,' zei hij. 'U hebt gisteravond een ernstig auto-ongeluk gehad. U raakte buiten bewustzijn. U werd naar het ziekenhuis gebracht, wat, zou je zeggen, een verstandige plaats is voor het slachtoffer van een ernstig ongeluk. En toch liep u vanmorgen weg. Waarom?'

'Ik ben niet verzekerd. Zo'n ziekenhuis kost handenvol geld.'

'Er is gisteravond een man gestorven, meneer Knox. Vindt u dat komisch?'

'Nee.'

'Dus ik vraag het u opnieuw: waarom bent u gevlucht?'

Knox aarzelde. De waarheid zou niet erg aannemelijk zijn, maar misschien was het de moeite van het proberen waard. 'Een man kwam mijn kamer binnen,' zei hij, 'en probeerde me te vermoorden.'

'Met een van mijn agenten voor de deur?'

'Hij drukte een kussen op mijn gezicht.'

'Verwacht u dat ik dat geloof? Ziet u me aan voor een idioot?'

'Waarom zou ik anders gevlucht zijn?'

Faroek begon opnieuw met zijn pen te tikken. 'Beschrijf die man voor me.'

'Het was donker. Ik had een hersenschudding.'

'Waarom riep u niet om hulp?'

'Dat probeerde ik. Ik had geen stem. Maar ik trok mijn infuusstandaard omver. Dat was het enige wat ik kon doen. Uw agent rende de kamer in en haalde een dokter. De dokter zette de standaard weer recht. Ik probeerde het tegen hem te vertellen…' Hij maakte een hulpeloos gebaar naar zijn keel. 'Vraag het uw agent maar als u me niet gelooft.'

Faroek keek Knox strak aan in een poging hem te intimideren en terug te laten krabbelen, maar Knox sloeg zijn ogen niet neer. 'Wacht hier,' zei Faroek ten slotte, overeind komend. 'Ik ben zo terug.'

III

De angst vrat als zweren aan Gailles maag, terwijl ze Chaled en zijn mannen bezig zag. Even daarvoor had ze moord in Chaleds ogen gelezen, en ze twijfelde er niet aan dat hij hen alle drie zonder bedenkingen doodgeschoten zou hebben als Staffords mobieltje niet overgegaan was. Ze wist zeker dat hun leven in zijn handen lag.

Nasser en Abdoellah scheurden een laken aan repen en bonden ze voor hun gezicht, zodat alleen hun ogen en mond vrij bleven, anoniem maar angstaanjagend. Faisal haalde een nieuwe dvd uit de verpakking en schoof hem in Lily's camera. Chaled had zijn briefje af en liep naar hen toe. 'Knielen,' zei hij. Ze knielden alle drie gehoorzaam op het laken. Hij stak Gaille het briefje toen. 'Voorlezen,' beval hij haar.

Ze keek naar zijn Arabische kriebelschrift en keek geschrokken op. 'Ik kan het niet lezen.'

Chaled richtte zijn Walther op de brug van haar neus. 'Voorlezen.'

'Niet doen,' zei Stafford.

Chaled gaf Stafford met zijn Walther zo'n harde klap in zijn gezicht dat hij met een schreeuw van pijn op zijn zij viel. Stafford voelde aan zijn gezicht; er zat bloed op zijn hand. Hij keek ernaar met een ongelovige blik op zijn gezicht, terwijl geschokte tranen in zijn ogen opwelden. Chaled richtte zijn pistool op hem maar keek naar Gaille. 'Jij leest,' zei hij.

'Goed,' stemde ze in, misselijk van angst. Chaled ging achter Faisal staan en vouwde zijn handen voor zijn borst, als de producer van een goedkope film. Nasser en Abdoellah, hun gezicht verborgen achter hun provisorische maskers, stonden achter hem met hun wapens schuin voor hun borst. Stafford krabbelde weer op zijn knieën. Het bloed droop nog steeds van zijn wang. Chaled tikte Faisal op de schouder. Het lichtje van de camera ging aan. Hij gaf Gaille een knikje ten teken dat ze zijn brief moest voorlezen. Dit was haar kans om met de buitenwereld te communiceren – wie weet haar laatste. Ze trok haar benen onder zich, rechtte haar rug en trok haar schouders naar achteren. Daarna nam ze het briefje in haar linkerhand en stak haar rechterhand omhoog bij wijze van nadruk. 'Wij zijn gevangenen van de Islamitische Broederschap van Assiut,' begon ze. 'We worden goed behandeld. Ze hebben ons beloofd dat dat zo zal blijven, tenzij er pogingen in het werk gesteld worden om ons te vinden. Ze verzekeren ons dat ze ons ongedeerd zullen laten gaan zodra hun broeders, die valselijk gevangengehouden worden voor de moord op de twee meisjes, onvoorwaardelijk vrijgelaten worden. Als ze niet binnen veertien dagen vrij zijn, neemt de Islamitische Broederschap van Assiut geen verantwoordelijkheid voor wat er zal gebeuren. Allah is groot.'

Het cameralichtje ging uit. Chaled bekeek de opname en knikte tevreden. Faisal haalde de dvd uit de camera en gaf hem aan Chaled. Hij nam hem voorzichtig aan bij de rand om geen vingerafdrukken achter te laten en deed hem in het hoesje. Gailles hart begon te bonken van angst, want ze begreep genoeg van Chaleds plannen om te beseffen dat als hij hen nog steeds wilde doden, dít het moment was.

IV

'En?' vroeg Yasmine, Naguib bij de deur begroetend. 'Hoe was je dag?'

Naguib wist wat zijn vrouw echt bedoelde. Ze wilde weten of hij zijn moordenaar al gevonden had, of hun dochter buiten gevaar was. Hij zei: 'Gaat wel.'

Yasmine drukte een kus op Hoesniyahs kruin. 'Ga maar spelen, schatje,' zei ze. 'Je vader en ik hebben iets te bespreken.'

Hoesniyah nam haar pop mee naar de kamer naast de hunne, hoewel iets in haar ogen Naguib deed vermoeden dat ze haar oor tegen de muur zou houden. 'En?' vroeg Yasmine.

'Er is geen connectie tussen het meisje dat ik gevonden heb en die twee in Assiut,' zei Naguib. 'Dat weet ik zeker.'

'Hoe kun je daar zo zeker van zijn?'

'Ik geloof niet eens dat dit meisje vermoord is. Ik denk dat het een ongeluk was. Dat het gewoon een arm meisje was dat tijdens een onweer op zoek was naar antiquiteiten. Misschien viel er iets op haar hoofd waardoor ze bewusteloos raakte en verdronk. Of misschien viel ze tijdens het klimmen.'

'En vervolgens stond ze weer op, liep naar de woestijn en begroef zichzelf in een zeildoek onder het zand, ja?'

'Nee,' gaf Naguib toe.

'Wat dan wel?'

Hij schudde zijn hoofd. 'Dat weet ik nog niet. Er is duidelijk iets aan de hand, maar dat wil nog niet zeggen dat ze iets met Assiut te maken heeft. Dat maakt het nog geen moord.'

'Maar je zult erachter komen, ja? Ik moet het zeker weten.'

'Gamal heeft gelijk, liefste. We hebben dringender zaken.'

'Het was een jong meisje,' hield Yasmine aan. 'Ik ben blij dat er geen moordenaar is. Ik ben blij dat Hoesniyah geen gevaar meer loopt. Echt waar. Maar het was een jong meisje en ze woonde in jouw district en ze stond onder jouw bescherming. Je bent het aan haar verschuldigd dit uit te zoeken.'

Naguib zuchtte. 'Morgen zal ik met de tempelbewakers praten,' beloofde hij. 'Misschien weten die iets.'

V

'En?' vroeg Knox toen Faroek terugkwam. 'Wat zei uw agent? Dat de infuusstandaard omgevallen was, niet?'

'Laten we aannemen dat hij inderdaad gevallen is,' gaf Faroek onwillig toe. 'Maar wat dan nog? Dat kan een ongelukje zijn.'

'Zeker weten!'

'Goed dan. U trok hem omver vanwege die mysterieuze indringer, de man die niemand anders gezien heeft, de man die u wil doden, maar die u nog nooit eerder gezien hebt en geen naam kunt geven.'

Knox aarzelde. 'Ik geloof dat het iemand kan zijn met de naam Peterson.'

'Dominee Earnest Peterson?' vroeg Faroek fronsend. 'De man die uw leven gered heeft?'

'Pardon?'

'U hebt het goed gehoord. Hij vond u na het ongeluk en trok u met gevaar voor eigen leven uit uw jeep, voor de rook u kon verstikken. Daarna bracht hij u naar het ziekenhuis. Is dit de man die probeerde u te vermoorden?'

Knox voelde zich enigszins verdoofd. 'Dat wist ik niet,' zei hij. Hij schudde zijn hoofd in verwarring, verbijsterd door deze nieuwste ontwikkeling.

'U nam een taxi vanaf het ziekenhuis. Waar ging u naartoe?'

'Nergens in het bijzonder.'

'Nergens in het bijzonder?'

'Mag ik alstublieft iets te drinken hebben?' vroeg Knox. 'Een glas water? Wat dan ook.'

'Zodra u me vertelt waar u heenging.'

'De Al-Shatby Necropool.'

'Ging u daar rechtstreeks naartoe?'

'U zei dat ik een glas water mocht hebben.'

Faroek kwam uit zijn stoel, trok de deur open en schreeuwde iets de gang in. 'Bent u daar direct vanaf het ziekenhuis naartoe gegaan?' vroeg hij, terwijl hij weer ging zitten.

'Ja.'

'Dat is vreemd dan, want mijn collega's hadden voor die tijd een telefoontje gekregen. Van een vrouw die een indringer in haar appartement had.'

'En?'

'De indringer viel haar aan en deed haar vrezen voor haar leven. En weet u wat het gekke is? U beantwoordt precies aan haar beschrijving. En weet u wie er een paar verdiepingen boven haar woont? Uw vriend Augustin Pascal. Jazeker. Dezelfde man die u een poosje geleden opbelde.'

'Is dit werkelijk de reden dat u me hiernaartoe hebt laten brengen? Om over Pascal te praten?'

Faroek tikte een sigaret uit een papieren pakje en nam de filter tussen zijn lippen om hem er helemaal uit te trekken. 'Zin?' bood hij aan.

'Nee, dank u.'

Faroek stak zijn sigaret aan. Rook kringelde uit zijn neusgaten. 'U hebt groot gelijk,' zei hij glimlachend. 'Ik heb u niet hierheen laten brengen om over meneer Pascal te praten. Ik heb u hierheen laten brengen om u te beschuldigen van de moord op Omar Tawfiq.'

30

Het was donker geworden terwijl ze in de koninklijke graftombe zaten. De stenen in de wadi blonken als botten toen Gaille zich er voorzichtig een weg doorheen zocht en de heuvel op klom. Faisal liep voorop – een spookachtige figuur met de stoflakens om zijn schouders gewikkeld. Hij liep onbevreesd over het smalle rotspad, plekken vindend om zijn voeten neer te zetten die Gaille in het donker amper kon zien tot hij zich omdraaide en er met zijn zaklantaarn op scheen. Week van angst zette ze haar eerste stap. Toen de volgende. Faisal glimlachte naar haar toen ze eindelijk aan het eind kwam, vragend om een glimlach ten antwoord, een soort vergiffenis, of in ieder geval begrip. Maar ze dacht aan het feit dat ze hem eerder die dag chocolade gegeven had en keek hem zo vernietigend aan dat hij beschaamd zijn ogen neersloeg.

Hij trok het juten gordijn opzij en beduidde haar met een knikje de zwarte scheur in de rotswand, een door de bliksem gespleten boomstam, in te kruipen. In het schijnsel van zijn op de grond gerichte zaklantaarn zag ze een groot, laag vertrek met aan weerszijden rijen weelderige, uit de kalkstenen wand gehouwen pilaren met grote hopen puin en stenen ertussen. Iedereen ging naar binnen. Chaled ging hun voor door een gang naar een schacht. Een touwladder hing aan een in de grond geslagen ijzeren staaf. 'Omlaag,' beval hij Gaille.

'Wat gaan jullie met ons doen?'

'Gewoon omlaag klimmen.'

Ze ging zitten, liet haar benen over de rand zakken, draaide zich om en pakte de touwladder. Haar ellebogen schraapten langs de ruwe steen toen ze met haar voet onder zich tastte, als een tong die een losse tand zoekt, tot ze een sport vond. Faisal liet zijn zaklantaarn in de schacht schijnen, zodat ze de kale kalkstenen wand kon zien toen ze afdaalde naar de met puin bedekte bodem. In het flikkerende licht zag ze een kaars die met zijn eigen was op een steen geplakt was en een halfleeg boekje lucifers. Ze pakte ze meteen. Stafford kwam als volgende beneden, en daarna Lily. De ladder glibberde als een vluchtende slang langs de wand omhoog, zodat ze in de val zaten. Een gemompeld gesprek boven hen, daarna wegstervende voetstappen en doodse stilte.

'Hé!' schreeuwde Stafford. 'Is daar iemand?' Alleen maar een echo. 'Denk je dat ze weggegaan zijn?' vroeg hij.

Gaille streek een lucifer aan, gebruikte die om de kaars aan te steken en nam hem mee naar de wanden – te steil en te hoog om tegenop te klimmen, zelfs als ze gereedschap zouden hebben om er gaten in te maken.

'Wat zijn ze met ons van plan?' vroeg Lily. 'Zeiden ze wat ze met ons van plan zijn?'

'Nee.'

'Ze moeten iets gezegd hebben.'

'Ik denk dat ze het zelf nog niet weten,' zei Gaille. 'Ik denk dat ze zomaar een eind weg improviseren.'

'Hoe bedoel je?'

Ze haalde diep adem. De kaars flakkerde, zodat het even leek alsof ze op een wake waren, alsof iemand overleden was. 'Het is gewoon pech. Zij hebben dit graf toevallig gevonden. Dat hadden ze moeten rapporteren, maar ze besloten het leeg te halen. Dat is een zeer ernstig misdrijf. Als ze betrapt worden, gaan ze jaren de gevangenis in.'

'Waarom namen ze het risico dan?'

'Omdat ze árm zijn. Een dienstplichtige verdient misschien driehonderd Amerikaanse dollars per jaar. Probeer je eens voor te stellen dat je daarvan moet leven. Dat je daarvan moet trouwen en een gezin grootbrengen. En stel je vervolgens voor dat je een antiquiteit vindt die duizend dollar waard is. Eén antiquiteit. Wat zou jij doen?'

'Het lijkt wel of je medelijden met ze hebt,' zei Stafford.

'Ze zullen ons loslaten, toch?' vroeg Lily. 'Ik bedoel, ze moeten wel.'

Gaille gaf niet meteen antwoord, maar haar zwijgen sprak boekdelen. 'De politie zal naar ons gaan zoeken,' zei ze.

'Maar ze gaan zoeken in Assiut!'

'Ze zullen overal zoeken,' verzekerde Gaille haar. 'Als de Egyptenaren één ding hebben is het wel mankracht. Wij hoeven alleen maar kalm te blijven.' Was stroomde van de kaars, die al gevaarlijk klein werd. Ze konden het zich niet veroorloven er nog meer van te verspillen. Ze hield haar hand achter het vlammetje om het uit te blazen, zodat de duisternis opnieuw over hen neerdaalde.

199

II

'Moord?' protesteerde Knox. 'Hoezo, moord?'

'Precies wat ik zeg,' zei Faroek. 'Dat ik geloof dat u Omar Tawfiq opzettelijk om het leven gebracht hebt en het het aanzien van een ongeluk gaf.'

'U bent niet goed wijs.'

'Zeg eens, meneer Knox. Hoe lang hebt u uw jeep al?'

'Wat?'

'Geef antwoord, alstublieft.'

'Ik weet niet. Tien jaar.'

'En zeg eens. Had hij een veiligheidsgordel aan de passagierskant?'

'O god!' mompelde Knox. Hij wiegde heen en weer op zijn stoel en keek Faroek aan. 'Is dat de manier waarop hij gestorven is?'

'En hij had wél een veiligheidsgordel aan de bestuurderskant. Dat wist u, en niet in het minst omdat u hem om had toen u gevonden werd. U zult het dus met me eens zijn, nietwaar, dat als de bestuurder opzettelijk een sloot in reed, hij een heel goede kans zou maken er met lichte verwondingen af te komen, terwijl zijn passagier zeer ernstig gewond zou raken en het mogelijk niet zou overleven?'

Knox schudde zijn hoofd. 'Je zou gek moeten zijn om zoiets te doen.'

'Niet gek. Alleen maar zeer gemotiveerd.'

'Wat voor motief kan ik daar in godsnaam voor gehad hebben?'

'Dat moet u me vertellen, nietwaar?'

'Dit is krankzinnig,' protesteerde Knox. 'Omar was mijn vriend. Ik heb hem niet vermoord, ik zweer het.'

'Ik dacht dat u uw geheugen kwijt was,' zei Faroek. 'Hoe kunt u dat zo zeker weten?'

'Omdat ik zoiets nooit zou doen. Vraag iedereen maar.'

'Dat hebben we gedaan.'

'Nou dan,' zei Knox. Maar hij voelde een steekje van twijfel. Wie wist zeker waartoe hij onder druk in staat was? Maar nog belangrijker, wie wist wat andere mensen over hem zouden zeggen?

'Ik heb gehoord dat u nogal een beroemdheid bent in archeologische kringen,' zei Faroek. 'En dat u niet genoeg kunt krijgen van de aandacht van de media.'

'Die heb ik één keer gehad. Wat niet wil zeggen dat ik het leuk vond.'

'Maar dat stijgt naar je hoofd, niet?' zei Faroek grinnikend. 'Dat geeft je het gevoel dat je leeft. En als het afgelopen is, krijg je zo'n leeg gevoel.'

'Spreek voor uzelf.'

'Weet u wat ik denk dat er gebeurd is?' vroeg Faroek. 'Ik denk dat u gisteravond iets gevonden hebt. Op de opgraving van Peterson. En dat dat de reden is dat u na zonsondergang terugging. En ik denk ook dat u en meneer Tawfiq ruzie kregen over de volgende stap. Volgens zijn collega's was hij een hoogst scrupuleus mens. Hij zou erop gestaan hebben de officiële weg te bewandelen en de vondst bij zijn secretaris-generaal in Caïro te melden. Maar dat idee vond u onverdraaglijk, niet? Iedereen zegt dat u en de secretaris-generaal het niet met elkaar kunnen vinden, dat jullie elkaar niet uit kunnen staan. De gedachte dat hij al die roem, al die ááandacht zou oogsten, die u toe hoorde te komen… Dat was onaanvaardbaar, nietwaar? En dus besloot u Omar het zwijgen op te leggen.'

'Wat een klets.'

Faroek knikte in zichzelf. 'Weet u wat ik vanmorgen moest doen, meneer Knox? Meneer Tawfiqs gezin bezoeken en ze vertellen dat hij dood was. Het ergste onderdeel van mijn werk, zoals u zeker zult begrijpen. Wat weet u van zijn familie?'

Knox schudde zijn hoofd. 'Daar praatte hij nooit over.'

'Ik kan niet zeggen dat me dat verbaast. Een alom geacht academicus als hij.'

'Wat wilt u daarmee zeggen?'

'Zijn vader is een heel machtig man, meneer Knox,' gromde Faroek. 'Zijn broers zijn heel machtige mannen.'

Knox werd misselijk. 'U bedoelt toch niet…'

'Ik vrees van wel. En geloof me, ze zijn helemaal niet gelukkig. Ze willen verklaringen. Ik moest ze vertellen dat u aan het stuur zat. En dat uw jeep geen veiligheidsgordel aan de passagierskant had.'

'O, god.'

'Ze houden u verantwoordelijk voor zijn dood, meneer Knox. En het zijn gevaarlijke mannen, dat verzeker ik u. Niet het soort mannen die de dood van een zoon en broer laten passeren zonder bepaalde stappen te nemen.'

'Gaan ze achter me aan?'

'U vroeg me waarom ik u naar het bureau gebracht had,' zei Faroek. 'Ik wilde met u praten, inderdaad. Maar ik maakte me ook zorgen over uw veiligheid. Dit is mijn stad, meneer Knox. Ik wil niet dat hier mensen vermoord worden. Zelfs geen buitenlanders. Zelfs geen moordenaars. Maar één ding kan ik u wel vertellen: ik zou voor geen geld in uw schoenen willen staan.'

'Ik heb het niet gedaan,' zei Knox zwakjes.

'U kunt uw geheugen beter zo snel mogelijk terugkrijgen,' adviseerde Faroek hem, overeind komend. 'Morgenvroeg spreken we elkaar opnieuw. Als ik u was zou ik deze avond en nacht goed gebruiken.'

III

Chaled stuurde de Discovery voorzichtig door de wadi, pas fatsoenlijk gas gevend toen hij in de open woestijn kwam. De maan hing laag aan de horizon en deed het zand glimmen als dof tin. De koude nachtlucht die door het kapotte raampje naar binnen woei, maakte zijn vingers ijskoud. Hij liet zijn koplampen aan. Het risico hier door iemand gezien te worden was veel kleiner dan in botsing te komen met een van de rotsblokken die als onontplofte landmijnen in het zand lagen. Hij voelde zich merkwaardig kalm nu de situatie hem boven het hoofd gegroeid was. Maar het geluk was met hem en hij bereikte zonder ongelukken de woestijnweg en sloeg af naar het zuiden, richting Assiut. Nu kwamen ze wel mensen tegen. Een boer op zijn ezeltje. Een pick-up. Later werd het veel drukker en werd de jeep een anoniem voertuig. Hij reed de brug naar Assiut over. Nasser wachtte op hem op de westelijke oever, schrijlings op zijn motorfiets. Hij was veel sneller geweest, ondanks het feit dat hij de veerpont had moeten nemen. Met een zwaai naar Chaled reed hij achter de Discovery aan. Ze reden westwaarts, zoekend naar een geschikte plek en vonden een leegstaande fabriek met een omheinde binnenplaats. Perfect. Hij gooide de bezittingen die hij de buitenlanders afgenomen had op de voor- en achterbank en besprenkelde alles met brandstof uit de reservetank van de Discovery zelf. De vlammen laaiden zo hoog op dat hij zijn huid schroeide. Hij klom achter op Nassers motor en samen reden ze terug naar de stad.

De Discovery zou snel genoeg gevonden worden, maar hij kon de dvd nog niet afleveren. Er moest genoeg tijd voorbijgaan om terroristen de kans te geven de gijzelaars naar een betrouwbaar pand te brengen, de opname te maken. Pakweg drie uur. Dan weer terug naar Amarna. Ze vonden een bank met uitzicht op de Nijl, waar hij over hun situatie nadacht.

Een jong stel wandelde voorbij in het donker. Hij kon hun tedere stemmen horen, maar verstond niet wat ze zeiden. Het deed hem denken aan het moment waarop hij vanuit de graftombe Staffords stem hoorde. Plotseling werd hij ijskoud. Als dat andersom nu ook eens werkte? De politie zou tijdens hun onderzoek ongetwijfeld Amarna aandoen. Stel dat de gijzelaars om hulp schreeuwden als ze in de buurt kwamen? Hij was van plan geweest ze te laten leven om minder streng gestraft te worden als ze tegen de lamp liepen, maar nu besefte hij dat dit een risico was dat ze zich niet konden veroorloven. Hij pakte zijn mobiel en belde Abdoellah. 'Alles in orde?' vroeg hij.

'Jawel, kapitein,' zei Abdoellah. 'Wilt u dat we het graf dichtmaken?'

'Eerst moet je iets anders doen. Je moet ze het zwijgen opleggen.'

'Wat?'

'Je hebt gehoord wat ik zei.'

Een korte aarzeling, toen: 'Maar ik dacht dat we ze…'

'We moeten ze het zwijgen opleggen,' beet Chaled terug. 'Dat is een bevel. Is dat duidelijk?'

'Jawel, kapitein.'

'Goed. Zorg dat het gebeurd is voor ik terugkom.'

IV

Een tweede voetbalwedstrijd werd uitgezonden op de tv in de recreatiezaal en bereikte juist zijn hoogtepunt. Knox' twee celgenoten waren liefhebbers die om de beurt bij de deur gingen staan om door het raampje te kijken. Ze juichten of trokken gezichten en praatten geanimeerd met de politieagenten buiten.

Omar was dood. Dat begon eindelijk tot hem door te dringen. Hun vriendschap was niet oud, maar ze waren elkaar in korte tijd erg na komen staan, zoals dat wel vaker voorkomt. Verwante geesten. Zo'n zachtaardige, attente, verlegen jongeman. Het was moeilijk te geloven dat hij uit een Egyptische gangsterfamilie kwam, hoewel dat misschien de reden was dat hij zo geworden was, waarom hij zich op de archeologie gestort had, in een poging om zich van zijn wortels te distantiëren. Hoewel het, nu hij erbij stilstond, ook mogelijk was dat die familie iets met zijn recente promotie te maken had.

En het ergste was dat Faroek gelijk had: hij was verantwoordelijk voor Omars dood. Hij reed al jaren met die kapotte veiligheidsgordel, wetend dat zo'n ongeluk tot de mogelijkheden behoorde, en toch had hij er niets aan gedaan. Op de een of andere manier leken dit soort dingen er in Egypte minder toe te doen... althans tot ze gevolgen hadden.

Luide juichkreten gingen op. Iemand had gescoord.

Met zijn handen voor zijn gezicht geslagen treurde hij om zijn vriend, zich inspannend om zijn geheugen terug te krijgen. Hij was het aan Omar verschuldigd zich precies te herinneren wat er gebeurd was, in welke mate hij precies verantwoordelijk was. Maar de minuten kropen traag als stroop voorbij en er kwam niets boven.

V

Faisal liep met zware tred achter Abdoellah door de gang van de graftombe. Hij hield zijn AK-47 voor zich uit alsof hij demonen af wilde weren. Faisal had een rustig karakter en het enige wat hij wilde was zijn drie jaar dienstplicht vervullen en naar huis gaan. Hij geloofde in hard werken, in Allah, in andere mensen goed behandelen, in met een goede vrouw trouwen en zo veel mogelijk kinderen krijgen. Zijn oom had hem verzekerd dat zijn kostje na zijn dienstplicht gekocht zou zijn. Wie ter wereld had kunnen dromen dat hij zo iemand zou worden? Maar Chaled had zijn bevelen gegeven en Chaleds bevelen konden niet genegeerd worden. Niet vaker dan één keer.

Bij de rand van de schacht bleven ze staan. 'Wie is daar?' riep het meisje Gaille. 'Wat gebeurt er?' Haar stem klonk klaaglijk en raakte een gevoelige snaar in hem, herinnerde hem eraan dat ze hem die morgen nog chocolade gegeven had, dat ze samen gelachen en grapjes gemaakt hadden. Hoe had het in vredesnaam zo snel zo fout kunnen gaan?

'Ik schijn omlaag met de zaklantaarn,' fluisterde Abdoellah. 'En jij doet het.'

'Hoe bedoel je, jij?'

'Laten jullie ons gaan?' vroeg het meisje. 'Alsjeblieft. We smeken jullie, laat ons alsjeblieft gaan.'

'Wat denk je,' zei Abdoellah geïrriteerd. 'Ik schijn omlaag. Jij gaat ze… je weet wel.'

'En als ik nou eens omlaag schijn en jij doet het?' riposteerde Faisal. Hij tuurde over de rand, alsof dat het geschil op de een of andere manier zou oplossen. Gaille streek een lucifer aan uit het boekje dat ze daar hadden laten liggen. Het plotseling opflakkerende vlammetje verlichtte haar gezicht in het donker. Ze keek smekend naar hen op.

'Ik wou dat we zo'n handgranaat van de kapitein hadden,' mompelde Abdoellah. 'Dat zou veel makkelijker zijn.'

'Voor ons, bedoel je.'

Op de bodem van de put begon de andere vrouw hartverscheurend te huilen. Faisal deed zijn best haar jammerkreten niet te horen.

'Dan doen we het samen,' zei Abdoellah ten slotte. 'En daarna kijken we met de zaklantaarn, oké?'

'Dit bevalt me niks,' zei Faisal.

'Mij zeker wel?' vroeg Abdoellah kwaad. 'Maar als we het niet doen moeten we Chaled uitleg geven.'

Faisal haalde diep adem. Vanaf zijn vroegste jeugd had hij thuis dieren geslacht. Dit was gewoon hetzelfde. Dieren die klaar waren om geslacht te worden. 'Oké,' zei hij. Hij bracht zijn geweer in de aanslag. Beneden begon het gegil.

'Ik tel tot drie,' zei Abdoellah.

'Tot drie,' stemde Faisal in.

'Een…' zei Abdoellah. 'Twee…'

31

Augustin was moe en ongerust toen hij thuiskwam. Faroek had hem, na hem met zijn rechtse neergeknald te hebben, met zo'n minachting bejegend dat hij volkomen gedemoraliseerd was. Toen hij vroeg of hij Knox op het politiebureau kon bezoeken, had Faroek hem in zijn gezicht uitgelachen. Normaal gesproken was Augustin een opgewekt type, maar vanavond niet. Hij kon zich niet herinneren ooit zo moedeloos geweest te zijn.

Een geschifte vrouw leunde over de balustrade van haar balkon en blafte iets over de verkrachters die hij in huis haalde. Hij had niet eens de energie om iets terug te schreeuwen.

Hij deed een groot glas halfvol ijsblokjes, maakte een nieuwe fles whisky open, nam het glas en de fles mee naar zijn slaapkamer en zette ze op zijn nachtkastje. Daarna trok hij zijn klerenkast open en tilde de stapel T-shirts op. De map was verschoven. Geen twijfel mogelijk. En ook geen verrassing. Knox had niets gezegd aan de telefoon, natuurlijk niet. Knox was een man en mannen praatten godzijdank niet over dit soort zaken. Maar Augustin had de lichte aarzeling in zijn stem gehoord. In eerste instantie had hij die aan Knox' hachelijke situatie toegeschreven, maar later besefte hij dat Knox ongetwijfeld een schoon overhemd nodig zou hebben en de map ongetwijfeld gezien had. Zo werkte het noodlot. Het gaf je de straf die je verdiende.

Hij haalde de foto's eruit en spreidde ze uit op zijn dekbed. De eerste was hem het liefst, niet in het minst omdat hij die van Gaille zelf gekregen had. Ze stonden er met hun drieën op. Een middag ergens in de woestijn, armen om elkaars schouders, opgewekt lachend tegen een achtergrond van roodgouden duinen, lengende schaduwen, laaghangende flarden paarse en oranje wolken in een bleekblauwe hemel. Genomen door een grijze bedoeïen die van nergens naar nergens sjokte met de somberst ogende kameel die hij ooit gezien had. Augustin, Gaille, Knox. Er was iets met hem gebeurd die dag. Toen Gaille hem de foto gaf, merkte hij dat hij hem niet meer weg kon leggen. Hij had er meer foto's aan toegevoegd, foto's van haar en Knox, andere van haar alleen.

Zijn glas was op de een of andere manier leeg geraakt. Hij schonk opnieuw in.

Waarom zou je één vrouw hebben als je er twintig kon krijgen? In zijn hart had hij altijd minachting gehad voor trouw zijn. Elke man zou doen wat hij deed als ze konden. Monogamie was voor underdogs. Misschien werd hij gewoon te oud, maar de avonden met Gaille en Knox hadden hem duidelijk gemaakt wat een verachtelijk leven hij leidde. Het viel hem steeds moeilijker vrouwen te versieren. Het ontbrak hem gewoon aan de moed, of misschien de honger. Hij had andere behoeften gekregen. Hij wist niet precies waaraan, alleen maar dat hij ze had, dat ze steeds sterker werden, dat zijn gebruikelijke veroveringen die niet konden bevredigen. Enkele maanden geleden was hij op een morgen bruisend van vastberadenheid wakker geworden. Hij sprong uit bed en scheurde een groot stuk behang van de muur – wat hem een even bevredigend gevoel gaf als aan een gigantische wondkorst krabben. Nog diezelfde dag had hij een aannemer gebeld en zijn appartement laten uitruimen en helemaal laten opknappen.

Het nestinstinct! Goeie god! Hoe had dit kunnen gebeuren?

En toch voelde het niet als liefde. Dat was precies wat Knox nooit zou begrijpen. Hij mocht Gaille, dat zeker, maar hij begeerde haar niet en verzon ook geen manier om haar te krijgen. Het gaf hem geen hartzeer als ze op die typische manier van haar naar Knox keek. Want hij was niet bezeten van Gaille. Hij was bezeten van die twee samen, wat er tussen hen gebeurd was zonder dat ze het zelf in de gaten hadden.

Een van de onverwachte gevaren van de archeologie was dat je voortdurend de levens van andere mensen voor de voeten geworpen kreeg. De antieke bewoners van Alexandrië hadden een levensverwachting van rond de vijfendertig jaar, minder tijd dan hij al op deze aarde doorgebracht had, en toch hadden velen van hen zo veel voor elkaar gekregen. Terwijl hijzelf zo bitter weinig gepresteerd had.

Zijn leven was een puinhoop. Hij kocht zijn whisky de laatste tijd in dozen.

Hij ging weer op het bed liggen en sloeg zijn handen achter zijn hoofd. Starend naar zijn pas gewitte plafond besefte hij dat het een lange nacht zou worden.

II

'Ik kan dit niet doen,' mompelde Faisal, terwijl hij een stapje achteruit deed, weg van de rand van de put. 'Ik kan het niet en ik verdom het.'

'Mij best,' zei Abdoellah kwaad. 'Dan doe ik het wel. Zolang je mij maar niet de schuld geeft als alles eindigt in een puinhoop.'

'Nee,' zei Faisal. 'We doen het geen van beiden. Het is verkeerd. Het is gewoon verkeerd. Dat weet je best.'

'En jij gaat dat tegen kapitein Chaled zeggen, ja?' snoof Abdoellah.

Faisal trok een gezicht. Abdoellah had gelijk. De man had hem maar één keer onder handen genomen, maar na afloop had hij een week in het ziekenhuis gelegen en hij voelde niets voor een herhaling. 'Wat zei hij precies?' vroeg hij.

'Precies wat ik zei. Dat we ze het zwijgen op moesten leggen.'

'Het zwíjgen op moesten leggen!' snoof Faisal. 'En waarom denk je dat hij die woorden gebruikte? Om als we tegen de lamp lopen te kunnen zeggen dat wij zijn bevelen verkeerd geïnterpreteerd hebben. Dan gaan wij aan de galg en komt hij er af met een berisping.'

'Denk je dat hij ons zoiets zou flikken?'

'Natuurlijk,' zei Faisal. 'Geloof je echt dat alles wat we hier gevonden hebben waardeloos is, zoals hij voortdurend zegt? Lulkoek. Hij houdt alles gewoon voor zichzelf. Ik, ik, ik, dat is het enige wat voor hem telt.'

Abdoellah gromde. Zo dachten ze er privé allemaal over. 'Wat wil je dan dat we doen?'

'Precies wat hij zei. Ze het zwijgen opleggen.'

'Dat snap ik niet.'

'Deze twee planken. We leggen ze aan weerskanten van de schacht. Daarna leggen we de lakens en de dekens er overheen, vastgehouden met stenen. Dat zal alle geluiden dempen, vooral als we de ingang dichtgemaakt hebben.'

'Ik weet het niet.' Abdoellah huiverde. 'Als hij erachter komt…'

'Hoe kan hij er ooit achter komen? Van mij zal hij het niet horen. Van jou wel soms?'

'Maar toch.'

'Wat dan, schiet je ze liever dood?'

Abdoellah keek in de put, dacht na over de mogelijkheden en zei met een grimas: 'Oké. Vooruit dan.'

III

Knox probeerde te slapen, maar zijn hele lichaam deed pijn. Hondsmoe, noemden ze dit, en ze wisten waar ze het over hadden. Zijn cel was koud, zijn brits hard, zijn celgenoten waren luidruchtige slapers die beurtelings snurkten. De tv in de recreatiezaal stond nog steeds aan met de volumeknop op zijn hoogst. Egyptenaren schenen daar geen last van te hebben, die werden allemaal geboren met een mute-knop in hun hoofd, maar het was een aspect van het leven hier waar Knox nooit helemaal aan had kunnen wennen.

Het duurde tot de kleine uurtjes voor hij eindelijk in slaap viel – of misschien niet direct in slaap maar in een staat van gevoelloosheid die daarvoor door kon gaan. Hij wist niet zeker hoe lang hij zo gedut had toen hij een bekende stem hoorde. Gaille. Eerst dacht dat hij droomde, wat hem een glimlach ontlokte. Toen besefte hij dat het geen droom was – vanwege de woorden die ze gebruikte, haar gespannen stem. Een schok voer door hem heen. Hij schoot overeind en haastte zich naar de deur. Door het kijkkraampje turend kon hij net het televisiescherm zien. Het toonde de nachtmerrieachtige iconografie van het moderne terrorisme – Gaille en twee andere mensen op de grond, met twee gemaskerde paramilitairen met hun wapen schuin voor hun borst achter hen.

'Gaille!' mompelde hij ongelovig. Hij beukte met zijn vuist op de deur. 'Gaille!'

'Hou je verdomme rustig,' mompelde een van zijn celgenoten.

'Gaille!' schreeuwde hij. 'Gaille!'

'Hou je rustig, zei ik!'

'Gaille!'

Een deur sloeg dicht, voetstappen kwamen dichterbij, een slaperig uitziende politieman keek de cel in. Hij keek Knox woedend aan en gaf een schop tegen de deur. Knox zag hem amper, zo geconcentreerd keek hij naar de tv. Hij wist zeker dat het Gaille was. Hij riep opnieuw haar

209

naam, volstrekt hulpeloos en verbijsterd. De politieman deed de celdeur van het slot, trok hem open en tikte dreigend met zijn gummiknuppel tegen zijn dij. Maar Knox duwde hem pardoes opzij, rende de recreatiezaal in en keek als verdoofd naar de tv, luisterend naar haar woorden.

De politieman greep hem bij de schouder. 'Terug in uw cel,' waarschuwde hij. 'Anders ga ik…'

'Dat is mijn vriendin,' grauwde Knox. 'Laat me kijken.'

De politieman deed een stapje achteruit. Knox richtte zijn aandacht weer op de tv. Het filmpje was afgelopen. Het beeld veranderde. Een stemmig geklede man en een vrouw in een tv-studio. Niemand had ooit van de Islamitische Broederschap van Assiut gehoord, maar de autoriteiten waren ervan overtuigd dat ze deze crisis op vreedzame wijze zouden oplossen. De opnamen van de gijzelaars verschenen in een kadertje. Knox keek gebiologeerd toe toen Gaille ging verzitten en bij wijze van nadruk haar rechterhand opstak. Zijn huid prikte. Hij wist niet zeker waarom.

De klap van een deur achter hem. Hij keek om. Twee nieuwe agenten kwamen met grimmige, onheilspellende gezichten op hem af. 'Mijn vriendin,' legde hij uit met een gebaar naar het scherm. 'Ze is gegijzeld. Alstublieft. Ik moet…'

De eerste klap landde op zijn dij. Hij had hem totaal niet aan zien komen en geen tijd gehad om zich schrap te zetten. Pijn vlamde door zijn heup. Hij viel op één knie. De tweede klap schampte langs zijn schouderblad en tegen zijn achterhoofd. Sterretjes en lichte vlekken dansten voor zijn ogen toen hij met zijn gezicht tegen de grond sloeg. En plotselinge herinnering – rijdend in de jeep met Omar naast zich, samen lachend om een grapje. Een penetrante diesellucht. Toen werd hij bij zijn haar gepakt en mompelde iemand iets in zijn oor, maar zijn oren tuitten zo dat hij niet verstond wat er gezegd werd. Zijn hoofd werd weer losgelaten en zijn wang viel tegen koude steen. Ze sleepten hem aan zijn benen over de ruwe vloer terug naar zijn cel.

IV

Naguib liep geeuwend, met een droge mond en ogen vol slaap naar de keuken, verlangend naar zijn eerste glas chai. Zijn vrouw ging zo op in iets op de tv dat ze niet eens opkeek. 'Wat is er?' vroeg hij.

'Ze hebben gisteravond in Assiut een paar westerlingen ontvoerd. Televisiemensen. Ze zeggen dat ze gisteren in Amarna gefilmd hebben. Heb je ze gezien?'

'Nee.'

'Die vrouw daar schijnt degene te zijn die meegeholpen heeft Alexanders graf te vinden. Weet je nog wel, die persconferentie met de secretaris-generaal en die andere man?'

'Die jij zo knap vond?'

Yasmine bloosde. 'Ik zei alleen maar dat hij me aardig leek.'

'Wat zeggen ze?'

'Alleen maar dat ze hun uitgebrande auto in Assiut gevonden hebben en dat een arme, halfblinde man geld heeft gekregen om deze dvd naar het televisiestation te brengen. Ze draaien hem non-stop af. De ontvoerders willen kennelijk dat de mensen die gearresteerd zijn voor het verkrachten en vermoorden van die twee meisjes vrijgelaten worden.'

Naguib fronste zijn wenkbrauwen. 'Terroristen die willen dat verkrachters en moordenaars vrijgelaten worden?'

'Ze zeggen dat ze onschuldig zijn.'

'Even goed.'

'Die arme jonge vrouw!' zei Yasmine. 'Hoe krijgt ze het voor elkaar om zich zo goed te houden?'

Naguib legde een hand op de schouder van zijn vrouw. De video werd doorlopend herhaald in een kader op het scherm, zodat hij de vreselijke angst op de gezichten van de gijzelaars en de bloedende snee in de wang van de man kon zien. Ze werden van onderen belicht, zodat er donkere schaduwen op de gezichten lagen, en terwijl de dvd afgespeeld werd, jammerden de commentatoren om beurten over deze schanddaad tegen hun land en vroegen ze zich af welke stappen de regering zou nemen. Hij vond het ook moeilijk om niet te blijven kijken, ondanks het feit dat hij naar het bureau moest, zijn papierwinkel moest afwerken om tijd vrij te maken om met de plaatselijke tempelbewakers te praten. Maar anders dan bij zijn vrouw waren het geen gevoelens van medemenselijkheid die hem aan het scherm gekluisterd hielden. Het was iets anders. Diep in zijn binnenste sloegen zijn politie-instincten alarm. Hij wist alleen niet goed waarom.

32

Knox' mond was pijnlijk en kleverig. Toen hij hem met de rug van zijn hand afveegde, zat er bloed op zijn hand. Hij ging rechtop op de harde brits zitten, duizelde toen het bloed uit zijn hoofd stroomde en moest even stil blijven zitten om tot zichzelf te komen. Maar dat was niets vergeleken met de visuele herinnering die daarna kwam.

Gaille, knielend op de grond, doodsbang, gegijzeld door terroristen.

Hij boog zich voorover, bang dat hij moest braken, maar op de een of andere manier slaagde hij erin het binnen te houden. Hij stond op, wankelde naar de deur, tuurde door het glas. De tv stond nog steeds op de nieuwszender, maar iemand had hem zachter gezet. Daar was ze, opnieuw de verklaring voorlezend waarvan de woorden al in zijn hersenen gebrand stonden. *De Islamitische Broederschap van Assiut. Goed behandeld. Tenzij er pogingen in het werk gesteld worden om ons te vinden. Zullen ons ongedeerd laten gaan zodra de mannen vrijgelaten zijn. Als ze niet binnen veertien dagen vrij zijn...*

Die uitdrukking op haar gezicht. Haar bevende handen. Ze vocht tegen de angst, was doodsbang voor iets wat haar *nu* bedreigde, niet over veertien dagen. Knox had geen kinderen, maar op dat moment voelde hij hoe een ouder zich moest voelen, dat wanhopige verlangen om te helpen, die machteloosheid. Een hartverscheurend gevoel. Onverdraaglijk. Toch zat er niets anders op dan het te verdragen.

'Uw vriendin is een van de gijzelaars?'

Knox keek knipperend met zijn ogen om zich heen. De man in het verfomfaaide pak had iets tegen hem gezegd. 'Pardon?'

'Is uw vriendin een van de gijzelaars?'

'Ja.'

'Welke?'

'Hoezo welke?'

'Die met het rode haar of met het donkere haar?'

'Met het donkere haar.' Een plotselinge herinnering. *Een gesprek met twee mannen, de ene met een boord van een geestelijke, de andere gezet.*

'Ze ziet er aardig uit.'

'Ze ís aardig.'

'Uw vriendin?'

Knox schudde zijn hoofd. 'Gewoon een collega.'

'Dat zal best,' zei de man glimlachend. 'Zo reageer ik ook altijd als een van mijn collega's problemen heeft. Dan sla ik ook door en zoek ruzie met de politie.'

'Ze is ook een vriendin.'

Hij knikte. 'Geeft niets. Ik wilde u alleen maar mijn verontschuldigingen aanbieden dat mijn landgenoten haar zoiets aan kunnen doen. Als ik iets kan doen…'

'Dank u.' Hij keek weer naar de tv. Iets in de beelden had zijn aandacht getrokken.

'Ik ben geen goed mens, anders zou ik hier niet zitten, maar ik snap niet hoe mensen die beweren in Allah te geloven kunnen denken dat Allah dit goed zou keuren.'

'Alstublieft,' zei Knox om de man te doen zwijgen.

Hij keek opnieuw naar de tv. Het filmpje begon opnieuw. Gaille die op de grond geknield lag, de lotuspositie innam en haar rechterhand opstak voor extra nadruk. Een houding die hij recentelijk ergens gezien had. Maar waar? Hij drukte zijn nagels in zijn handpalm in een poging zijn geest te dwingen zich te concentreren. Toen wist hij het. Dat mozaïek. De figuur in de zevenpuntige ster.

Jazeker. Zijn huid prikte.

Gaille stuurde hem een boodschap.

II

De telefoon rinkelde. Het verdomde ding weigerde op te houden. Augustin deed zijn best het geluid te negeren tot het eindelijk ophield. Maar het kwaad was geschied. Hij was wakker. Zijn mond was droog, zijn tong plakte aan zijn verhemelte en een ploeg slopers was aan het werk in zijn hoofd. Ochtend dus. Hij ging op zijn zij liggen om zijn ogen tegen het schuin binnenvallende zonlicht te beschermen en keek kreunend op de wekker op zijn nachtkastje. Katers hadden veel van hun aantrekkelijkheid verloren. Hij sleepte zich uit bed, voelde onnoembare dingen in zijn binnenste klotsen en kolken. Niet voor het eerst nam hij zich voor iets aan zijn gewoontes te doen. Maar misschien wel voor het eerst ging deze gedachte vergezeld van een steekje paniek, als een teenager op het luchtbed die plotseling beseft hoe ver hij van de kust afgedreven is. Hij strompelde naar de wc en deed zijn behoefte in een eindeloze donkergele straal. Rondom de porseleinen wasbak hadden zich mieren verzameld, terwijl een hele rij over de vloer liep, tegen de muur op klom en uit het half openstaande raam marcheerde. Jezus! Misschien had hij suikerziekte. Dat was immers een van de symptomen. Suiker in je urine. Misschien was hij daarom altijd zo moe. Of misschien hadden de kleine hufters plotseling een hang naar alcohol ontwikkeld. Ze maakten er in ieder geval veel werk van. De telefoon ging opnieuw, wat hem in staat stelde die onwelkome gedachten uit zijn hoofd te zetten. 'Ja?' zei hij.

'Heb je het gezien?' vroeg Mansoor geagiteerd.

'Wat gezien?'

'Gaille. Op het nieuws.' Met een beklemd gemoed zette Augustin de tv aan. Hij wist dat het erg zou zijn, maar was toch onvoorbereid. Hij bleef verslagen in zijn stoel zitten tot hij Mansoor zijn naam hoorde schreeuwen. 'Augustin? Ben je daar nog?'

'Ja.'

'Ik heb Knox proberen te bellen. Hij is niet in zijn hotel en hij neemt zijn mobiel niet op.'

'Ik weet waar hij is.'

'Iemand moet hem inlichten. Bij voorkeur een vriend.'

'Laat dat maar aan mij over.'

'Dank je. En laat me weten als je hem gesproken hebt. Laat me weten wat ik kan doen.' De verbinding werd verbroken. Augustin legde de hoorn op de haak, verdwaasd en misselijk, maar nu in ieder geval met een doel. Hij gooide water over zijn gezicht en lichaam, trok schone kleren aan en haastte zich de trappen af naar zijn motor.

III

'We zullen hier doodgaan,' snikte Lily. 'Niet?'

'Ze vinden ons heus wel,' zei Gaille.

'Onmogelijk.'

'Niet waar.'

'Hoe weet je dat?'

Gaille aarzelde. Ze had het nog niet over Knox gehad, over de bood-schap die ze hem geprobeerd had te sturen. Het was zo'n klein kansje en het leek oneerlijk de last van hun verwachtingen op zijn schouders te leggen. Maar Lily stond op het punt om een zenuwinzinking te krijgen en ze moest haar nodig een hart onder de riem steken. 'Ik heb een vriend,' zei ze.

'O, je hebt een vriend!' schamperde Lily. 'Dus we worden gered omdat jij een vriend hebt.'

'Inderdaad,' zei Gaille.

Iets in haar kalmte leek Lily tot bedaren te brengen, maar ze weigerde zich zo makkelijk gerust te laten stellen. Ze voelde dat ze meer los kon krijgen. 'En hoe gaat die vriend van je ons dan helpen?' vroeg ze. 'Is hij helderziende of zo?'

'Ik heb hem verteld waar we zijn.'

'Wát?' vroeg Stafford uit het donker.

'Toen ze ons filmden heb ik hem laten weten dat we in Amarna zijn, niet in Assiut.'

'Hoe dan?'

'Het is een beetje ingewikkeld.'

Stafford stiet een bijna geamuseerde grom uit. 'En je had zeker ergens anders afgesproken?'

'Er is een portret van Echnaton dat we allebei kennen,' zei Gaille met een zucht. 'Waarop hij op een heel bepaalde manier zit.'

'Dus daarom veranderde je van positie toen je de boodschap voorlas?'

'Inderdaad.'

'Ik herinner me niet ooit zo'n portret van Echnaton gezien te hebben.'

'Nee?' antwoordde Gaille.

Stilte. Gaille kon zich Staffords ijzige gezicht precies voorstellen.

'Denk je werkelijk dat je vriend daaruit af zal kunnen leiden waar we zitten?' vroeg hij. 'Uit de manier waarop jij zat?'

'Inderdaad,' zei Gaille.

Lily raakte haar arm aan. 'Hoe heet hij, die vriend van je?'

Gaille haalde diep adem. Het was een vreemd gevoel de naam hardop uit te spreken. Bijna alsof dat een belofte inhield. 'Daniel Knox,' zei ze.

'En de mensen zullen naar hem luisteren, niet? Ik bedoel, we hebben er niets aan dat hij weet waar we zitten als hij de autoriteiten daar niet van kan overtuigen. Dus ze weten wie hij is. Ja?'

'Ja, nou en of,' zei Gaille, blij dat ze iets met absolute overtuiging kon beweren. 'Ze weten precies wie hij is.'

33

De metalen deur van het verhoorvertrek piepte op zijn hengsels toen Faroek achteruit binnenkwam met een dienblad met twee koppen koffie, een blocnote en een bandrecorder. Hij zette alles op tafel. 'Ik heb gehoord dat u behoorlijk lastig geweest bent,' zei hij.

'Mijn vriendin is gegijzeld,' zei Knox. 'Ze stuurt me een boodschap.'

'Ja, ja,' zei Faroek. 'Die beroemde boodschap van u. Daar hebben mijn collega's het de hele morgen over gehad.'

'U moet het onderzoeksteam inlichten. Het kan belangrijk zijn.'

'En wat moet ik ze precies vertellen? Dat u denkt dat ze u een boodschap stuurt, maar niet weet precies wat. Wat hebben ze daaraan?'

'Laat me gaan. Dan kom ik daar wel achter.'

'Welja. En zal ik meteen al onze moordenaars vrijlaten ook? Dan kunnen ze u helpen zoeken.'

'Alstublieft. Ik smeek u. Licht in ieder geval de mensen in die het onderzoek naar…'

'Rustig maar, meneer Knox. Ik verzeker u dat een van mijn collega's al contact met Assiut opgenomen heeft. Als ze meer willen weten, zouden ze bellen. Dat is nog niet gebeurd en ik betwijfel of het zál gebeuren. Maar als het gebeurt zal ik u meteen waarschuwen. Dat beloof ik. En kunnen we ons nu alstublieft met de onderhavige zaak bezighouden?'

'Welke onderhavige zaak?'

Faroek rolde met zijn ogen. 'Gisteravond heb ik u gewaarschuwd dat ik van plan was u de moord op Omar Tawfiq ten laste te leggen. Of was u dat vergeten?'

'Nee.'

'Goed dan. Hebt u uw geheugen al terug? Bent u bereid om ons te vertellen wat er echt gebeurd is? Waarom u die sloot in gereden bent?'

'Ik ben niet in een sloot gereden.'

'Jazeker wel. En ik wil weten waarom.' Hij boog zich naar Knox toe met een bijna gretige blik in zijn ogen. 'Er is iets bij Petersons opgraving, niet?'

Knox aarzelde. Onder andere omstandigheden zou hij Faroeks onhandige poging hem zichzelf dieper in de nesten te laten werken genegeerd hebben, maar Gaille verkeerde in gevaar en had zijn hulp nodig. En de sleutel van haar boodschap lag in het mozaïek op Petersons opgraving. 'Ja,' zei hij. 'Er is daar inderdaad iets.'

'Ik wist het wel!' jubelde Faroek, zijn vuist ballend. 'Ik wist het! Wat dan?'

'Een ondergronds netwerk. Vertrekken, gangen, catacomben.'

'En daarom bent u met Omar in die sloot gereden, nietwaar?'

'Ik heb Omar helemaal niet in een sloot gereden.'

'Ja, ja,' schamperde Faroek. Hij pakte zijn pen. 'Goed. Vertel me hoe ik ze moet vinden. Geloof me, het zal veel beter voor u zijn als u meewerkt.'

'Ik zal het nog beter met u maken,' zei Knox met alle zelfvertrouwen dat hij kon opbrengen. 'Als u me er naartoe brengt, zal ik het u laten zien.'

II

Augustin kwam niet ver in het politiebureau. Knox mocht geen bezoek ontvangen, ook niet na een aanbod van baksjisj. Hij werd op dat moment kennelijk verhoord. Kom over een uur maar eens terug. Woedend en gefrustreerd liep hij weer naar buiten. Hij voelde de behoefte iets te doen, te helpen, op welke manier dan ook. Een helderblauwe hemel waarin de zon nog te laag stond om veel warmte te geven. Hij wreef over zijn wangen, masseerde zijn slapen. Zijn hersenen werkten traag en wazig.

Het gebeurde wel eens dat hij halverwege een gesprek plotseling zonder enige reden met een ietwat dikke tong begon te spreken. Dan hield hij onmiddellijk zijn mond en beperkte zich tot wat knikjes en onduidelijk gegrom. Veel mensen vonden hem onbeschoft.

Misschien zou Kostas iets weten. Knox was tenslotte in zijn appartement gearresteerd. Hij pakte zijn motor, raasde door het ochtendverkeer, parkeerde in een nauw steegje, haastte zich het trapje op. De bejaarde Griek trok een gezicht toen hij hem zag en zijn whiskykegel rook.

'Van gisteravond,' gromde Augustin toen hij naar binnen liep.

'Dat zal wel.'

'Heb je het gehoord van Knox?'

Kostas knikte. 'Ze kwamen hem hier arresteren, weet je,' zei hij met trillende handen en tranende ogen. 'Het was vreselijk. Klopt het wat ze over Omar zeggen?'

'Dat hij dood is wel, ja. Dat Knox daar verantwoordelijk voor is, niet. Luister, ik heb weinig tijd. Ik moet weten waar jij en Knox over gepraat hebben.'

'Over van alles. De Therapeutae. De Carpocratinianen.'

'De Carpocratinianen?' In Augustins achterhoofd begon iets te rinkelen. 'Wat dan?'

'Onder andere dat ze zich aan elkaar bekendmaakten door iets op hun rechteroorlelletje te tatoeëren.'

'Ah!'

'Precies. Zo reageerde Knox ook. Hij vroeg me wat voor reden bijbelse archeologen konden hebben om daar achteraan te gaan. Op dat moment kwam de politie. Maar ik geloof dat ik het antwoord gevonden heb.'

'En?'

'Het waren echte estheten, de Carpocratinianen. Ze bewonderden de wijsbegeerte van mensen als Plato, Aristoteles en Pythagoras niet alleen, ze versierden hun tempels ook met hun portretten en bustes.'

'En?' vroeg Augustin fronsend. 'Waarom zouden bijbelse archeologen geïnteresseerd zijn in een buste van Aristoteles?'

'O nee,' grinnikte Kostas. 'Je begrijpt me verkeerd. Geen buste. Een schilderij. En niet Plato of Pythagoras.'

'Wie dan wel?'

'Volgens onze bronnen waren de Carpocratinianen in het bezit van het enige portret dat ooit gemaakt is van onze Heer en Verlosser Jezus Christus.'

III

'Kun je ons iets over hem vertellen?' vroeg Lily.

'Over wie?' vroeg Gaille.

'Die vriend van je. Daniel Knox, niet? De man die ons gaat redden.'

'O, die,' zei Gaille.

'Inderdaad,' zei Lily, droogjes. 'Die.'

Gaille veegde het haar van haar voorhoofd naar achter en hield het in een staart vast. 'Het is gewoon iemand met wie ik werk, meer niet. Maar hij heeft er slag van dingen te laten gebeuren.'

'Slag,' zei Stafford. 'O, prima.'

'Beter kan ik het niet uitleggen. Maar als iémand ons kan vinden is hij het.'

'Zijn jullie…?' vroeg Lily.

'Nee.' Ze hoorde zelf hoe onaannemelijk dat klonk, dus voegde ze eraan toe: 'Het ligt ingewikkeld. We hebben het nodige meegemaakt.'

'Alsjeblieft, Gaille.'

Ze zuchtte. 'In mijn jeugd betekende mijn vader heel veel voor me. Alles. Het enige wat ik wilde was het hem naar de zin maken. Ik werd egyptologe omdat hij dat ook was, omdat ik dan samen met hem naar opgravingen kon gaan. Zo kwam ik voor het eerst in Amarna terecht, hoewel ik in die tijd nog op school zat. Daarna begon hij een nieuwe opgraving in Mallawi, hier recht tegenover aan de overkant van de rivier. Ik zou zijn assistente zijn. Maar op het laatste moment stelde hij alles uit, zodat ze pas begonnen toen ik weer naar school moest en niet mee kon. Daarna ontdekte ik dat hij deze Daniel Knox meegenomen had in mijn plaats.' Ze haalde diep adem. 'Mijn vader was namelijk, ik bedoel, hij viel op mannen, niet op vrouwen.'

'Ah.'

'Dus vatte ik het helemaal verkeerd op. Ik dacht dat hij mij afgescheept had omdat hij voor Knox gevallen was, of liever dat Knox op een slinkse manier zijn genegenheid opgewekt had, snap je. Maar zo bleek het helemaal niet te zijn. Om te beginnen is Knox niet zo. Mijn vader heeft wel honderd keer geprobeerd dat uit te leggen, maar toen wilde ik al niks meer met hem te maken hebben. Ik weigerde naar hem te luisteren.

Kwaad zijn was een te fijn gevoel, snap je? Het leek gerechtváárdigd. Maar de tijd ging voorbij en ik groeide op en werd verstandiger. Ik begon te beseffen hoe vreselijk ik mijn vader miste. En net toen ik klaar was om mijn trots in te slikken en het weer goed te maken, kreeg ik een brief. Een ongeluk. Tijdens het klimmen.'

'O, Gaille,' zei Lily. 'Wat erg.'

'Het zou me niets hebben moeten doen. Hij was tenslotte al jaren uit mijn leven verdwenen. Maar het was totaal anders. Ik was er helemaal stuk van. Ik deed alle stomme dingen die je verwacht. Ik sliep met iedereen. Ik sliep met niemand. Ik dronk. Ik gebruikte drugs. Het duurde een eeuwigheid voor ik weer een beetje normaal werd. En mijn woede was een van de dingen die me eroverheen hielp. En ik was niet kwaad op mijn vader, maar op Knox. Mijn vader assisteren was namelijk altijd míjn werk geweest. Ik had tijdens die klimtocht bij hem moeten zijn. Ik zou hem gered hebben. Daar vloeide logisch uit voort dat Knox hem vermoord had. Hij gaf me een mogelijkheid om iemand de schuld te geven, snap je, zodat ik mezelf niet de schuld hoefde te geven. God, wat haatte ik die man.' Ze schudde meewarig haar hoofd, alsof ze moeite had om te geloven hoe heftig haar emotie geweest was. 'Ik bedoel, ik haatte hem écht.'

'Maar nu duidelijk niet meer,' zei Lily. 'Wat gebeurde er?'

Gaille was verrast door haar vraag. Ze moest er even over nadenken. Toen ze besefte wat de reden was, moest ze hardop lachen. 'Ik leerde hem kennen,' zei ze.

34

Faroek hield Knox stevig bij de schouder toen hij hem door het bureau loodste – meer om iedereen te laten zien wie de lakens uitdeelde dan uit angst dat hij zou vluchten. Samen kropen ze op de achterbank van de politiewagen. Hosni ging achter het stuur zitten. Knox staarde uit het raampje toen ze Alexandrië uitreden, eerst naar het westen en vervolgens in oostelijke richting via de laag gelegen weg het meer van Mariut over. Hij had gehoopt dat de rit zijn geheugen zou opfrissen, maar er kwam niets. Hij werd steeds ongeruster. Faroek was geen man om mee te spotten. Het leek alsof Faroek, naast hem, zijn gedachten kon lezen, want hij sloeg zijn armen voor zijn borst en keek uit het andere raampje, alsof hij zich al bij voorbaat van Knox distantieerde en zich opmaakte om hem de schuld te geven als dit uitstapje op een fiasco uitdraaide.

Ze sloegen een pad in en staken een irrigatiekanaal over. Twee geüniformeerde bewakers speelden triktrak. Een huivering van déjà vu, die alweer verdwenen was voordat hij zich er goed en wel van bewust werd. Een bewaker vroeg hoe ze heetten en waarvoor ze kwamen, telefoneerde met iemand, liet hen doorrijden. Ze hotsten over een pad en een kleine verhoging in het terrein, daalden aan de andere kant af naar de kantoren en parkeerden naast een witte pick-up.

Faroek pakte Knox bij zijn kraag alsof hij een ongehoorzame hond was en trok hem van de achterbank. 'En?' vroeg hij.

Verscheidene jonge opgravers verschenen boven op een heuvel en grinnikten spottend om de ruwe manier waarop Faroek Knox behandelde. Op dat moment liep er een man met een boordje van de heuvel naar beneden en werden alle gezichten weer ernstig, alsof vermaak frivool was en frivoliteit een zonde. Peterson. Dat kon niet anders. Hij had dezelfde bouw als de man die Knox van het balkon gegooid had, maar er was geen manier om daar zeker van te zijn.

Hij liep met grote stappen naar hen toe en bekeek Knox met onverholen minachting maar niet zichtbaar nerveus van top tot teen. 'Inspecteur,' zei hij. 'U weer.'

'Inderdaad,' beaamde Faroek. 'Ik weer.'

'Waarom bent u teruggekomen?'

Faroek keek naar Knox. 'Herinnert u zich de heer Daniel Knox?'

'Ik heb zijn leven gered. Denkt u dat ik zoiets licht zou vergeten?'

'Volgens hem hebt u hier iets gevonden. Ondergrondse oudheden.'

'Dat is belachelijk. Als dat zo was, zou ik het weten.'

'Inderdaad,' zei Faroek. 'Dan zou u dat weten.'

'Dit is de man die Omar Tawfiq vermoord heeft,' brieste Peterson. 'Hij zal alles zeggen om de schuld op iemand anders te schuiven.'

'Zijn beweringen kunnen makkelijk bewezen of ontzenuwd worden. Tenzij u daar een probleem mee hebt.'

'Alleen maar dat het ieders tijd verspilt, inspecteur.'

'Goed.' Hij wendde zich tot Knox. 'En?'

Knox had gehoopt dat zijn geheugen door hier terug te komen opgefrist zou worden, maar frustrerend genoeg gebeurde er niets. Hopend op een ingeving keek hij om zich heen. De schoorstenen van een krachtcentrale. Een groepje industriële gebouwen. Twee mannen die met een graafmachine pijpen legde. De halve boog van archeologen die hun hamers en houwelen als wapens in hun handen hielden. Ze herinnerden hem aan een onweerlegbare waarheid: dat hier ondergrondse oudheden lagen. Deze mensen waren er ongezien naartoe gegaan en vandaan gekomen. Misschien hadden ze gewacht tot na het donker, maar... Zijn ogen gingen naar het kantoor, de aanbouw van zeildoek. Konden ze daar iets onder verborgen hebben? Maar op zijn foto's was de schacht in de open lucht, dus tenzij ze het kantoor gisteren verplaatst hadden... en dat hadden ze niet. Dat kon hij zien aan het kapotgereden weggetje en deze parkeerplek, om nog maar niet te spreken van de voetpaden die hier...

De voetpaden. Ja!

Als ze er dag in, dag uit naartoe liepen, moesten ze intussen een zichtbaar pad uitgesleten hebben. Hij keek om zich heen. Overal liepen voetpaden.

'En?' vroeg Faroek met demonstratief gevouwen armen. Zijn geduld was bijna op.

Een huiveringwekkende herinnering. Donker, rennen, bonkend hart, met een klap tegen een omheining van harmonicagaas botsen. Links van hem zag hij zo'n omheining om het terrein van het krachtstation, met een smal voetpad dat er naartoe leidde. Het was dit of niets. Hij knikte in die richting. 'Deze kant uit,' zei hij.

II

Augustin liep ietwat verdwaasd de trappen van Kostas' flatgebouw af. *Een portret van Jezus Christus.* Dus dat gepreek van Peterson was niet symbolisch bedoeld. Hij was een echte schat op het spoor. Hij stapte op zijn motor, duwde hem van de standaard met de bedoeling terug te gaan naar het politiebureau. Toen schoot het hem eindelijk te binnen waarom de Carpocratinianen hem zo bekend voorkwamen. Hij zette zijn motor weer op de standaard en beende kwaad naar binnen. 'Het geheime evangelie van Marcus!' riep hij toen Kostas zijn voordeur opendeed. 'Waarom zei je niks over het geheime evangelie van Marcus?'

'Omdat dat niet bestaat,' antwoordde Kostas.

'Wat is dat voor klets? Hoe kan ik er dan van gehoord hebben?'

'Je hebt ook van eenhoorns gehoord, niet?'

'Dat is niet hetzelfde.'

'Dat is exáct hetzelfde,' zei Kostas. 'Het geheime evangelie is een fantasie, een uit hebzucht en boosaardigheid ontsproten verzinsel. Het heeft nooit bestaan en kan hier onmogelijk iets mee te maken hebben.'

'Dat weet je niet. Dat kun je niet met zekerheid zeggen.'

'Ik heb mijn hele leven aan de waarheid gewijd,' zei Kostas kwaad. 'Vervalsingen zijn een woekerend kwaad. Zelfs erover praten, al is het maar om ze te verwerpen, geeft ze een recht van bestaan dat ze niet verdienen.'

'Toch had je het moeten zeggen,' zei Augustin. 'Onze vriend is in moeilijkheden en ik moet alles weten.'

Kostas bleef nog even kwaad, maar toen ging hij met een zucht door de knieën. 'Goed dan,' zei hij, Augustin opnieuw voorgaand naar zijn bibliotheek. 'Hoeveel weet je al?'

'Niet veel,' zei Augustin schouderophalend. 'Een paar jaar geleden was hier een Amerikaanse vrouw die onderzoek deed voor een boek over de evangelisten. Maria heette ze, geloof ik.'

'O ja,' zei Kostas knikkend. 'Die herinner ik me. Waren jullie niet…?'

'We zijn een paar keer samen uit geweest,' zei Augustin. 'Ze vertelde me dat Marcus in werkelijkheid twee evangelies geschreven had, een voor de domme massa en een voor zijn intieme kring. Dat tweede heette "Het geheime evangelie van Marcus" en bevatte esoterische en controversiële leerstellingen en had iets met de Carpocratinianen te maken. Meer weet ik niet.'

Kostas zuchtte. 'Om te beginnen heeft zo'n evangelie nooit bestaan.'

'Dat zeg jíj.'

'Inderdaad. Dat zeg ík. De reden dat jij erover gehoord hebt is dat er in de jaren vijftig van de vorige eeuw een jonge Amerikaanse academicus was, ene Morton Smith, die onderzoek deed in het klooster van Mar Saba. Hij beweerde een brief gevonden te hebben die geschreven was op de onbedrukte laatste pagina's van een zeventiende-eeuws boek over de brieven van St.-Ignatius. Op zichzelf is dat niet zo ongebruikelijk. Zoiets gebeurde vaak omdat papier schaars en duur was. Het enige probleem was dat deze brief, waar niemand ooit van gehoord had, zogenaamd geschreven was door Clementius van Alexandrië en allerlei controversiële opvattingen bevatte. Dat maakte het zo'n belangrijke vondst dat Morton Smiths naam meteen gevestigd was. Bovendien wilde een opmerkelijk toeval dat deze ontdekking een van zijn lievelingsideeën, waar verder bijster weinig bewijzen voor waren, bevestigde.'

'Dat kwam wel erg goed uit.'

'Hij schreef er twee boeken over,' zei Kostas met een knikje. 'Een voor het algemene publiek en een voor deskundigen.'

'Net als het evangelie van Marcus zelf.'

'Precies,' beaamde Kostas. 'Ongetwijfeld een van zijn fopperijtjes.'

'Fopperijtjes?'

Kostas trok een gezicht. 'Voor academische historici bestaat er een wereld van verschil tussen vervalsen en bedotten. Een fopperij is bedoeld om de zogenaamde experts te kijk te zetten als goedgelovige idioten, en normaal gesproken maakt de dader zich, zodra hij uitgelachen is, bekend. Maar een vervalsing is bedoeld om iedereen voor áltijd te bedriegen en de dader bovendien geld op te leveren. Het eerste is kwajongens-achtig en vreselijk irritant, maar het zorgt er in ieder geval voor dat iedereen blijft opletten. Het tweede is onvergeeflijk. Dat stelt iemand die zo'n grap wil uithalen voor een groot probleem. Stel je voor dat zijn fopperij door iemand anders ontmaskerd wordt voordat hij het zelf kan doen en hij dus als vervalser aan de kaak gesteld wordt. Dan kan hij zijn carrière vergeten en loopt hij zelfs kans de gevangenis in te draaien. Daarom bouwen ze vaak op voorhand tegenmaatregelen in, bijvoorbeeld iemand die ze in vertrouwen vertellen wat ze gaan doen en instructies geven om de waarheid op een vastgestelde datum te onthullen. Of ze verweven aanwijzingen in hun werk. Een soort anachronisme bijvoorbeeld, zoals de Romeinse soldaat met een polshorloge in de film. Alleen niet zo duidelijk, natuurlijk. Maar je begrijpt wat ik bedoel.'

Augustin knikte. 'Dus wat je wilt zeggen is dat het, als je een vervalsing wilt maken maar bang bent om tegen de lamp te lopen, een goed idee is om een paar van die aanwijzingen in je boeken te verwerken zodat je het, als ze inderdaad doorzien worden, kunt afdoen als een grapje.'

'Inderdaad. En dat is precies wat Morton Smith deed. Hij gebruikte bijvoorbeeld een vergelijking over zout die alleen maar opgaat voor het zout van nu, niet voor het rotskristal van de tijd van Clementius. En Morton is tenslotte het beroemdste zoutmerk ter wereld.'

'Dat lijkt me tamelijk vergezocht.'

'Inderdaad, maar vergeet niet dat hij niet echt ontmaskerd wílde worden. Hij wilde alleen maar een alibi voor het geval dat toch gebeurde.'

'En gebeurde het?'

Kostas haalde zijn schouders op. 'De meeste academici deden de brief meteen af als een vervalsing, maar ze waren of te aardig of te laf om met een beschuldigende vinger naar Morton Smith te wijzen. Ze beweerden dat het hoogstwaarschijnlijk een zeventiende- of achttiende-eeuwse falsificatie was, hoewel je je natuurlijk afvraagt waarom iemand in die tijd zo'n vervalsing maakte en het boek gewoon weer op de plank zette… Maar goed, zelfs dat is niet langer houdbaar. De hele brief is met moderne technieken geanalyseerd. Handschrift, woordgebruik, stijl. Niets ervan klopt, dus er is maar één mogelijkheid. Het is een moderne vervalsing en Morton Smith is de dader.'

Bittere ondervinding had Augustin geleerd dat er telkens wanneer een academische controverse opgelost lijkt te zijn, wel weer een nieuwe stukje bewijs opduikt om haar weer aan te slingeren, maar hij hield zijn gezicht in de plooi. Hij moest Kostas op zijn praatstoel houden. 'Prima,' zei hij. 'Die brief is een verachtelijk stukje zwendel. Maar wat staat er precies in?'

35

Knox had zich zelden zo alleen gevoeld als toen hij over dat voetpad liep. De collectieve antipathie van Faroek, Peterson en alle jonge archeologen was tastbaar, maar hij spande zich niettemin in een zelfverzekerde indruk te maken. Al lopend speurde hij de grond af in de hoop iets te vinden, wat dan ook. Maar toen hij bij de omheining kwam, had hij nog steeds niets gezien. 'Het is hier,' zei hij. 'Het is ergens hier.'

Faroek keek hem woedend aan. 'Ergens hier?'

Knox knikte naar het zuiden. 'Een stukje die kant uit.'

'Ik heb hier genoeg van.'

'Het is waar. Ik heb foto's.'

'Foto's?' hapte Faroek meteen. 'Waarom hebt u dat niet eerder gezegd?'

'Ze zijn verdwenen,' moest Knox toegeven.

'Natuurlijk!' schamperde Faroek. 'Allicht zijn ze verdomme verdwenen!'

'Augustin heeft ze gezien.'

'En hem moet ik geloven, ja?'

'Ik zweer het. Mijn vriendin Gaille heeft ze me per e-mail toegestuurd.'

'Uw vriendin die gegijzeld is, bedoelt u? Dat komt wel erg goed uit!'

'Maar ze staan nog steeds op haar computer,' zei Knox. 'En die is niet gegijzeld. Bel Hermopolis en zeg dat ze een kijkje gaan nemen.'

'Ik heb een beter idee,' snierde Faroek. 'Ik zal u op de trein zetten, zodat u ze zelf kunt gaan ophalen.'

'U moet naar me luisteren. Ze heeft…'

De stomp trof hem hoog op zijn wang. Speeksel sproeide uit zijn mond toen hij struikelend tegen de omheining viel. 'Ik moet luisteren, ja?' schreeuwde Faroek, Knox bij zijn haar pakkend en hem woedend terug sleurend naar de auto, gemeen trekkend en draaiend om zeker te weten dat het zeer deed.

'Is dat alles, agent?' riep Peterson achter hen. 'Of moet ik u morgen opnieuw verwachten? Als u me op tijd laat weten wanneer ik u kan verwachten kan ik de thee klaar hebben staan.'

Het bloed steeg naar Faroeks gezicht, maar hij draaide zich niet om. Hij propte Knox met onnodig veel geweld terug op de achterbank. 'Doet u uw bést om me voor joker te zetten?' siste hij toen Hosni wegreed. 'Is dat de bedoeling?'

'Ik spreek de waarheid. Er is daar iets.'

'Er is daar niets!' schreeuwde Faroek. 'Niets! Hoort u me?'

In ziedend stilzwijgen hotsten ze de opgraving af, terug naar de smalle zandpaden en de weg door het meer van Mariut. Knox zat diep in de put. Zijn toekomst leek onuitsprekelijk somber. Faroek was een onverzoenlijke vijand geworden. Over een klein half uur zou hij weer in zijn cel opgesloten worden, niet in staat om Gaille te helpen. En wie kon zeggen wanneer hij weer vrij zou komen?

Een harde klap op de weg voor hen, het gieren van slippende banden. Getoeter. Het verkeerde minderde vaart. 'Wat nu weer?' snauwde Faroek toen Hosni op de rem trapte.

'Een of andere idiote vrachtwagenchauffeur.'

Het tegemoetkomende verkeer aan de andere kant van de tussenberm minderde vaart om te kijken. Een zwart met gouden motor stopte bij de lage vangrail, brommend als een hommel. Er zaten twee in zwart leer geklede mannen op, allebei met een helm op hun hoofd. De achterste man tikte de voorste op zijn schouder en wees naar Knox op de achterbank van de politiewagen. Hij ritste zijn jack open en stak zijn hand eronder.

Een plotselinge herinnering aan de avond daarvoor, aan Faroek die hem waarschuwde voor Omars familie, dat ze hem verantwoordelijk achtten voor Omars dood, hun voornemens en macht. Dit was een perfecte plek voor een hinderlaag. Hij reageerde instinctief, gooide het portier van de nog rijdende auto open en sprong naar buiten. Hij sloeg met een klap tegen het asfalt, tuimelde tegen de lage vangrail, krabbelde duizelig overeind.

Aan de andere kant voegde de motor zich weer in het verkeer en reed weg zonder dat de berijders iets gedaan hadden. Loos alarm. De politiewagen kwam iets verderop met piepende banden tot stilstand. Een razende Faroek sprong er met getrokken pistool uit. Knox stak zijn handen omhoog, maar Faroek bracht zijn wapen toch omhoog, mikte, zette zich schrap om te vuren. Knox draaide zich om, sprong over de vangrail heen, danste tussen de beschermende auto's door naar de overkant en liet zich van het talud glijden. Hij kwam terecht tussen twee geschrokken vissers, die hun hengels pakten en de benen namen. Een helling van scherpe natte rotsen liep het meer in, dat door de weerspiegeling onmogelijk ondiep leek. Achter hem klonk een schot. Hij haalde diep adem en dook in een wolk van luchtbelletjes het donkere water van het meer in.

II

Kostas pakte een groot boek van een plank, bevochtigde duim en wijsvinger, keek in de index en bladerde naar de foto's van de originele brief in met de hand geschreven Grieks. 'Vergeet niet dat dit een vervalsing is,' zei hij waarschuwend. 'Een verachtelijke vervalsing met als enige bedoeling één man ten koste van de waarheid rijk en beroemd te maken.'

'Laat nou maar gewoon horen.'

'Goed.' Hij zette zijn leesbril op en tuurde naar de foto, elke zin zacht mompelend voorlezend tot hij een geschikte vertaling had voor Augustin.

Aan Theodorus,
Ik raad je aan die Carpocratinianen tot zwijgen te brengen. Zij zijn
degenen die in de profetieën genoemd worden, die van het smalle
pad der geboden in afgronden van wellust gevallen zijn. Ze pochen
dat ze de geheimen van Satan kennen, maar beseffen niet eens dat
ze zichzelf vergooien. Ze beweren vrij te zijn, maar in werkelijkheid
zijn ze slaven van hun eigen begeerten. Ze moeten volstrekt
bestreden worden. Geef hen geen gelijk, zelfs niet als ze iets waars
zeggen, want niet alles wat waar is is waarheid en menselijke
waarheid mag niet verheven worden boven de waarheid des
geloofs.

Kostas keek op. 'Daarna erkent Clementius het bestaan van "geheime" geschriften. Dan schrijft hij:

> *Daarom schreef Marcus een tweede evangelie voor hen die*
> *vervolmaakt worden. Niet om de geheimen of de heilige leer des*
> *Heren te onthullen, maar alleen om nieuwe verhalen toe te voegen*
> *aan wat al geschreven was en ze aan te vullen met bepaalde*
> *gezegden om zijn toehoorders het binnenste heiligdom der*
> *waarheid binnen te leiden.'*

Augustin glimlachte. 'Het binnenste heiligdom der waarheid!'

'De Carpocratinianen slaagden er kennelijk in een ongelukkige priester op slinkse wijze een kopie van dit zogenaamde geheime evangelie te ontfutselen. Vervolgens haalt Clementius een paar van de aanstootgevendste passages aan – wat absurd is als je er even over nadenkt – die de reden zijn dat het hele ding zo controversieel wordt. Maar eerst moet je iets van de achtergrond weten. Ben je bekend met de lacune in hoofdstuk tien van het evangelie van Marcus, tussen vers vier- en vijfendertig?'

'Zie ik eruit als een bijbelkenner?'

'Goed, daar staat: "En hij kwam naar Bethanië. En daarna vertrokken zij uit Bethanië." Zie je het probleem?'

'Er gebeurt niks.'

'En om onverklaarbare redenen springt de tekst over van "hij" naar "zij". De geleerden vragen zich al heel lang af of een overijverige kerkelijke redacteur hier geen problematische passage verwijderd heeft, ongetwijfeld de reden dat Morton Smith er gebruik van maakte. Dit is zijn versie.

> *Zij kwamen in Bethanië, en daar was een vrouw wier broeder*
> *gestorven was. Zij viel neder aan Jezus' voeten en sprak: "Zoon van*
> *David, wees mij genadig." Maar zijn discipelen...'*

'Wat zei je?' onderbrak Augustin hem. 'Zei je zojuist "Zoon van David, wees mij genadig"?'

Kostas fronste zijn wenkbrauwen, verbaasd over Augustins plotselinge heftigheid. 'Ja. Waarom?'

Augustin schudde zijn hoofd. Hij had dezelfde woorden op een van Gailles foto's zien staan. 'Neem me niet kwalijk,' zei hij. 'Ga alsjeblieft door.'

Kostas knikte en las verder.

'Maar zijn discipelen tuchtigden haar, en Jezus was vertoornd en kwam met haar tot het graf waar de jongeling begraven lag. Hij stak een hand uit en hief hem op met zijn hand. Maar de jongeling keek in zijn aangezicht en had hem lief en smeekte hem met hem mede te gaan. En zij kwamen tot het huis van de jongeling, die rijk was. En na zes dagen onderrichtte Jezus de jongeling, en die nacht kwam hij tot hem, slechts een linnen wade over zijn naakte lichaam dragende. En zij bleven bij elkander en Jezus onderrichtte hem in het mysterie van het koninkrijk Gods. En daarna ging hij naar de overzijde der Jordaan.'

'Goeie God,' mompelde Augustin. 'Linnen waden, naakte lichamen, nachtelijke logeerpartijen. Heel normaal bij een Griekse initiatie in een mysterie, een van de ergste nachtmerries voor een homofobe christelijke fundamentalist.'

'Dus je begrijpt wel waarom het zo'n controverse tot gevolg had,' zei Kostas. 'Maar zoals ik al zei, is het niets meer dan een gemene vervalsing. Het is onmogelijk dat het iets met die antieke opgraving van jullie te maken heeft.'

'Misschien niet,' gaf Augustin toe. *Maar als Peterson dat nu eens niet wist?*

36

Faroek rende tussen de auto's door, sprong op de dam door het meer en was precies op tijd om Knox' slanke, donkere schaduw onder het oppervlak te zien verdwijnen. Hij verloor hem meteen uit het zicht vanwege het spiegelende zonlicht op het water en het ondoorzichtige schuim, zodat hij hem alleen maar kon volgen aan de hand van het afnemende spoor van luchtbellen. Hij richtte zijn pistool, gespannen wachtend tot Knox weer boven water kwam.

'Wat moest dat verdomme voorstellen?' vroeg Hosni, die naast hem kwam staan.

'Wat dacht je?'

'Hij raakte ergens door in paniek,' zei Hosni.

'Helemaal niet,' beet Faroek terug. 'Hij nam gewoon de benen.'

'Het kwam door die twee lui op de motor. Die joegen hem doodsangst aan.' Hij keek Faroek onderzoekend aan. 'Je hebt hem toch niet weer zo'n gangsterverhaal aan de neus gehangen, wel?'

'Hou je mond.'

'Wel dus!' schaterde Hosni. 'Je hebt gezegd dat Omar connecties had! Geen wonder dat hij ervandoor ging!'

Faroek wendde zich woedend tot zijn collega. 'Ik zeg dit maar één keer. Als er ook maar één woord van die lulkoek bekend wordt, castreer ik je, begrepen?'

'Jawel inspecteur,' zei Hosni, plotseling heel serieus.

'Goed.' Alle verkeer was tot stilstand gekomen. Faroek voelde ogen in zijn rug, hoorde gemompel, gegrinnik. Zijn wangen gloeiden. *Dit zou hem zijn hele leven blijven achtervolgen!* Hij had een intense behoefte dit op iemand te verhalen, ongeacht wie. Zijn vinger jeukte aan de trekker, maar Knox was nog steeds onder water. Die man had de longen van een walvis.

'Kijk!' riep Hosni, naar het meer wijzend. 'Daar is hij!'

II

Kapitein Chaled Osman had niet vergeten het opsporingsteam in Assiut meteen die morgen op te bellen. Hij had met een hoge functionaris gesproken en hem verteld dat hij het nieuws op de tv gezien had en dat Stafford en zijn ploeg precies de dag daarvoor in Amarna gefilmd hadden. De man was volstrekt ongeïnteresseerd en wilde zijn onderzoek duidelijk op Assiut concentreren. Maar hij had beloofd een paar auto's te sturen en verklaringen af te nemen. Nu waren ze hier. 'Vreselijk,' zei Chaled, de mannen een voor een begroetend en triest met zijn hoofd schuddend. 'Echt afschuwelijk. Zeg maar wat we kunnen doen om jullie te helpen. Alles wat we kunnen doen, u hoeft het maar te vragen.'

'Dat is erg vriendelijk van u.'

'Helemaal niet. Dit soort gedoe maakt me misselijk.'

'We zullen de plaats moeten zien waar ze geweest zijn. Met iedereen moeten praten die ze gezien heeft.'

'Natuurlijk,' zei Chaled. 'U kunt deze ruimte als verhoorvertrek gebruiken. En ik zal u persoonlijk naar Amarna brengen. Langs precies dezelfde route.' Hij keek omhoog. Een bewolkte hemel, een koude wind. Er zat een van Amarna's zeldzame maar zware onweren aan te komen. Hij wenkte Nasser. 'Ik ga naar Amarna met deze politiemensen,' zei hij. 'Laat niemand binnen tot we klaar zijn. Niemand. Begrepen? We kunnen geen souvenirjagers gebruiken die alle sporen uitwissen. Nietwaar, heren?'

'Inderdaad,' knikte een van de mannen.

Chaled ging op de achterbank van de voorste auto zitten en wees welke richting ze uit moesten rijden. 'Nog vorderingen?'

De chauffeur schudde zijn hoofd. 'Niet veel. Ze schijnen zich gedeisd te houden.' Hij stiet een droog lachje uit. 'Ze kunnen onmogelijk verwacht hebben in wat voor wespennest ze zich zouden steken.'

'Is het zo erg?' vroeg Chaled, terwijl de eerste regendruppels op het dak en de motorkap tikten.

'Ik heb nog nooit zoiets meegemaakt. Assiut is gewoon een zee van uniformen. We gaan op het moment van deur tot deur en hebben al een paar heethoofden gearresteerd. Die hebben ons een paar namen gegeven. Je weet hoe dat gaat. Geloof maar rustig dat we die gegijzelden binnen een week heelhuids terug hebben.'

Chaled knikte ernstig. 'Dat doet me genoegen,' zei hij.

III

Knox snakte hijgend naar adem toen hij het schot hoorde en het water links van zich zag opspuiten. Zijn borst deed zeer waar hij bij zijn duik langs een scherpe steen geschampt was. Zijn ogen brandden van het bijtende, vervuilde water, zodat hij amper iets zag.

Hij was maar een paar honderd meter van de oever, waar bosjes riet groeiden waar hij zich in kon verschuilen. De zuidelijke oever kon hij niet zien, maar hij wist dat het meer ruim twee kilometer breed was.

Opnieuw een schot en opspuitend water. Hij kon niet meer wachten en dook weer onder water. Het meer was ondiep, op sommige plaatsen maar enkele meters. De bodem was bezaaid met puin, overblijfselen van de verdronken pieren die er in de loop der millennia in aangelegd waren. Hij pakte een steen, haalde diep adem en hield de steen tegen zijn borst om hem te helpen onder water te blijven.

Faroek zou zeker verwachten dat hij naar de noordelijke oever zou zwemmen, maar het terrein daar was zo open en kaal dat hij blij mocht zijn als hij zelfs maar een uur uit hun klauwen kon blijven. En voorkomen dat hij weer opgepakt werd, was niet genoeg. Hij moest dat mozaïek vinden, zijn onschuld bewijzen, Gaille helpen. En de manier om dat te doen was naar het zuiden zwemmen, niet naar het noorden.

Hij oriënteerde zich op de zon, duwde de steen als een gewichtsriem onder zijn overhemd en zwom met soepele, gelijkmatige slagen naar het zuidwesten, om de halve minuut of zo boven komend om naar adem te happen.

37

Op het moment dat Augustin op zijn motor klom ging zijn telefoon. 'Dr. Augustin Pascal?' vroeg een mannenstem.

'Spreekt u mee,' zei Augustin. 'Wie bent u?'

'Mijn naam is Mohammed en ik zat gisteravond samen met een vriend van u in een politiecel. Ene Daniel Knox.'

'Vroeg hij u om me op te bellen?'

'Ja. Hij wilde dat ik u een boodschap gaf over uw vriendin, de vrouw Gaille die gegijzeld is.'

'Wat voor boodschap?'

'Hij was erg van streek toen hij haar zag. Ik vroeg hem hoe ik hem van dienst kon zijn en vanochtend gaf hij me, voordat hij met inspecteur Faroek naar Borg el-Arab ging, dit nummer.'

'Wat voor boodschap?' vroeg Augustin.

'Ik zou eerder gebeld hebben, maar ze hebben me nu pas vrijgelaten. Het is een gekkenhuis hier. Het hele korps is op weg naar…'

'Geef me godverdomme de boodschap!' schreeuwde Augustin.

'Oké, oké.' Hij haalde diep adem, alsof hij zich woordelijk probeerde te herinneren wat hij moest zeggen. 'Uw vriendin Gaille zat kennelijk in precies dezelfde houding als de figuur in het mozaïek. Exact dezelfde houding. Meneer Daniel zei dat u wel zou begrijpen wat dat betekende.'

Augustins huid tintelde. *Natuurlijk!* Hoe had hij dat kunnen missen? 'Waar is Knox nu?' vroeg hij. 'Ik moet hem nodig spreken.'

'Dat probeerde ik u zojuist te vertellen,' zei de man. 'Hij ging samen met Faroek naar Borg in de hoop dat mozaïek te vinden. Maar ze vonden kennelijk niets en nu is hij ervandoor.'

'Wát?'

'Ik zou niet graag in zijn schoenen staan. Voor geen geld. Die Faroek is een doortrapte rotzak. Hij heeft de pest aan mensen die hem te slim af zijn.'

'Inderdaad,' zei Augustin wrang. 'En bedankt.' Hij hing op en bleef even op zijn motor zitten, nadenkend over de beste manier om te helpen.

Zijn eerste gedachte was Knox gaan zoeken, maar dat zou niet meevallen in zijn eentje, vooral niet omdat de politie ook jacht op hem maakte. En Knox kennende zou hij willen dat hij achter dat mozaïek aanging, want dat was de manier om Gaille te helpen. De enige vraag was hoe.

II

Doornat en uitgeput hees Knox zich op de rotsachtige zuidelijke oever van het meer van Mariut. Zich zo klein mogelijk makend haastte hij zich over de kale rotsen omhoog naar de schaduw van een van de duiventillen van de bedoeïenen waar het land vol mee stond en die op gigantische, met teer bestreken klokken leken.

Hij was aan het eind van zijn krachten na zijn lange zwemtocht, maar had geen tijd om uit te rusten. Zijn paniekerige vlucht zou de laatste twijfel in Faroeks geest over zijn schuld zeker weggevaagd hebben. Bovendien had hij de man vernederd. Hij had ongetwijfeld rond gebazuind dat er een moordenaar ontsnapt was, en Egyptische politiemannen droegen hun pistool niet voor de sier. Ze zouden meteen het vuur openen. En als hij zich overgaf, zouden ze hem alleen maar met hun knuppels bewerken, en hij had al pijn genoeg.

Hij schopte zijn schoenen van zijn voeten, trok zijn overhemd en broek uit en legde alles tegen de gloeiendhete buitenkant van de duiventil. De katoenen stof begon meteen te stomen. Toen de kleren aan één kant redelijk droog waren, keerde hij ze om.

Gewaarschuwd door een zesde zintuig keek hij om. Een kleine honderd meter achter hem leunde een grijze bedoeïen op zijn staf en sloeg hem nieuwsgierig gade. Niet bijster geschrokken haalde Knox zijn schouders op. Geen enkele zichzelf respecterende bedoeïen zou vrijwillig naar de politie gaan. Maar hij moest nodig verder.

Zijn kleren waren intussen droog genoeg om weer aan te trekken. De twee schoorstenen van de krachtcentrale vormden een obsceen gebaar tegen de westelijke horizon. Petersons opgraving lag erachter. Met een knikje naar de herder zette hij het op een sukkeldrafje.

III

Lily was de eerste die het geluid hoorde. 'Wat was dat?' vroeg ze.

'Wat was wat?' vroeg Stafford.

'Ik weet het niet. Het was net alsof er iemand… klopte.'

Samen luisterden ze. Nu hoorde Gaille het ook. Ongeveer om de vier seconden. Een zacht klopje ergens hoog boven hen. 'Hallo!' riep Lily. 'Is daar iemand?' Ze zweeg en de echo's stierven weg. Daar was het weer, in precies hetzelfde tempo.

'Er drupt iets,' zei Lily.

'Inderdaad,' zei Stafford.

'Luister,' zei Gaille slikkend . 'Ik wil jullie niet bang maken of zo, maar als dat druppels zijn, regent het buiten misschien.'

'Maar dit is de woestijn,' zei Lily.

'Toch regent het hier soms,' zei Gaille. 'Toen ik hier jaren geleden was, heb ik zelfs een onweer meegemaakt. Het is niet te geloven hoe erg die kunnen zijn. En in het plateau boven ons zit een scheur, weet je nog wel? Als het water een manier vindt om binnen te komen…'

'Dan loopt het allemaal hiernaartoe,' mompelde Stafford somber, Gailles zin afmakend.

'Maar als het alleen maar druppels zijn,' zei Lily.

'Tot dusver wel,' gaf Gaille haar gelijk. Maar precies op dat moment voegde een tweede drupgeluid zich bij het eerste, in een iets ander tempo. En een minuut later hoorden ze het eerste stroompje.

38

'Heb je dat draadloze vliegtuigje nog?' vroeg Augustin, onaangekondigd het ORA-kantoor van Mansoor binnen struinend.

'Ik ben in vergadering,' protesteerde Mansoor met een gebaar naar de drie mannen in stemmig zwart aan zijn tafel. 'Kan dit niet wachten?'

'Daar!' zei Augustin, toen hij de grote doos tegen de muur zag staan. Hij maakte hem open en keek erin. Een GWS Slowstick. Perfect. Het makkelijkst te bedienen. Hij controleerde onderdelen, vloeistof, afstandsbediening, batterijen en andere benodigdheden. Alles wat hij nodig had, zat erin.

'Het is niet van mij,' zei Mansoor protesterend. 'Het is van de Duitsers en erg waardevol. Ik kan niet toestaan dat je het zomaar meeneemt.'

Augustin hees de doos op zijn schouder en knikte naar de kostuums. 'Aangename kennismaking,' zei hij.

'Je brengt het toch wel terug, hè?' vroeg Mansoor klaaglijk. 'Rudi vermoordt me als er iets mee gebeurt.'

'Vanavond krijg je het terug,' beloofde Augustin. 'Dat beloof ik.'

'Dat zei je ook toen je mijn gps meenam.'

Maar de deur viel alweer dicht. Augustin was op weg.

II

Knox maakte goede vorderingen tot hij bij de krachtcentrale kwam. De omheining strekte zich aan beide kanten uit zo ver het oog reikte. Petersons opgraving lag aan de andere kant en hij had tijd noch zin om een omweg te maken. Het gaas was slap van ouderdom en moeilijk te beklimmen. Hij liep naar een van de betonnen palen, waar het gaas steviger was, keek om zich heen om zeker te weten dat niemand hem zag en trok zich omhoog. Het ijzerdraad maakte rode strepen op zijn vingers. Hij wierp zich over het gaas en tuimelde onelegant op de grond, neerkomend op zijn handen en knieën.

Hij wachtte even voor het geval er alarm geslagen werd, stond op en stak met grote stappen en gebogen hoofd een halfleeg parkeerterrein voor een soort administratiekantoor over. Toen hij bij het gebouw kwam, ging er een zijdeur open en kwam er een kort, dik vrouwtje naar buiten dat hem met een achterdochtige frons bekeek. Knox veranderde van koers en zocht dekking achter een rij geparkeerde auto's. Ze stak haar hoofd naar binnen en riep iets. Knox versnelde zijn pas. Een gezette bewaker kuierde naar buiten. De vrouw wees naar Knox. De bewaker sommeerde hem te blijven staan. In plaats daarvan zette Knox het op een lopen richting de andere omheining. De grond was verraderlijk ongelijk. Een steen schoof weg onder zijn voet, zodat hij tegen de grond ging en zijn knie bezeerde. Hij keek om. De bewaker naderde snel, op de voet gevolgd door een tweede, die om versterking schreeuwde. Knox krabbelde overeind, hinkte naar de omheining en klom erop. Pijn vlamde door zijn been toen hij aan de andere kant neerkwam.

De eerste bewaker arriveerde bij de omheining, zo buiten adem dat hij geen woord van protest kon uitbrengen en alleen maar met zijn vinger zwaaide. Knox strompelde weg, bang dat de opschudding Peterson en zijn mensen zou alarmeren. Zijn knie deed vreselijk zeer, maar hij durfde zijn pas niet te vertragen. Als dit de politie ter ore kwam, zou het hier straks krioelen van de uniformen. Hij had geen seconde te verliezen.

III

Het vliegtuig was te groot en onhandig om op Augustins motor te vervoeren, dus hield hij een taxi aan, legde de doos op de achterbank en vroeg de chauffeur hem te volgen naar Borg el-Arab.

Hij had vaak dit soort vliegtuigjes gebruikt. Het was een fantastische manier om antieke nederzettingen te fotograferen en een even fantastisch tijdverdrijf. Ze waren makkelijk te bedienen. Ze de lucht in krijgen was een andere zaak, evenals foto's maken als het eenmaal vloog.

Hij parkeerde zijn motor in een bescheiden groepje bomen op ongeveer een kilometer afstand van Petersons opgraving en wenkte de taxi naar zich toe. De chauffeur was vroeg in de twintig, met een slordig baardje en een joviale manier van doen. 'Hoe heet je?' vroeg Augustin toen hij hem betaalde.

'Hani.'

'Oké, Hani. Wil je nog tien pond bijverdienen?'

'Natuurlijk. Hoe?'

Augustin pakte de doos van de achterbank en maakte hem open. Hani's ogen en mond werden drie volmaakt ronde cirkels van opwinding toen hij het vliegtuigje zag. 'Mag ik ook een keer?'

'Tuurlijk. Zodra ik klaar ben.'

Dekking zoekend achter een muur staken ze het land over tot ze een geschikt plekje met een harde, egale bodem vonden. Het was zo goed als ze zich maar konden wensen. Augustin knielde op de grond, maakte de doos open en begon het vliegtuigje in elkaar te zetten.

'Waar is dit voor?'

'Ik doe topografisch onderzoek voor de Opperste Raad van Oudheden.'

'Dat zal wel!'

Augustin grinnikte. 'Heb je ooit een luchtfoto van een terrein gezien? Het is niet te geloven hoeveel details die onthult.' Hij klikte de rode vleugels van piepschuim aan het op een bidsprinkhaan lijkende frame en draaide de schroeven vast. 'Sloten, muren, wegen, nederzettingen. Dingen waar je elke dag overheen kunt lopen zonder ze te zien en die plotseling niet te missen zijn.' De techniek was per ongeluk ontdekt, bijna honderd jaar geleden. Tijdens experimenten van het Britse leger boven de vlakte van Salisbury dreef hun ballon over Stonehenge en onthulden de foto's voor het eerst het netwerk van oude voetpaden dat kriskras over het terrein liep.

'Huh,' zei Hani.

'Inderdaad,' zei Augustin instemmend. 'Ik had het niet beter kunnen zeggen.' Hij bevestigde de camera onder een hoek aan het onderstel, zodat ze de opgraving konden fotograferen zonder er recht boven te vliegen. Daarna probeerde hij de afstandsbediening uit om er zeker van te zijn dat alles naar behoren werkte. 'Oké,' zei hij tevreden. 'Daar gaat-ie.'

IV

Knox sloop naar de achterkant van Petersons houten kantoor. Binnen vond een verhitte discussie plaats, maar omdat de ramen dicht waren kon hij alleen maar een incidenteel woord opvangen. Caïro. Politie. Lafaard.

De witte pick-up stond er nog steeds, naast een blauwe Toyota four-wheeldrive die als twee druppels water op het voertuig leek waarin de man die hem van het balkon gegooid had weggevlucht was. Eerder die dag stond hij daar niet. Was het mogelijk dat iemand hem verzet had toen de bewaker meldde dat hij en Faroek eraan kwamen? En nog be-langrijker, was het mogelijk dat Augustins laptop er nog in lag?'

Gebukt haastte hij zich erheen. De felle zon en de stoffige ruiten maakten het moeilijk om naar binnen te kijken. Hij probeerde het por-tier. Niet op slot. Hij keek op de voor- en achterbank. Niets. Hij deed het portier voorzichtig dicht, liep om de wagen heen, zag door het achter-raam iets half onder een doek liggen. Geruisloos maakte hij de achter-klep open. Geen laptop zoals hij gehoopt had, maar een doosje met pot-loden, pennen, blocnotes en soortgelijke benodigdheden. Plotseling klonken de stemmen uit het kantoor harder – twee mannen die hun dis-cussie voortzetten terwijl ze naar de Toyota liepen. Hij dook weg en pro-beerde de achterklep dicht te duwen. Het slot weigerde; de klep moest met kracht dichtgeslagen worden.

'Dit is waanzin, eerwaarde,' zei een van de mannen. 'We moeten hier weg zien te komen in plaats van door heel Egypte op spoken te jagen.'

'Je piekert te veel, broeder Griffin.'

Knox kon niet het risico nemen de klep dicht te gooien. Dan zou hij meteen ontdekt worden. In plaats daarvan sloop hij weg, de Toyota als dekking gebruikend. Maar de achterklep veerde omhoog op zijn hy-draulische armen, zodat hij haastig terug moest om hem vast te houden. De twee mannen waren vlakbij. Nog een paar seconden en ze zouden hem zien. Hij trok de klep precies ver genoeg open om naar binnen te kunnen glippen, trok hem dicht en hield hem vast aan de pal van het slot.

'Hoe vaak moet ik u dit nog vertellen?' vroeg Griffin. 'Pascal heeft in-vloed bij die mensen. En geloof me, hij zal het er niet bij laten. Hij zal er-voor zorgen dat de ORA een onderzoek instelt. Niet vandaag of morgen misschien, maar het gebeurt gegarandeerd. En als ze komen, vinden ze gegarandeerd de schacht en de trap. Alles. En dan zullen ze om uitleg vragen. En wat gaan we ze dan vertellen?'

'Rustig, broeder Griffin. Je begint hysterisch te worden.'

'Deze studenten zijn aan míjn zorg toevertrouwd,' riposteerde Griffin. 'Ze zijn míjn verantwoordelijkheid. En die vat ik niet licht op.'

'Wat je niet licht opvat is je eigen hachje redden.'

'U mag denken wat u wilt. Ik neem ze mee naar huis. Kent u het strafrechtelijk systeem hier soms niet?'

'Wil je daarmee zeggen dat Gods werk doen een misdaad is?'

'Wat ik zeg is dat God de mensen helpt die zichzelf helpen, niet mensen die zo ijdel zijn dat ze denken dat Hij wel tussenbeide zal komen als ze zich in de nesten werken. Nederigheid, eerwaarde. Preekt u zelf niet voortdurend over nederigheid?'

Een korte stilte. Dat laatste salvo had doel getroffen. 'Wat raad je me dan precies aan?'

'Hebt u niet geluisterd? We nemen het eerste het beste vliegtuig het land uit, ongeacht de prijs. Als het kan terug naar Amerika, maar anders naar een land in Europa. En als alles aan het licht komt, wat gegarandeerd gebeurt, ontkennen we het gewoon. Dan zeggen we dat alles gebeurd is met medeweten en toestemming van de ORA. Dan is het ons woord tegen het hunne, en niemand in Amerika zal een Egyptenaar eerder geloven dan ons, en dat is het enige wat telt.'

'Goed dan,' zei Peterson. 'Jij zorgt voor je studenten. Laat Gods werk maar aan mij over.'

'Prima.'

Het portier aan de bestuurderskant ging open. Peterson stapte in. Het voertuig schommelde even onder zijn gewicht, zodat de pal van de klep uit Knox' vingers glipte. Hij probeerde hem opnieuw te pakken, maar het was te laat. De hydraulische armen drukten de klep verder open. Peterson slaakte een vermoeide zucht. 'Kun je die klep even voor me dichtdoen, broeder Griffin.'

'Natuurlijk,' zei Griffin. Hij liep naar de achterkant, waar Knox open en bloot in de laadruimte lag, verguld door de schuin binnenvallende stralen van de middagzon.

39

'Wat moeten we doen?' jammerde Lily, toen het straaltje water een stroom werd.

'Om te beginnen niet in paniek raken,' antwoordde Gaille. Ze streek een lucifer uit hun slinkende voorraad aan, stak de kaars aan en stond op.

Hoog boven haar zakten de lakens en dekens die over de planken gelegd waren zichtbaar door onder het toenemende gewicht van het water. Terwijl ze keek, drong een druppel door de stof en spatte aan haar voeten uiteen. Ze had er geen idee van hoe erg dit onweer was. Hoop er het beste van, maar bereid je voor op het ergste, zei men wel. De bodem van de put bestond uit puin en platgestampt zand. In het begin zou het water erin wegzakken, maar uiteindelijk zou het verzadigd raken en zou de schacht vol water lopen. 'We moeten graven,' zei ze.

'Wat?'

Ze stampte op de grond. 'We zullen aan één kant een gat maken en de andere kant verhogen. Dan kan het water weglopen en hebben we bovendien een rand om op te staan.'

Ze dachten zwijgend na – een futiele reactie op een meedogenloze bedreiging. Maar het was beter dan niets.

'Kom op dan,' zei Stafford.

II

Knox zette zich schrap toen Griffin naar de achterkant van de Toyota liep, ervan overtuigd dat de man hem zou zien liggen. Maar Griffin keek niet omlaag maar naar de hemel. Het duurde even voordat Knox hoorde wat zijn aandacht getrokken had: een motor als van een kettingzaag die even luid bromde en weer wegstierf. Griffins frons werd dieper. Zonder te kijken smeet hij de klep dicht en beende naar Petersons raampje. 'Hoort u dat?' vroeg hij kwaad.

'Hoor ik wat, broeder Griffin?'

'Dat!' Zijn vinger priemde naar de hemel. 'Dat is verdomme een draadloos vliegtuigje. Die Fransman Pascal maakt foto's van onze opgraving.'

'Weet je het zeker?'

'Hoeveel van die vliegtuigjes hebt u hier gezien sinds we begonnen zijn?'

'Niet één,' gaf Peterson toe.

'En denkt u soms dat het toeval is dat we er vandaag wel een horen?'

Een paar tellen stilte. 'Zal hij hem vinden?'

'Reken maar,' zei Griffin, 'Bent u vergeten hoe wíj deze plek gevonden hebben?'

'Dan kun je hem beter tegenhouden,' zei Peterson.

'Hoe bedoelt u?'

'Precies wat ik zeg. Neem onze bewakers mee. Maak hem die camera afhandig voor hij er iets mee kan uitrichten.'

'Dat kan niet!'

'Je hebt geen keus, broeder Griffin. Tenzij je het niet erg vindt dat je dierbare studenten boeten voor jouw lafheid.'

'Oké,' zei Griffin kwaad. 'Maar daarna ben ik weg.'

'Dat zal een groot verlies zijn,' zei Peterson. Hij stuurde de Toyota over de ongelijke grond, Knox meenemend naar een onbekende bestemming.

III

Het ging niet goed met de jacht op Knox. 'Dit is belachelijk,' zei Hosni. 'Hij is ontsnapt. Daar kun je je beter bij neerleggen.'

'Hij is niet ontsnapt,' wierp Faroek tegen met een weids gebaar naar de noordelijke oever van het meer van Mariut, kaal en open op een paar armzalige bosjes riet na die ze al drie keer doorzocht hadden. 'Hoe kan hij in vredesnaam ontsnapt zijn zonder dat wij hem gezien hebben?'

'Dan is hij verdronken,' mompelde Hosni. 'Als je hem een paar dagen de tijd geeft komt hij wel weer bovendrijven.'

Faroek gromde. Hij had er weinig vertrouwen in dat Knox zo fatsoenlijk zou zijn. 'Hij ís hier ergens,' zei hij. Hij trok het portier van zijn auto open, zette de verwarming aan en droogde zijn natte voeten met de hete lucht. 'Ik weet het zeker.'

'Kom op, chef. De jongens hebben er hun buik vol van. Laten we terug-gaan.'

'Het is een moordenaar. Een ontsnapte moordenaar.'

'Dat geloof je zelf toch niet, hè?'

'Als jij niet op de rem getrapt had zou hij niet ontsnapt zijn.'

'O, had je liever gehad dat ik tegen de auto voor ons aan gebotst was, bedoel je dat?' Hosni haalde diep adem en spreidde zijn handen. 'Luister, chef. Misschien zit hij hier nog, maar is het op zijn minst niet mógelijk dat hij ongezien weggekomen is? Waarom stuur ik niet een paar jongens naar de plaatsen waar hij naartoe gegaan kan zijn?'

'Zoals?'

'Om te beginnen Pascals appartement. En naar die Kostas, waar we hem gisteren opgepakt hebben. Of zijn hotel. Of die opgraving van Pe-terson.'

'Niet Peterson,' zei Faroek woedend. 'Ik laat me niet nog een keer uit-lachen omdat Knox me weer ontglipt is. Daar niet, begrepen?'

'Mij best. Dan zal ik er een auto neer laten zetten om het pad in de ga-ten te houden. Meer niet. Dan weet hij niets eens dat we er zijn. De rest gaat terug naar Alexandrië.' Hij draaide zich om en liep weg zonder Fa-roeks toestemming af te wachten. Faroek was gepikeerd maar zei niets – hij wist wat een afgang dit hele fiasco voor hem was. Hosni had gelijk. Hij diende Knox zo snel mogelijk te pakken te krijgen. Dat was de enige ma-nier om zijn gezicht te redden. Waar kon hij verder naartoe gegaan zijn? Hij herinnerde zich Knox' uitbarsting op Petersons opgraving, zijn be-wering dat die gegijzelde vrouw Gaille foto's op haar computer had. Even voelde hij zich onzeker. Als hij die was gaan halen, hield dat in dat zijn verhaal klopte. Maar hij onderdrukte het gevoel, belde het bureau en vroeg om hem door te verbinden met Mallawi, waar hij met een collega-hoofdinspecteur sprak, een man met de naam Gamal. 'Ik wilde jullie even inlichten,' zei hij. 'Iemand in wie we geïnteresseerd zijn is mogelijk naar jullie op weg.'

'In geïnteresseerd? Waarom?'

'Moord,' zei Faroek.

Gamal ademde sissend in. 'Bijzonderheden?'

'Hij heet Daniel Knox. Een archeoloog. De klootzak heeft het hoofd van de ORA hier vermoord, ene Omar Tawfiq.'

'Waarom denk je dat hij deze kant uit komt?'

Faroek aarzelde. Als hij het te tam speelde, zouden ze niets doen. Hij moest Gamal ervan overtuigen dat dit echt was. 'We hebben een telefoontje onderschept. Hij gaat inderdaad jullie kant uit. Hij zoekt een computer. De computer van een andere archeologe. Gaille nog-iets. De vrouw die gegijzeld is.'

'Verrek,' mompelde Gamal. 'Precies wat we nodig hebben. Het is niet te geloven hoeveel toestanden dat al veroorzaakt heeft. Hoe herkennen we hem?'

'Hij is een jaar of dertig. Lang. Donker haar. Atletisch. Engels. Hij heeft een auto-ongeluk gehad. Dat is aan zijn gezicht te zien.' Hij haalde diep adem. 'En wees gewaarschuwd: het is een glibberige klootzak. En gevaarlijk. Hij heeft zo goed als bekend dat hij Tawfiq vermoord heeft. Hij schepte erover op. Waarschijnlijk is hij intussen gewapend en geloof me, hij staat voor niks. Als je verstandig bent stel je de vragen later, als je begrijpt wat ik bedoel.'

'Bedankt,' zei Gamal droogjes.

'Ik doe gewoon mijn werk,' reageerde Faroek.

IV

'En,' zei Tarek. 'U wilde ons spreken. Hier zijn we.'

Naguib knikte naar de mannen in het vertrek, wier gezichten een verscheidenheid van emoties uitdrukten, van onverschilligheid tot achterdocht tot onverholen vijandigheid. Hij kon het ze niet echt kwalijk nemen. Dit waren gaffirs van Amarna, onofficiële bewakers en gidsen die normaal gesproken, als ze ervoor zorgden dat er geen stof opwaaide, met rust gelaten werden en hun werk doorgaven van vader op zoon om hun status en inkomen te waarborgen. Maar de laatste tijd was dat veranderd. De centrale en regionale autoriteiten probeerden hen kwijt te raken en drongen hun gemeenschappen buitenstaanders op als Naguib zelf. Geen wonder dus dat ze koeltjes reageerden op zijn pogingen hen voor zich te winnen.

'Ik ben inspecteur Naguib Hoessein,' zei hij. 'Ik ben nieuw in deze streek. Een aantal van jullie heb ik al ontmoet maar…'

'We weten wie u bent.'

'Ik was gisteren in de woestijn. Ik vond het lijk van een jong meisje.'

'Mijn zoon Mahmoud heeft haar gevonden,' gromde Tarek. 'En hij heeft het aan u gerapporteerd zoals ons opgedragen was.'

'Inderdaad,' gaf Naguib hem gelijk. 'En geloof me, daar ben ik erg dankbaar voor. Maar mijn pogingen te ontdekken wie ze was en wat er met haar gebeurd is hebben weinig succes gehad.'

Tarek schudde zijn hoofd. 'Ze kwam niet uit deze buurt. Verder kunnen we u niets vertellen.'

'Weet je het zeker?'

'We kennen onze eigen mensen.'

'Enig idee waar ze vandaan kwam?'

'We leven niet meer zo geïsoleerd als vroeger, zoals u zelf ook weet. Mensen komen en gaan.'

'Maar jullie zien ze. Jullie weten dat ze er zijn.'

'Van deze wisten we niet dat ze er was.'

Naguib boog zich naar hen toe. 'We hebben een fragment van een beeldje op haar lichaam gevonden. Een artefact uit Amarna.'

Blikken over en weer, verbaasd en nieuwsgierig. 'Wat heeft dat met ons te maken?'

'Ik heb gehoord dat niemand zo goed is in het vinden van oudheden als de gaffirs. Dat jullie plekken vinden waar de archeologen vergeefs naar zoeken.'

'Dan hebt u het goed gehoord,' zei Tarek knikkend. 'Hoewel we ze normaal gesproken meteen inlichten.'

'Natuurlijk,' zei Naguib toen het gelach bedaard was. Hij haalde het fragment uit zijn zak en liet het rondgaan. 'Misschien hebben jullie enig idee waar dit vandaan komt.'

Tarek bekeek het, schudde zijn hoofd en gaf het aan zijn buurman. 'Al dit soort artefacten liggen in de wadi's. Daar mogen wij niet meer komen.'

Naguib fronste zijn wenkbrauwen. 'Waarom niet?'

'Vraag dat maar aan uw vriend kapitein Chaled,' zei Tarek met een boos gezicht. 'En als hij u vertelt waarom, zouden we blij zijn als u het ons vertelde. Hij heeft ons een goede bron van inkomsten ontnomen.' De rest mompelde instemmend.

'Sinds wanneer?' vroeg Naguib.

Tarek haalde zijn schouders op en boog zich naar de man naast hem om te overleggen. 'Zes maanden geleden,' zei hij.

'Weet je dat zeker?'

'Ja,' zei Tarek met een knikje naar de stortbui buiten. 'De dag na het laatste grote onweer.'

V

Het was alweer een poosje geleden dat Augustin een draadloos vliegtuigje gebruikt had, maar toen het eenmaal vloog, hervonden zijn handen hun vaardigheid en begon hij te genieten. Hij liet het vliegtuigje verscheidene keren over Petersons opgraving vliegen, terwijl Hani op zijn bevel foto's maakte met de afstandsbediening van de camera. Maar na een poosje gaf hij een tikje op Augustins arm en wees naar een witte pickup op het pad aan de andere kant van de muur met drie potige bewakers in de achterbak die naar de hemel keken als drie wijzen die een ster volgden. 'Ik dacht dat dit een officieel onderzoek van de ORA was,' mompelde hij.

'Jij kunt beter maken dat je wegkomt,' zei Augustin.

'En u dan?'

'Mij gebeurt niks.'

'Ik kan u niet zomaar alleen laten.'

'Jij staat hier buiten.'

Hani haalde zijn schouders op, knikte een keer, legde de afstandsbediening op de grond en vertrok. Augustin stuurde het vliegtuigje over het pad om de pick-up mee te lokken en liet het vervolgens een grote cirkel beschrijven om Hani de kans te geven bij zijn taxi te komen en weg te rijden. Daarna liet hij het terugkeren. Met de afstandsbediening in zijn hand en zijn blik strak op het vliegtuigje gericht liep hij met grote stappen over het terrein. Hij hoorde de motor van de pick-up. Toen een schreeuw. Ze hadden hem gezien. Dit was geen moment voor finesse. Hij liet het vliegtuigje een duikvlucht maken, zodat het vijftig meter verderop tegen de harde grond sloeg. De romp klapte in elkaar en de rode piepschuimen vleugels braken af. Hij gooide de afstandsbediening weg en rende ernaartoe. Met een snelle blik over zijn schouder zag hij dat de drie mannen hem bijna hadden ingehaald. Hij pakte de camera, probeerde hem los te rukken, maar slaagde er alleen maar in de haakjes krom te trekken. Hij raapte het hele ding op en probeerde de haakjes al rennend los te maken. Hij struikelde over de romp en ging tegen de grond, maar nu schoot de camera eindelijk los. De voorste achtervolger had hem bijna ingehaald. Met een laatste krachtsinspanning maakte de man een sprint, dook naar de grond en graaide naar Augustins enkel, zodat zijn voet achter de andere bleef haken en hij opnieuw tegen de grond ging. Hij sprong meteen weer overeind. Nog maar twintig meter naar de bomen. Hij kwam bij zijn motor, sprong erop, startte en keek om. Zijn achtervolgers waren ver achteropgeraakt, blijven staan en probeerden hijgend op adem te komen. Triomfantelijk gas gevend raasde hij met een vrolijke zwaai naar de drie mannen onder de bomen uit en het pad op.

De pick-up schepte hem van opzij. Hij schoof over de motorkap en sloeg tegen de schuine voorruit. Heel even zag hij Griffin aan de andere kant van het glas, net zo geschrokken van de botsing als Augustin zelf. Toen vloog hij de lucht in en begon de wereld op een waanzinnige manier rond te tollen. Meer nieuwsgierig dan bang vroeg hij zich af of dat het laatste was wat hij in dit leven zou zien.

40

Het graven viel niet mee. Het zand en puin waren in de loop der eeuwen verhard als beton. Gailles nagels scheurden en bloedden al snel van het krabben. Maar de angst dreef haar voort. Straaltjes water kronkelden al langs de wanden en verzamelden zich in plasjes op de bodem.

'Zou je alsjeblieft een lucifer aan kunnen steken?' vroeg Lily hijgend.

'We hebben er nog maar een paar.'

'Maar ik heb geloof ik iets gevonden.'

'Wat dan?' vroeg Stafford.

'Weet ik niet. Waarom denk je dat ik een lucifer nodig heb?'

Het vlammetje deed pijn aan Gailles ogen, zo lang zaten ze al in het donker. En die zwavellucht! Ze stak de kaars aan en bracht hem naar Lily. Lily had gelijk. Er stond inderdaad iets op de wand, vlak boven de bodem. En rij hiërogliefen.

'Wat staat er?' vroeg Lily.

Gaille schudde haar hoofd. Ze kon de vage tekens amper zien in het zwakke licht, laat staan ontcijferen. Maar ze raakte al opgewonden door het feit dat ze er waren. Op grond van de onafgewerkte wanden van de ingang en de grafkamers had ze aangenomen dat deze graftombe een van de vele nooit afgemaakte graven was waar het in deze heuvels van wemelde, niet afgebouwd vanwege de slechte kwaliteit van de kalksteen of omdat het Amarna-tijdperk afgelopen was voordat degene voor wie het bedoeld was stierf. Bovendien leek deze schacht zo veel op die van de koninklijke graftombe dat ze dacht dat hij bedoeld was als put om de grafkamer te beschermen. Maar nu ze beter nadacht, besefte ze dat ze het bij het verkeerde eind had gehad. Dat de koninklijke graftombe zo'n put had was logisch, want de ingang ervan lag op de bodem van de wadi, waar hij gevaar liep te overstromen. Maar de ingang van dít graf lag veel hoger in de heuvel. Hier was nooit gevaar voor overstroming geweest. Dat kwam pas toen die scheur in de rots ontstond, dus een put diende eigenlijk nergens voor. Bovendien, hoe diep zou zo'n ding moeten zijn? Ze zaten al ruim zes meter onder de grond en waren nog steeds niet op de bodem. Dus misschien wás het helemaal geen zinkput. Misschien was het iets anders.

'En?' vroeg Lily.

Gaille gaf Lily de kaars om vast te houden, terwijl zij meer zand wegschraapte. 'Jullie hebben neem ik aan geen van beiden ooit het graf van Seti de eerste bezocht, niet?' vroeg ze.

II

Augustin bleef even beduusd op het pad liggen. Toen hij opkeek, zag hij Griffin en zijn bewakers om zich heen staan. Ze keken bezorgd op hem neer, bang dat hij ernstig gewond of zelfs dood was, maar tot hun verbazing probeerde hij overeind te komen. Geen schijn van kans. Ze raapten hem op en kwakten hem zonder plichtplegingen in de laadbak van de pick-up. Zijn hoofd, borst en dij deden vreselijk zeer. Hij kreeg hevige braakneigingen, zodat hij zich op zijn zij draaide en zich schrap zette. Maar ze gingen over. Hij liet zich weer op zijn rug vallen en keek op naar de bewaker die boven hem uittorende. 'Als je mijn motor beschadigd hebt, klerelijer,' zei hij dreigend.

De man wendde glimlachend zijn blik af.

Ze sloegen af en hobbelden over het lemen brugje. Pijnscheuten gingen door Augustins lichaam. Ze kwamen tot stilstand voor een laag bakstenen gebouwtje. Griffin stapte uit en maakte de stalen deur open. Augustin brulde van de pijn toen ze hem uit de pick-up trokken en het gebouwtje in droegen. Enkele leden van Petersons jonge team kwamen aanlopen en keken zuur toe, alsof ze blij waren dat hij zijn verdiende loon gekregen had, maar er stond ook een hoekige, blonde vrouw bij. Hij was er vrij zeker van dat het de vrouw was die hij de vorige middag samen met Griffin had zien wegrijden. Ze maakte een bange, geschokte indruk.

Hij werd tussen een rij lege schappen en een werktafel op de grond gekwakt. De deur sloeg dicht en de sleutel werd omgedraaid en hij bleef achter in een vrijwel ondoordringbare duisternis. Hij bleef even liggen, bijna huilend omdat hij zo'n pijn had. Hij stak een hand onder zijn overhemd en voelde aan zijn pijnlijke ribbenkast. Hij kon geen breuken vinden, alleen maar kneuzingen. Een geliefde jeugdherinnering kwam boven, waarin hij roekeloos van een waterval springt en tot de ontdekking komt dat de poel eronder veel ondieper was dan hij gedacht had. Zijn moeder die, eenmaal over de schok heen, opschepte over zijn botten van wolfraam. Een kreet van pijn verbijtend krabbelde hij overeind. Het deed hem goed zo veel pijn te voelen en die toch te overwinnen. Het gaf hem sinds weken weer het gevoel een man te zijn. Hij strompelde naar de deur. Staal, aan de koelheid ervan te oordelen. Geen knop of grendels aan de binnenkant.

Verscheidene minuten later hoorde hij voetstappen buiten en daarna het schuiven van de sleutel in het slot. Toen de deur openging, scheen de late namiddagzon zo fel naar binnen dat hij even alleen maar silhouetten zag – drie stuks. Het licht binnen werd aangeknipt, een kaal geel peertje aan een draad aan het plafond. Twee mensen kwamen binnen. De derde bleef buiten en deed de deur achter hen dicht.

Augustin knipperde met zijn ogen om aan het licht te wennen. Griffin en de blonde jonge vrouw met een dienblad vol geneesmiddelen.

'Dit is hem,' mompelde Griffin, zijn armen voor zijn borst vouwend.

'Ik wil mijn portefeuille,' zei Augustin. 'Mijn telefoon.' Hoewel hij bijna fluisterde, vlamde er een pijnscheut door zijn ribben.

'Dat had u gedacht,' snoof Griffin. Hij wendde zich tot de vrouw. 'En? Ik dacht dat je hem wilde onderzoeken.'

Ze zette het blad op de grond. Onbevallig, mager en benig en met een scherp gezicht en een lange neus. En ze wist het ook: ze hield er niet van om bekeken te worden. Bleke, sproetige huid, geurend en vochtig van rijkelijk aangebrachte zonnebrandcrème. Een eenvoudig zilveren kruisje hing aan een kettinkje om haar slanke lange hals. Ze richtte zich weer op, haar hoofd iets scheefhoudend, zodat haar dunne haar als een kralengordijn voor haar gezicht viel.

'En wie ben jij verdomme?' wilde Augustin weten.

'Ik ben gekomen om u te onderzoeken,' zei ze. 'Het duurt maar even.'

'Onderzoeken?'

'Om zeker te weten dat u geen breuken hebt, of een ruptuur.' Ze fronste haar wenkbrauwen, misschien ietwat onzeker gemaakt door zijn Franse accent. 'Weet u wat ruptuur betekent?' vroeg ze.

'Ja hoor,' zei Augustin sarcastisch. 'Ik weet wat ruptuur betekent. En als ik ergens een ruptuur heb?'

Ze keek Griffin tartend aan. 'Dan breng ik u naar het ziekenhuis.'

Wel, wel, wel, dacht Augustin. Hij legde een hand op zijn zij, trok een pijnlijk gezicht en haalde sissend adem. 'Ik geloof dat ik inderdaad een ruptuur heb,' zei hij.

Een lachje dat op een hik leek ontsnapte haar, en ze sloeg haar hand voor haar mond alsof ze iets onbeleefds gedaan had. Tot Augustins verbazing begon hij haar sympathiek te vinden. 'Bent u dan een dokter?' vroeg hij.

Ze schudde haar hoofd. 'Niet precies. Nee.'

'Ik heb een ernstig ongeluk gehad,' zei hij protesterend. 'Ik kan best levensgevaarlijk gewond zijn. Ik moet naar een…'

Een klopje op de deur. Een jongeman met kortgeknipt blond haar stak zijn hoofd naar binnen.

'Wat nu weer?' vroeg Griffin geïrriteerd.

'De mensen van de luchtvaartmaatschappij,' zei de jongeman. 'Ze willen u spreken.'

'Ik ben bezig.'

'De creditcard staat op uw naam. Ze willen u spreken.'

Griffin slaakte de geërgerde zucht van een baas die de gevangene was van zijn eigen belangrijkheid. 'Onderzoek hem en ga dan weg,' droeg hij de vrouw kortaf op. 'En zorg dat hij je niet aan het praten krijgt.'

'Oké,' zei ze.

'Ramiz staat buiten. Als er moeilijkheden zijn moet je hem roepen. Hij weet wat hem te doen staat.'

'Goed.'

De deur ging achter hem dicht. De sleutel werd omgedraaid. Augustin glimlachte tegen de vrouw. 'Goed,' zei hij in zijn handen wrijvend. 'Dan zullen we beginnen met het onderzoek, ja?'

III

Het eerste kwartier van de rit was Knox bang dat Peterson hem elk moment in de achterbak van de Toyota zou zien liggen, maar toen ze een poosje onderweg waren, begon hij zich te vervelen en moest hij zich er af en toe aan herinneren dat hij op slechts een meter of anderhalf van de man lag die vrijwel zeker al twee keer geprobeerd had hem te vermoorden.

Voor zover hij dat kon beoordelen zaten ze op een drukke, goede weg en aan de hoek van de zon te oordelen reden ze naar het zuiden. Richting Caïro waarschijnlijk, maar waarom was hem onduidelijk. Na ongeveer twee uur trapte Peterson zo hard op de rem dat Knox tegen de achterkant van de achterbank gleed. De richtingaanwijzer tikte, ze sloegen af, kwamen tot stilstand. Peterson stapte uit en draaide aan de dop van de brandstoftank, vlak bij Knox' hoofd. Diesel klokte naar binnen. Knox verroerde geen vin, bang zich door de geringste beweging te verraden. De dop werd teruggedraaid. Voetstappen op het beton. Knox haalde opgelucht adem. Toen hij rechtop ging zitten, zag hij Peterson naar binnen gaan om te betalen. Hij klom op de achterbank met de bedoeling uit te stappen, maar toen zag hij een paar losse vellen papier op de passagiersstoel liggen. Het bovenste was een print-out van Gailles Opgravingsdagboek met die foto van haar voor haar kamer met twee archeologen van Fatima's team. Hij verstijfde van verbazing. Toen schoof hij het opzij en keek naar het volgende papier. Weer een print-out, ditmaal met een routebeschrijving naar Fatima's huis in Hermopolis. Dat was het dus. Peterson was nog steeds bang dat zijn foto's nog op Gailles laptop stonden.

Een deur viel dicht. Hij keek op en zag Peterson weer buiten komen. Hij had geen tijd om naar zijn eerdere plekje terug te gaan en dook weg achter de bestuurdersstoel toen Peterson weer naar binnen klom.

41

'Mensen van de luchtvaartmaatschappij, hè,' zei Augustin. 'Gaan jullie ergens heen?'

De jonge vrouw glimlachte behoedzaam. 'Ik ben hier om te kijken of u iets mankeert. Niet om te praten.'

'Maar als ik nu wel iets mankeer? Volgens mij ben ik ernstig gewond. Ik heb een echte dokter nodig.'

'U bent wel erg monter voor iemand die op sterven na dood is. Bovendien weet ik wat ik doe. Echt waar. En ik vrees dat u het met mij zult moeten doen of met niemand. Het was al moeilijk genoeg om meneer Griffin zover te krijgen dat...' Ze zweeg, kwaad op zichzelf dat ze zelfs dit losgelaten had en niet bereid nog meer te zeggen.

Augustin liet het erbij. Als hij te veel aandrong, zou ze zich alleen maar tegen hem keren. Er stond een krukje tegen de muur om bij de bovenste schappen te kunnen. Ze pakte het en ging erop staan om zijn schedel te controleren, zijn haar voorzichtig opzij duwend om het bloed en het vuil eronder weg te vegen. Haar blouse was vlak voor zijn ogen. Hij zag stukjes bleke, besproete huid tussen de knopen, de stevige cup van een verstandige bh. Ze deed een ontsmettingsmiddel op de wonden. Hij deed zijn best om zich niet terug te trekken. Ze stapte van het krukje, ging tegenover hem staan, trok zijn oogleden omhoog en keek diep in zijn ogen. Haar eigen irissen waren spikkelig blauw en haar pupillen verwijdden zich als reactie op de zijne. 'Wilt u alstublieft uw overhemd uittrekken?' vroeg ze.

'Hoe heet je?' vroeg hij.

'Alstublieft. U hebt meneer Griffin gehoord.'

'Alleen je naam. Meer vraag ik niet.'

Ze glimlachte onwillig. 'Claire.'

'Claire! Wat een prachtige naam.' Hij knoopte voorzichtig zijn overhemd los. 'Weet je dat dat licht betekent in het Frans?'

'Ja.'

'Hij past precies bij je. Mijn grootmoeder heette ook Claire. Een fantastische vrouw. Ze had zulke zachtaardige handen.'

'O ja?'

'Zeker.' Hij grimaste van pijn toen hij zijn overhemd uit zijn broek trok en het weglegde. Hij keek ietwat opgelaten naar zijn buik, wensend dat hij de laatste tijd meer aan fitnesstraining gedaan had. 'Dus je bent archeologe, hè, Claire?'

'Ik praat niet met u.'

'Dat kan niet anders als je hier werkt.'

Ze zuchtte. 'Ik ben de administratrice. Ik spreek en schrijf namelijk een beetje Arabisch.'

'Spreek je Arabisch? Hoe dat zo?'

'Mijn vader zat in de olie. Ik ben opgegroeid in de Golf. U weet hoe makkelijk een kind talen leert. Dat is denk ik de reden dat de dominee me meegenomen heeft. Plus mijn medische ervaring. Die komt altijd van pas in dit soort landen.'

'Dit soort landen?'

Ze bloosde en sloeg haar ogen neer. 'O, u weet wel.'

'Nee,' zei Augustin fronsend. 'Ik geloof van niet. Tenzij je landen bedoelt die te primitief zijn om hun eigen dokters te hebben.'

'Dat bedoelde ik helemaal niet,' protesteerde ze. 'Zoals ik al zei, ik ben in het Midden-Oosten opgegroeid. Ik vind het heerlijk hier. Maar voor sommige mensen is het thuis al moeilijk genoeg om naar een dokter te gaan, vooral voor jongelui. En in een ander land, u weet wel, waar ze de taal niet eens machtig zijn…' Ze probeerde te glimlachen. 'Amerikanen, weet u. Niet het meest bereisde volk.'

'Wat voor medische ervaring heb je dan precies? Als ik je toe moet staan me te onderzoeken.'

Ze legde haar handpalmen op zijn borst en bevoelde voorzichtig zijn ribbenkast, aandachtig luisterend en naar zijn gezicht kijkend of het pijn deed. 'Ik heb vijf jaar medicijnen gestudeerd.'

'Vijf jaar? En toen hield je er gewoon mee op?'

'Mijn vader werd ziek.' Ze hield haar hoofd scheef, niet goed wetend waarom ze deze onbekend zo veel vertelde. 'Hij was werkloos. Hij had niet de… het júíste soort verzekering. Mijn moeder was al overleden. Hij had verzorging nodig.'

'En dus deed jij het.'

Ze knikte, elders met haar gedachten. 'Hebt u ooit voor zo iemand gezorgd? Iemand die stervende was?' vroeg ze.

Hij schudde zijn hoofd. 'Ik heb nooit voor iemand anders gezorgd dan voor mezelf.'

'Peterson en zijn kerk waren fantastisch. Ze hebben zo veel voor ons gedaan. Ze hebben een buitengewoon vrijwillig bezoekersprogramma. Eerlijk, zonder hen zouden we het nooit geklaard hebben. En ook een verpleeghuis voor terminale... u weet wel. En een weeshuis en onderkomens voor daklozen, een heleboel van dat soort dingen. Het zijn góéde mensen. Echt waar. De dominee is een goede man.'

'En is dat de reden dat je hier bent? Uit dankbaarheid?'

'Eigenlijk wel, ja.'

'Waarom zag ik je wegrijden van de opgraving?'

Ze krabde aan haar neus en deed alsof ze hem niet gehoord of verstaan had. Maar Augustin liet de vraag in de lucht hangen tot ze de stilte niet meer kon verdragen. Ze keek hem enigszins schaapachtig aan. 'Hoe bedoelt u?'

'Ik kwam hier met de politie om mensen te ondervragen. Griffin reed net weg toen wij aankwamen. Jij zat bij hem. Waarom wilde hij jou verbergen?'

Ze slikte ongelukkig. 'Niemand wilde me verbergen.'

'Jawel.'

Ze keek op. Hun blikken ontmoetten elkaar even. Augustins hart bonkte. Claire wendde haar blik af, al even verward. 'U mankeert niets,' zei ze, haar spullen weer op het blad leggend. 'Blauwe plekken en pijn. Meer niet.'

'Je weet wat er die nacht gebeurd is, niet?' zei Augustin. 'Je weet wat er met Omar en Knox gebeurd is.'

'Ik weet niet waar u het over hebt.'

'Dat weet je wel degelijk,' hield hij vol. 'Vertel op.'

Maar in plaats van te antwoorden vluchtte ze naar de deur en begon erop te bonzen om buiten gelaten te worden.

II

'Seti de eerste?' vroeg Lily.

'Een farao uit de vroege Negentiende Dynastie,' antwoordde Gaille, meer zand opgravend met haar vingers. 'Hij kwam ongeveer vijftig jaar na Echnaton aan de macht. Hij ligt begraven in het Dal der Koningen.'

'En waarom begin je over hem?' vroeg Stafford.

'Omdat zijn graf in eerste instantie betrekkelijk simpel leek. Een toegangsschacht die naar een grafkamer voerde met een put ervoor.'

'Net als hier, bedoel je?'

'Ja. En ook net als de koninklijke graftombe. Maar die put bleek helemaal geen put te zijn. Het was een schacht die naar de échte grafkamer leidde. Ze hadden alleen maar geprobeerd om hem eruit te laten zien als een put om grafdieven om de tuin te leiden. Niet dat dat lukte, natuurlijk.'

'Denk je dat dit ook zoiets is?' vroeg Lily. 'Een grafschacht?'

'Dat is zeker een mogelijkheid,' knikte Gaille. 'Het is niet te geloven dat ik daar niet eerder aan gedacht heb.'

'Hoe diep zou hij zijn?'

'De schacht in Seti's graf was honderd meter diep, maar dat is uitzonderlijk. De meeste zijn maar een paar meter diep. En deze hiërogliefen moeten inhouden dat we ergens in de buurt komen.'

'Wat hebben we daaraan?' mompelde Stafford. 'Het zal ons niet helpen om hier uit te komen.'

'Waarschijnlijk niet,' gaf Gaille hem gelijk. 'Maar het zal het water de kans geven om weg te lopen. Tenzij jij iets beters weet.'

'Nee,' gaf Stafford toe. 'Ik weet niets beters.'

III

Er kwam geen antwoord op Claires gebons. Ze probeerde het opnieuw. Opnieuw niets. Augustin liep langzaam naar haar toe, proberend haar zo weinig mogelijk het idee te geven dat hij haar bedreigde. Ze drukte zich toch tegen de muur, het blad als een soort schild voor haar borst houdend, zodat de geneesmiddelen rondom haar voeten op de grond vielen. 'Laat me gaan,' smeekte ze ineenkrimpend en weigerend hem aan te kijken.

'Luister naar me.'

'Alstublieft.'

'Eén minuut. Meer vraag ik niet.'

Ze wendde zich af, verward door zijn nabijheid, het zachte drukken van zijn lichaam waar dat het hare raakte. 'Goed dan,' zei ze. 'Eén minuut.'

'Dank je. Wat er met Omar en Knox gebeurd is interesseert me niet. Dat wil zeggen, het interesseert me heel veel, maar dat is voor later. Op dit moment heb ik je hulp nodig omdat een heel goede vriendin van me in groot gevaar verkeert en zonder jouw hulp misschien dood zal gaan.'

Claire fronste verbaasd haar wenkbrauwen. Dit had ze totaal niet verwacht. 'Een vriendin? Wie?'

'Een jonge vrouw met de naam Gaille Bonnard. Een archeologe in…'

'Die gegijzeld wordt?'

'Weet je daarvan?'

Claire trok een gezicht. 'Ze is de hele morgen op de tv geweest.'

'Heb je de beelden gezien dan?' vroeg Augustin gretig. 'Dan moet haar houding je opgevallen zijn.'

'Waar hebt u het over?'

'De avond voor haar ontvoering had mijn vriend Knox haar zijn foto's gestuurd van wat jullie hier gevonden hebben.'

'We hebben niets gevonden.'

'Ze heeft ze bijgewerkt en teruggestuurd. Kijk naar haar houding in de opnamen! Die is exact hetzelfde als…'

'Het mozaïek!' flapte Claire eruit.

'Dus je hebt het wél gezien!' riep Augustin.

'Nee!' Maar ontkennen was absurd, en dat moest ze beseft hebben. Ze duwde Augustin van zich af en begon haar spullen op te rapen.

'Claire,' smeekte hij. 'Luister. Gaille stuurt ons een boodschap, iets wat met dat mozaïek te maken heeft. We kunnen er niet achter komen wat het is, want we zijn onze foto's kwijt. We moeten het origineel zien te vinden. Haar leven kan ervan afhangen.'

'Ik kan u niet helpen.'

'Jawel, jawel. Je bent arts, je hebt medicijnen gestudeerd. Levens redden is je levensdoel. Je moet haar helpen. Anders gaat ze misschien dood.'

'Hou op.'

'Je vindt het vreselijk wat hier gebeurt. Dat weet ik. Anders zou je er niet op gestaan hebben om me te onderzoeken. Ik mankeer niks. Mij kun je vergeten. Maar Gaille niet. En die twee andere gijzelaars ook niet. Die hebben je hulp nodig. Hoe kun je die weigeren?'

'Deze mensen zijn mijn vrienden,' zei ze, opnieuw op de deur bonzend.

'Dat is niet waar, Claire. Ze gebruiken je omdat je Arabisch spreekt en voor je medische kennis en omdat ze ervan uitgaan dat je ze trouw zult blijven vanwege wat ze voor je vader gedaan hebben. Meer niet. Ze noemen zichzelf christenen, maar kun je je indenken dat Christus zoiets zou doen? Denk je dat Christus mensen zou aanrijden of zou opsluiten? Denk je dat Christus informatie achter zou houden die het leven van twee jonge vrouwen en…'

'Laat me gaan!' smeekte ze toen Ramiz eindelijk de deur opendeed. 'Laat me gaan.'

'Alsjeblieft, Claire. Alsjeblieft.'

Maar ze rukte zich los en rende naar buiten. De deur viel met een klap dicht. Hij ging voorzichtig op het krukje zitten en sloeg zijn handen voor zijn gezicht, beseffend dat hij zojuist zijn beste kans verspeeld had – en wie weet die van Gaille ook.

42

De voorruit van Naguibs Lada was beslagen door het onweer. Naguib zag niets meer. Hij draaide de raampjes een stukje open, zette de verwarming aan en overdacht zijn ontmoeting met Tarek en de gaffirs en de implicaties van wat hij gehoord had. Dit begon hem boven het hoofd te groeien. Hij moest het aan zijn chef voorleggen.

'Kan dit niet tot morgen wachten?' zuchtte Gamal. 'Ik ben bezig.'

'Het kan belangrijk zijn.'

'O ja? Wat dan?'

'Volgens mij is er iets aan de hand in Amarna.'

'Toch niet dát weer!' zei Gamal. 'De wereld draait niet om jou, weet je dat?'

'Dat meisje dat we gevonden hebben had een antiquiteit bij zich en ik denk dat ze iets gevonden had, een onontdekt graf misschien. Ken je kapitein Chaled, het hoofd van de toeristenpolitie daar? Hij heeft de plaatselijke gaffirs verboden...'

'Ho! Ho! Ho! Hou op. Je gaat me toch niet vragen wat ik denk, hè?'

'Ik zeg alleen maar dat hij volgens mij iets weet. En dat we een onderzoek moeten instellen.'

'Naar de toeristenpolitie?' vroeg Gamal. 'Ben je helemaal? Heb je je lesje niet geleerd in Minya?'

'Dat was anders. Dat was het leger.'

'Luister. De enige reden dat je nog een baan hebt is vanwege je vrienden. Als je opnieuw zoiets uithaalt zullen ze niet opnieuw tussenbeide komen, geloof dat maar rustig. Dan is er niemand die je zal helpen.'

'Maar ik wil alleen...'

'Heb je soms geen oren? Ik wil er geen woord meer over horen. Begrepen? Niet één woord, verdomme!'

'Goed, chef,' zuchtte Naguib. 'Ik begrijp het.'

II

Claire vond Griffin terwijl hij bezig was papieren uit de dossierkasten in kartonnen dozen te pakken die Michael en Nathan naar de pick-up droegen. 'En?' vroeg hij zuur. 'Hoe maakt onze gast het?'

'Hij heeft een echte dokter nodig.'

Griffin knikte. 'We hebben geboekt voor de vlucht van vanavond van Caïro naar Frankfurt. Ik zal Ramiz opdragen hem vrij te laten zodra we in de lucht zijn.'

'Waar is iedereen?'

'In het hotel, bezig met inpakken. Wij moeten daar ook heen.' Hij keek op zijn horloge. 'Ik kan je vijf minuten geven om je spullen bij elkaar te zoeken.'

'Die zijn allemaal in het hotel.'

'Goed.' Hij legde de laatste papieren in een doos en schoof de la met een klap dicht. 'Dan gaan we meteen.' Ze liepen naar de pick-up en hotsten het terrein af. Claire keek onrustig om naar het magazijn.

'Wat is er?' vroeg Griffin, zich bewust van haar agitatie.

'Hij zei iets tegen me. Over die gijzelaars in Assiut.'

'Hij houdt je voor de gek. Ik zei toch dat je niet met hem moest praten.'

Claire keek om. Mickey en Nathan werden heen en weer geslingerd in de laadbak, lachend als kinderen. Dat vond ze vaak, dat het net kinderen waren. Het was niet hun schuld dat er kwalijke dingen gebeurden hier. Ze gingen er voetstoots vanuit dat ze Peterson konden vertrouwen omdat hij een man van God was. Dat kon ze hen niet kwalijk nemen – zij had hetzelfde gedaan. En ze waren haar kameraden, haar vrienden, ongeacht wat die Fransman zei. Aan hen was ze de grootste trouw verschuldigd. 'Inderdaad,' zei ze, alle gedachten aan Augustin moedwillig onderdrukkend. 'Dat zei u inderdaad.'

III

Het weer sloeg verbazend snel om. Het ene moment scheen de zon heet door het raam op Knox' wang, het volgende moment ging hij schuil achter een dik, zwart wolkendek en daalde de temperatuur bliksemsnel. De regen sloeg een paar inleidende roffels op het dak van de Toyota en begon toen neer te hameren. Hun koplampen sprongen aan, de ruitenwissers begonnen hun werk. Net als de rest van de weggebruikers minderden ze vaart, zich voorzichtig een weg zoekend door de diepe plassen die binnen enkele minuten op het wegdek ontstonden.

Peterson gaf richting aan en sloeg een smal kronkelpad in. Ze schokten van gat naar gat, terwijl het water in golven onder de wielen opspatte. De bui werd nog heviger. De hemel was zo zwart dat het bijna middernacht had kunnen zijn. Na een minuut of twintig ging de Toyota stapvoets rijden, meerderde even vaart, klom over een berm van schalie en bleef staan in nat, plakkerig zand. Peterson trok de handrem aan, zette de koplampen, ruitenwissers en motor uit en maakte zijn veiligheidsriem los. Hij deed zijn portier open, haalde even diep adem en stapte haastig uit.

Knox ging rechtop zitten. Allebei zijn benen waren verkrampt en verdoofd. In het licht van een bliksemschicht zag hij Peterson teruglopen over het pad, met zijn arm boven zijn hoofd bij wijze van provisorische paraplu. Knox wachtte nog een paar seconden, deed toen zijn portier open en ging achter hem aan in de hevige razernij van het onweer.

IV

Claire keek gebiologeerd naar het nieuws op de tv in de foyer van het hotel, met haar ingepakte koffers aan haar voeten.

'Schiet op,' zei Griffin. 'We moeten gaan.'

'Kijk,' zei ze.

Hij keek verbaasd naar de beeldbuis. 'Waarnaar?'

Ze aarzelde even. Er waren hier te veel mensen. Toen zei ze zacht: 'Onze… gást vertelde me dat die vrouw een vriendin van hem is. En dat

Knox haar foto's gestuurd had van wat we gevonden hebben.'

'Ben je helemaal stapel?' siste Griffin. 'Daar kun je hier niet over praten.'

'Kijk nou maar gewoon. Ziet u het niet?'

Griffin keek weer naar de tv. 'Wat moet ik zien?'

'Haar houding. Het mozaïek.'

Griffin verbleekte. 'Verdomd,' mompelde hij. Hij schudde zijn hoofd. 'Nee. Dat is puur toeval, meer niet. Dat kan niet anders.'

'Dat probeerde ik mezelf ook aan te praten,' gaf Claire toe. 'Maar het ís geen toeval. Uitgesloten. Ze probeert een boodschap over te brengen.'

'We moeten weg, Claire,' zei Griffin smekend. 'We moeten naar Caïro, ons vliegtuig halen. Onderweg zal ik alles uit…'

'Ik ga niet mee,' zei Claire.

'Hoezo?'

'Ik ga terug naar de opgraving. Ik ga Pascal vrijlaten. Ik ga hem het mozaïek laten zien.'

'Het spijt me, Claire. Dat kan ik niet toelaten.'

Ze vouwde haar armen voor haar borst en keek hem aan. 'En hoe had je gedacht me tegen te houden?' Zijn ogen gingen naar de pick-up, waar zijn studenten hun bagage in de laadbak legden, alsof hij overwoog hun hulp in te roepen om haar te ontvoeren. 'Ik ga een scène schoppen,' waarschuwde ze. 'Dat zweer ik je. Ik spreek Arabisch, weet je nog wel? Ik vertel iedereen wat jullie hier uitgespookt hebben.'

'Wat wíj hier uitgespookt hebben,' bracht hij haar in herinnering.

'Inderdaad,' gaf ze hem gelijk. 'Wat wij hier uitgespookt hebben.'

Zweet blonk op zijn bovenlip. Hij veegde het weg met zijn vinger. 'Dat zou je niet durven.'

'Probeer het maar.'

Zijn gezicht veranderde en hij gooide het over een andere boeg. 'Geef me in ieder geval de kans de jongens het land uit te krijgen.'

'Als je me de sleutel van het magazijn en al zijn spullen geeft, zal ik jullie de tijd geven om je vliegtuig te halen.'

'De Egyptenaren zullen een zondebok zoeken, Claire, en jij bent de enige die ze zullen hebben.'

'Daar ben ik me van bewust.'

'Ga met ons mee dan. Ik zweer je dat ik Pascal onmiddellijk nadat we opgestegen zijn zal laten bevrijden en erop toe zal zien dat hij alles te horen krijgt wat hij moet weten.'

'Dan is het misschien te laat.'

Buiten klonk een claxon. Griffin kon Claire niet langer aankijken en wendde beschaamd en verward zijn blik af. 'Ik kan niet alleen aan mezelf denken,' zei hij. 'Het zijn nog kinderen. Iemand moet voor ze zorgen.'

'Dat weet ik,' zei Claire knikkend. Ze stak haar hand uit voor de sleutel en Augustins bezittingen. 'Je kunt beter voortmaken,' zei ze.

43

Knox volgde Peterson naar een hoge muur met een nette rij op regelmatige afstanden geplante dadelpalmen die aan schildwachten deden denken. Fatima's huis in Hermopolis, zoals hij al had verwacht. Hij bleef op een veilige afstand, maar toch moest Peterson iets gevoeld hebben, want hij draaide zich met een ruk om en tuurde de duisternis in. Knox verstijfde, erop vertrouwend dat hij onzichtbaar zou zijn in de stortbui. Peterson liep verder naar de hoofdingang, waar aan weerszijden zwakke olielampjes flakkerden en waarop een bordje hing dat bezoekers verzocht aan te bellen. Maar dat overwoog Peterson geen moment. Hij haastte zich voorbij de poort, volgde de muur tot de hoek en liep plassend door van water verzadigd zand om het hele complex heen op zoek naar een andere ingang. De achterpoort was duidelijk van binnen op slot en ging niet open. Terug bij de hoofdingang ging hij in de beschutting van een dadelpalm staan. Na enig nadenken klemde hij zijn voet tussen de muur en de stam, hees zich omhoog en keek over de muur om er zeker van te zijn dat er niemand was, zodat hij er veilig overheen kon klimmen. Hij gooide een been over de muur, ging er schrijlings op zitten, liet zich aan de andere kant zakken en sprong. Met een plons en een plof en een grom kwam hij neer. Daarna bleef het stil.

Knox overwoog aan te bellen en alarm te slaan. Het zou Peterson niet meevallen zijn aanwezigheid te verklaren. Maar zelf zou hij het ook niet makkelijk hebben en bovendien kon hij niet het risico lopen weer de cel in te gaan. Daarom klemde hij net als Peterson zijn voet tussen de muur en de boom en klom over de muur. Peterson was hem een minuut voor, maar Knox kende het terrein. Hij nam een kortere route tussen de collegezaal en de keukens naar de binnenplaats met de slaapvertrekken. Alle lichten waren uit, maar hij zag Peterson onder een markies staan toen deze een zaklantaarntje aanknipte om zijn print-outs te bestuderen en te bepalen waar Gailles slaapkamer was. In de keuken viel iets op de grond, gevolgd door een gedempte vloek en een kreet van ergernis. 'Blijf staan!' schreeuwde een man, terwijl aan alle kanten deuren openvlogen. 'Handen op je hoofd.' Een hinderlaag. Peterson draaide zich om en sloeg op de vlucht. Alle politieagenten renden achter hem aan, bevelen schreeuwend en met zaklantaarns zwaaiend. Gailles tuindeuren bleven verleidelijk open staan.

Knox haastte zich naar binnen, zijn schoenen sopten op de terracotta tegels. Haar laptop stond open op haar bureau. Hij rukte de kabels los, deed hem in de tas en hing hem over zijn schouder. Toen hij terugliep naar de tuindeuren, hoorde hij voetstappen en zag hij de lichtbundel van een zaklantaarn. Hij liet zich op de grond vallen en rolde onder het bureau. Twee politiemannen kwamen binnen en stampten hun schoenen droog. 'Dat het uitgerekend vanavond moet regenen,' mopperde de eerste. 'Verdomme zes maanden niks als zon en vanavond regent het alsof de wereld in brand staat.'

'Ik kan onze vriend in Alexandrië beter bellen,' gromde zijn metgezel. 'Die zal nieuws willen horen.'

'Niet dít nieuws,' mompelde de andere man. 'Ik denk dat hij...' Hij maakte zijn zin niet af. Knox zag het glanzende slakkenspoor van modder dat hij op de grond had achtergelaten en dat recht naar hem toe leidde. Hij sprong onder het bureau vandaan en rende tussen de geschrokken politiemannen door de tuindeuren uit en de binnenplaats op. Andere politiemannen keerden doorweekt en onverrichter zake van hun klopjacht terug. Knox rende de andere kant uit, naar de achterkant van het complex. Er zaten twee grendels op de achterpoort, een boven en een onder. De bovenste liep soepel, maar de onderste ging zo stroef dat hij er een paar keer aan moest wrikken. Achter hem plasten voetstappen door het natte zand. Het licht van zaklantaarns viel op hem. Hij trok de poort open, maar die bleef steken in het natte zand. Hij wrong zich door de nauwe opening, maar de poort viel weer dicht, zodat de computertas bleef haken en hij zich om moest draaien om hem los te trekken. Maar toen was hij in de woestijn. Hij zette het op een lopen, terwijl de tas tegen zijn achterste sloeg.

De regen bleef neerkletteren. Hij keek over zijn schouder. Zaklantaarns, schreeuwende mensen. Een lage omheining doemde op. Hij sprong er overheen, maar gleed uit toen hij neerkwam. Overeind krabbelend zag hij in het licht van een bliksemschicht een bordje van de ORA.

Met een natte, aan zijn benen klevende broek liep hij erheen, zoekend naar iets bekends. Bij zijn laatste bezoek had het er hier anders uitgezien. Hij hoorde poorten opengaan. Een motor loeide en koplampen sprongen aan – groot licht dat een lange schaduw voor hem uit wierp en waarin de dikke regendruppels blonken als juwelen. Hij maakte de fout om te kijken, raakte verblind en rende in volle vaart tegen een beveiligingshek. Hij tuimelde er overheen, wist ternauwernood te voorkomen dat hij in een gat viel, hees zich eruit. Aan de wand zat een ladder. Hij klom het donker in, vergeefs zoekend naar een weg naar buiten.

Boven kwam een voertuig tot stilstand. Portieren sloegen dicht, mensen schreeuwden. Een zaklantaarn scheen omlaag en verlichtte heel even een gang links van hem. Hij rende naar binnen, blindelings de wanden aftastend, waar de antieke vensters en nissen hem duidelijk maakten dat hij in de dierencatacomben was. Hij sloeg willekeurig links- en rechtsaf, omhoogkijkend en zoekend naar een stukje hemel, een luchtschacht om door te ontsnappen. Zaklantaarns voor zich. Hij draaide zich om. Daar ook. Hij betastte de wanden, vond een venster, klom er doorheen en stond in een cel die half gevuld was met zand en losse stenen. Een beklemmende plek, die nog griezeliger werd door het dansende licht van een naderende zaklantaarn. Een gemummificeerde baviaan staarde hem met glazige ogen aan vanuit een nis in de tegenoverliggende wand. Bavianen werden hier vereerd als de personificatie van Thoth, de Egyptische god van de schrijfkunst die door de Grieken met Hermes geassocieerd werd, aan wie Hermopolis zijn naam te danken had. Honderdduizenden bavianen waren in deze kilometers lange catacomben begraven.

Amechtig gehijg buiten, het klikken van een aansteker, het oranje puntje van een sigaret. Knox drukte zich tegen de muur. In de ingang van de cel verscheen het achterste van een man die ging zitten om van een sigaret te genieten.

II

Augustin begon de hoop op te geven dat hij die avond nog losgelaten zou worden, maar toen hoorde hij naderende voetstappen en een voorzichtig klopje op de deur van het magazijn. 'Meneer Pascal? Bent u daar nog?'

'Claire?' Hij hees zich met een grimas van pijn overeind. 'Ben jij het?'

'Ja.'

'Ik dacht dat je vertrokken was.'

'Ik ben teruggekomen.' Stilte, een ademtocht. 'Luister, u sprak de waarheid, nietwaar? Ik bedoel dat uw vriendin gegijzeld is, dat we haar misschien kunnen helpen door dat mozaïek te vinden?'

'Ja.'

'Want ik krijg waarschijnlijk de grootste moeilijkheden als ik…'

'Het is de waarheid, Claire. Dat zweer ik. En ik heet Augustin.'

Er werd een sleutel omgedraaid. De deur ging open. Claire stond in het maanlicht met haar handen voor haar buik gevouwen. Ondanks haar lengte zag ze er vreselijk bang en vreselijk jong uit. 'Ik ben in een vreemd land,' zei ze. 'Ik heb de wet overtreden. Dat wil zeggen, de wet ís overtreden en ik zal de enige zijn die de autoriteiten kunnen pakken om te straffen. Ik heb geen enkele familie in Amerika om me te helpen. Ik heb geen vrienden hier. Meneer Griffin heeft zo goed als gezegd dat hij zodra hij iedereen weer in Amerika heeft zijn handen van me af zal trekken. Niet omdat hij dat wil, begrijpt u, maar gewoon omdat hij geen enkele keus heeft. Dus ik ben bang. Echt bang. Ik ben niet goed in alleen dingen opknappen. Ik kan niet tegen druk. Als ik u vertel waar dat ding is, zal ik iemand nodig hebben om me door wat daarna gaat gebeuren heen te helpen. Iemand die voor me vecht zoals u voor uw vriendin gevochten heeft.'

'Ik zal voor je vechten,' zei Augustin.

Ze sloeg haar ogen neer. 'U zou alles zeggen om hieruit te komen. Dat kan ik u niet kwalijk nemen, maar het is waar.'

Hij liep naar haar toe, langzaam, om haar niet bang te maken, legde een hand op haar schouder en tilde met de andere haar kin op tot ze hem aankeek. 'Ik ben geen goed mens, Claire,' zei hij, haar diep in de ogen kijkend. 'Ik zou de eerste zijn om dat toe te geven. Ik heb allerlei ondeugden. Maar ik heb één deugd. Ik sta achter mijn vrienden, ongeacht wat daarbij komt kijken. Als je me nu helpt, ben je mijn vriendin voor het leven. Dat zweer ik. En je kunt me geloven.'

Haar gezicht versomberde even, maar toen brak er een stralende glimlach door. Ze gaf hem zijn portefeuille en mobiel. 'Kom maar mee dan,' zei ze. 'Dan zal ik u laten zien wat u zoekt.'

III

De put liep snel vol. Het water dat langs de wanden stroomde, zakte eerst in de grond, maar spoedig ontstonden er plassen die snel tot poelen aangroeiden. Het wassende water was een weerspiegeling van de zurige angst die aan Gailles maag knaagde. 'Steek een lucifer aan,' gromde Stafford. 'Ik heb iets.'

De lucifer sputterde toen ze hem aanstak – alles was vochtig geworden. Ze hield hem voorzichtig scheef om hem aan te houden en bukte zich. Stafford spoelde water weg om te laten zien wat hij gevonden had. Een gebeeldhouwde baksteen aan de voet van de wand. Een talatat. Na even gekeken te hebben, keken ze elkaar vragend aan – wat kon dit betekenen? De brandende lucifer schroeide Gailles vingers en ze liet hem met een zachte kreet vallen. Het werd opnieuw donker.

'Graaf hem uit,' stelde Lily voor. 'Misschien zit er iets achter.'

Ze werkten om beurten. Hun werk werd bemoeilijkt door een grote steen die vlak voor de baksteen tussen het puin lag. Maar ze hielden vol, en even later konden ze hem als een losse tand heen en weer bewegen en de omtrek ervan voelen. Links van de baksteen zat er nog een. Eronder zat een derde. Wie weet zat er een hele muur. Gaille was degene die er uiteindelijk in slaagde voldoende doorweekte oude mortel te verwijderen om de baksteen los te wrikken. Ze hadden allemaal gehoopt dat het water meteen weg zou lopen, maar dat bleef koppig staan. Gaille stak haar hand in het gat waar de baksteen gezeten had en voelde een massieve muur, maar toen ze er met haar nagels overheen kraste, liet de zachte pleisterlaag meteen los.

Ze groeven om beurten, maar het water bleef stijgen. Na een poosje

moesten ze elke keer diep adem halen en hun hoofd onder het water steken om erbij te kunnen. 'Het maakt allemaal niks uit,' jammerde Lily.
'Het leidt nergens toe.'

'We moeten volhouden,' zei Gaille beslist. 'We hebben geen keus.' Het
alternatief sprak duidelijk uit het gespannen overslaan van haar stem.

44

De rook van de sigaret van de politieman kriebelde in Knox' keel en hij moest zich inspannen om niet te hoesten. Buiten naderden meer voetstappen. 'Sta op, luie sodemieter. We moeten het hele complex doorzoeken.'

'Inderdaad, en ik doe dit stuk.'

'Moet ik dat tegen Gamal zeggen?'

'Oké,' zuchtte hij. Hij kneep de askegel van zijn half opgerookte sigaret, deed hem terug in het pakje en sjokte weg.

Knox wachtte tot het helemaal stil was, alvorens uit zijn schuilplaats tevoorschijn te komen. Hij was amper buiten of hij zag de zaklantaarn terugkeren. 'Ik zei toch dat het de andere kant uit was,' zei een van de politiemannen toen ze de hoek omkwamen. Alle drie bleven ze stokstijf staan en keken elkaar aan. Toen schreeuwde de eerste politieman om versterking, terwijl zijn collega naar zijn pistool greep.

Knox vluchtte het donker in, willekeurig afslaand, links, rechts, links, rechts. Overal waren achtervolgers, maar hij wist ze voor te blijven tot zijn gang doodliep in een hoop zand. De zaklantaarns waren vlak achter hem. Teruggaan was onmogelijk. Hij klom op de berg zand. Een centimeter of twintig ruimte tussen de bovenkant en het plafond, genoeg om er zich doorheen te wurmen. De laptop sleepte als een anker achter hem aan. Een lichtflits, gevolgd door een harde donderslag. Een ventilatieschacht. Het zand werd nat toen hij erheen kroop, omhoog klom en weer in de regen stond. Hij stapte over een veiligheidstouw, rende hijgend door de waterplassen. Een verre bliksemschicht verlichtte het landschap. Zoekend naar dekking zag hij een wit geschilderde bank in een kring van dadelpalmen. Hij rende erheen. Over zijn schouder kijkend zag hij de eerste politieman uit de schacht klimmen, zijn zaklantaarn de verkeerde kant op schijnen en wegrennen, de schaduwen achterna.

Knox herademde – hij zou ontkomen. Maar toen hoorde hij een tak breken. Hij keek op en zag een man staan. Hij hief zijn handen. Te laat. Een vuist trof hem vol op zijn wang, zo hard dat hij sterretjes zag, achteruit struikelde en op zijn achterste viel. Peterson… met gebalde vuisten en ontblote tanden, een straaltje snot onder zijn linkerneusgat en waanzin in zijn ogen. 'Jij!' mompelde hij ongelovig. 'Hoe kom jij hier. Heeft Satan je hier naartoe gebracht?'

'Je bent gek,' zei Knox, snel achteruit kruipend, niet alleen uit angst voor Peterson maar ook omdat hij vreesde dat de politie op het geluid af zou komen.

'Sodomiet!' siste Peterson. 'Vuige zondaar! Dienaar van Satan!'

'Je bent godverdomme getikt.'

'De dag des oordeels is nabij,' riep Peterson. 'Begrijp je dat niet? De wegvoering is eindelijk daar. De wereld staat op het punt om het gelaat van Christus te aanschouwen. Zijn goedertierenheid. Zijn oneindige genade. De mensheid zal in aanbidding op haar knieën vallen. Haar knieën! Daarom is je meester zo bang, nietwaar? Daarom heeft hij jou gezonden om me tegen te houden. Smerig schepsel van Satan. De grote veldslag gaat beginnen, de Heer zal zegevieren. Daar zul je niets aan kunnen veranderen. Het staat geschreven! Het staat geschreven!' Hij boog zich over Knox heen. Knox trapte naar zijn kruis, maar miste. Hij kroop weg, maar Peterson sprong op zijn rug, zette zijn knie in Knox' nek, pakte de riem van de computertas en snoerde hem om Knox' keel om hem te wurgen. 'Je meester heeft geen macht meer, hoor je wel? De heerschappij van het Beest is ten einde. De overwinning van de Heer is nabij. Snap je dat niet? De Heer is met me en Hij is machtiger dan legers.' Hij rukte nog harder aan de riem, die als een wurgtouw in Knox' luchtpijp beet. 'Als Ik hen bezoeken zal zullen zij struikelen, zegt de Here,' jubelde Peterson. 'En ik zelf zal tegen u lieden strijden, met een uitgestrekte hand en met een sterke arm, ja, met toorn, en met grimmigheid, en met grote verbolgenheid.'

Knox hield de riem met beide handen vast, maar Peterson was te sterk. Hij kon niet ademen, zijn longen snakten naar zuurstof. Hij kwam overeind met Peterson op zijn rug, wankelde naar de bank, klom erop en liet zich achterover vallen, zodat Peterson hard tegen de grond sloeg en zijn autosleutels en andere bezittingen uit zijn zak vielen. Zijn greep verslapte even, wat Knox de kans gaf zich los te trekken en weg te kruipen. Met beide handen naar zijn zere keel grijpend zoog hij gierend lucht naar binnen.

'Ik ben de alfa en de omega zegt de Here,' riep Peterson, overeind komend. 'Ik ben Hij die uit alle eeuwigheid komt. Mijn naam is Wrake. Ik ben de Verwoester.'

Een schreeuw over het zand, de straal van een zaklantaarn achter Peterson. Hij draaide zich om en zag vier politiemannen door de regen plassen. Knox bukte zich, rende naar de karige dekking van de bomen en liet zich plat op de grond vallen. Peterson leek verscheurd tussen de politie, Knox, de laptop, zijn op de grond liggende autosleutels en portefeuille, maar besloot uiteindelijk wat het belangrijkste was. Hij ritste de computertas open, haalde de laptop eruit, opende hem, raapte een gewitte kalkstenen baksteen van de grond en sloeg op het toetsenbord. Toetsen en stukken plastic vlogen alle kanten uit.

'Stop!' schreeuwde een politieman.

Peterson sloeg opnieuw en brak door de behuizing in het elektronische hart. 'Hun worm zal niet sterven, en hun vuur zal niet uitgeblust worden, en zij zullen alle vlees een afgrijzen wezen.' Zijn manische ogen lichtten op in het licht van de bliksem, lange strengen zilverwit haar hingen voor zijn gezicht, speeksel blonk op zijn kin – genoeg om de eerste politieman te doen besluiten om op zijn collega's te wachten. 'De tijd van de Here is gekomen! Horen jullie wel? Val op je knieën, verachtelijke heidenen. Jullie zijn niet waardig.' Hij gaf opnieuw een klap met de baksteen.

Een tweede en derde politieman arriveerden. Samen besprongen ze Peterson. Sterk als Samson richtte hij zich op met hen aan zijn armen en liep wankelend weg, proberend hen af te schudden. Maar toen arriveerde de vierde politieman, die Peterson met de kolf van zijn pistool tegen zijn slaap sloeg tot hij door zijn knieën zakte en met zijn gezicht in de modder viel.

De politiemannen stonden om hem heen en hijgden uit met hun handen op hun knieën. Een van hen gaf Peterson een wraakzuchtige trap in zijn ribben, maar een andere rolde hem op zijn zij om zijn mond uit het water te halen, terwijl een derde zijn handen achter zijn rug boeide.

'Er waren er twee,' hijgde een van hen. 'Ze vochten.' Hij gebaarde vaag in de richting van waar Knox met zijn wang tegen het doorweekte zand gedrukt lag.

Zaklantaarns schenen halfslachtig zijn kant uit en verdwenen weer.

'Ik stel voor dat we deze naar Gamal brengen,' gromde een van hen.

'Het wordt tijd dat de rest ook wat doet,' viel een tweede hem bij. Ze tilden Peterson op aan zijn armen en sleepten hem terug naar het complex.

II

Claire ging Augustin voor over het oneffen terrein. Twee gehelmde bouwvakkers stonden naast een gele graafmachine. 'Zij waren een pijpleiding aan het leggen bij de buren,' legde Claire uit. 'Ik heb ze gevraagd of ze bezwaar hadden tegen wat extra werk.'

Augustin lachte waarderend. 'Je bent me er een, Claire.'

Ze keek naar haar voeten om te verbergen hoe ingenomen ze daarmee was, liep een paar meter verder en stampte op de grond. 'Hier,' zei ze. 'Hier moet je graven.'

'Weet je het zeker?' vroeg Augustin.

'Heel zeker.'

'En dat dit de juiste plek is?'

'Ja.'

Hij pakte zijn mobiel en hield hem omhoog. 'Ik moet iemand bellen. Een vriend van me bij de ora. Hij is te vertrouwen.'

Ze aarzelde even, knikte toen. 'Oké.'

Hij belde Mansoor. 'Met mij,' zei hij. 'Ik ben op Petersons opgraving. Je moet meteen komen.'

'Maar ik ben halverwege...'

'Nu meteen,' zei Augustin. 'En breng wat bewakingspersoneel mee als het kan. We moeten deze plek onder bewaking stellen.'

III

'Heb je je moordenaar al gevonden?'

Faroek keek zijn grijnzende collega woedend aan. 'Hou je bek,' zei hij waarschuwend. 'Hou verdomme je bek.'

Zijn gezicht gloeide terwijl hij zijn rapport schreef. Zijn haat jegens Knox droop als zuur in zijn hart. Hij had heel Alexandrië af laten speuren maar de man leek van de aardbodem weggevaagd. Hij snapte niet hoe dat kon. Een vernedering die hem nog jaren zou achtervolgen. Zijn telefoon rinkelde. Misschien was er nieuws. Hij rukte de hoorn van de haak. 'Faroek,' zei hij.

'Met Gamal. In Mallawi, weet je nog wel. Je had me een poosje geleden aan de telefoon.'

Faroek schoot rechtop. 'Heb je nieuws?'

'Misschien. Je man was geloof ik hier.'

'Geloof ik? Hoezo, gelóóf ik?'

'Hij is ontsnapt.'

'Niet te geloven! Hoe is dat mogelijk?'

'We krijgen hem wel. Wees maar niet bang. Het is een kwestie van tijd. En als je gezegd had dat ze met hun tweeën zouden zijn, zouden we hem al gehad hebben.'

'Met hun tweeën? Hoe bedoel je?'

'Hij had een handlanger. Die wist in eerste instantie te ontkomen, maar nu hebben we hem.'

Faroeks gezicht vertrok van woede. Augustin! 'Een Fransman, ja?'

'Geen idee. Hij weigert iets te zeggen. Nog een hele tijd waarschijnlijk. Hij verzette zich tegen zijn arrestatie, als je begrijpt wat ik bedoel. Maar zeer zeker een buitenlander. Vroeg in de vijftig, denk ik, lang en sterk. Lang, grijzend haar. En hij heeft een boordje, een wit boordje. Je weet wel, zoals die christelijke predikanten.'

'Een boord van een geestelijke?'

'Ja. Precies. Kan dat?'

'Ja.' Dus toch niet Augustin. Peterson.

'Wat is er aan de hand?' vroeg Gamal.

'Geen idee,' zei Faroek grimmig. Hij kwam overeind. 'Maar één ding kan ik je beloven. Dat ik daar binnenkort achter zal komen.'

45

Augustin keek gebiologeerd toe terwijl de graafmachine grote happen uit de grond nam. Hij wendde zich tot Claire om iets tegen haar te zeggen, maar ze stond op een afstandje en friemelde nerveus met haar vingers, bang voor wat haar te wachten stond. Hij liep naar haar toe om haar gerust te stellen, maar wist niet goed hoe. 'Weet je waar Peterson naar op zoek was?' vroeg hij vriendelijk.

Ze schudde haar hoofd. 'Over dat soort zaken heeft hij me nooit iets verteld.'

'Heeft hij het ooit over de Carpocratinianen gehad?'

'Een paar keer,' zei ze knikkend. 'Waarom? Wie waren dat?'

'Een gnostische sekte. Gesticht in Alexandrië en met nederzettingen hier en in Cephallonië. Ze bezaten kennelijk iets wat de dominee per se wil hebben. Een portret van Jezus Christus, het enige waarvan de echtheid officieel is vastgesteld voordat de hausse in relikwieën in de middeleeuwen losbrak.'

Claire snoof. 'Ik dacht wel dat het zoiets zou zijn.' Ze keek hem aan. 'En heeft hij het gevonden? Is dat de reden van al deze toestanden?'

'Nee. Hij vond iets anders.'

'Wat dan?'

'Er is een geschrift dat het Geheime evangelie van Marcus heet. Dat wil zeggen, het bestaat niet maar er zijn mensen die bang zijn dat het wel bestaat.' Hij vertelde haar in het kort wat Kostas hem verteld had, dat de brief verworpen was als een vervalsing maar dat Peterson iets op de wanden van de catacomben hier gevonden had dat hem deed vrezen dat het geheime evangelie toch bestond. Een wandschildering waarop Jezus en een andere man uit een grot komen, terwijl een knielende figuur smeekt: 'Zoon van David, wees mij genadig.'

'En?' zei Claire.

'In het geheime evangelie wordt precies zo'n tafereel beschreven. Deze wandschildering is het bewijs dat het echt plaatsgevonden heeft, wat het vermoeden dat het geheime evangelie toch authentiek is zou bevestigen.'

'Maar waarom zou die wandschildering niet gewoon een soortgelijke gebeurtenis kunnen afbeelden?' vroeg ze fronsend. 'Net als met Bartimaeus, bijvoorbeeld?'

'Bartimaeus?'

'Daar heb je toch wel van gehoord? De blinde die Jezus smeekte hem te genezen. Die gebruikte exact dezelfde woorden. Het staat in het evangelie van Marcus. Dat weet ik zeker. En in dat van Mattheüs ook.'

Nu was het Augustins beurt om zijn voorhoofd te fronsen. Hij was ervan overtuigd geweest dat zijn redenering klopte. Maar toen zag hij het antwoord, en het maakte hem aan het lachen. 'Jouw dominee kende dat verhaal evenmin.'

'Natuurlijk wel,' wierp Claire tegen. 'Hij is predikant.'

'Dat wel,' gaf Augustin haar gelijk, 'maar van het oude testament. Vuur en zwavel, niet liefde en vergiffenis. Heb je zijn website ooit gezien? Daar wordt Christus honderden keren genoemd, maar altijd met betrekking tot Deuteronomium, Leviticus en Numeri, nooit tot het nieuwe testament, nooit tot Christus zelf.'

'Dat kun je niet menen.'

'Denk eens na. Jij hebt hem ongetwijfeld horen preken. Kun je je één geval herinneren waarin hij Christus zelf aanhaalde?'

Op dat moment schraapte de graafmachine over iets hards, wat haar een antwoord bespaarde. De machinist hield op met graven en reed achteruit om Augustin de kans te geven in het gat te klauteren. Met zijn voet schoof hij het zand van het luik, tilde het op en onthulde de trap eronder. Zijn hart zwol op van onbekende gevoelens toen hij naar Claire knikte. 'Dank je,' zei hij.

II

Knox raapte Petersons autosleutels op uit het natte zand, evenals zijn portefeuille en mobiele telefoon. De kans was groot dat de politie de Toyota gevonden had en een hinderlaag gelegd had, maar er zat niets anders op dan dat te riskeren. Het geluk was met hem. Hij startte de motor en tuurde door de beslagen voorruit de donkere nacht in. Hij zag niets, maar durfde zijn lichten niet te ontsteken. Een verre bliksemschicht deed de open zandvlakte even oplichten, lang genoeg om blindelings te gaan rijden tot een tweede schicht hem opnieuw enig zicht verschafte. Toen het complex ver genoeg achter hem lag, ontstak hij zijn koplampen en reed naar de bomenrij tussen de woestijn en het akkerland. Daar reed hij een rietsuikerveld in en verborg de auto achter een muur van stengels, met de neus naar buiten voor het geval hij er weer vandoor moest. Daarna doofde hij de koplampen en zette de verwarming aan.

Wat nu?

Gaille was in Assiut, een kilometer of zeventig verder naar het zuiden. Aan de hoofdwegen hoefde hij niet te denken nu de politie jacht op hem maakte. En zelfs een fourwheeldrive kon in dit weer de woestijn niet oversteken. Niet dat het overigens iets uitmaakte. Door de laptop en zijn foto's te vernietigen had Peterson hem elke kans om Gailles boodschap te ontcijferen ontnomen.

Pas toen herinnerde hij zich het vliegtuigje dat hij over Borg had zien vliegen. Hij pakte Petersons mobiel en tikte Augustins nummer in. Hij kreeg zijn voicemail. Vervolgens schreef en verstuurde hij een sms aan zijn vriend met het verzoek om zodra hij die ontving, terug te bellen. Daarna leunde hij achterover in zijn stoel en wachtte.

III

Toen Faroek bij Petersons opgraving bij Borg el-Arab arriveerde, bleek de bewaking verdwenen en het kantoor verlaten te zijn. Maar rechts van hem zag hij een graafmachine met zijn lichten aan, een geparkeerde auto en twee grondwerkers die met een potige bewaker stonden te praten. Hij reed erheen. Er lag een grote hoop aarde en stenen naast een enorm gat in de grond, waarin een stenen trap naar een ondergronds vertrek leidde. Aan de voet ervan bromde een generator.

'Kijk eens aan, chef,' zei Hosni monter. 'Er was hier dus toch iets.'

Faroek wierp hem een blik toe waarmee je een kebab had kunnen braden, stapte uit en beende naar de mannen toe. 'Wat is hier aan de hand?' informeerde hij kortaf.

'Verboden toegang,' zei de bewaker. 'Ressorteert onder de ORA.'

'Moordzaak,' beet Faroek terug. 'Ressorteert onder mij.' Hij liep de bewaker voorbij en haastte zich ziedend van woede de trap af. Het geluid van stemmen volgend liep hij door een gang naar een vertrek waar Pascal onder het toeziend oog van Mansoor en een jonge blonde vrouw een mozaïek fotografeerde. 'Wat moet dit verdomme voorstellen?' riep hij.

'Wat dacht je?' antwoordde Augustin.

'Waar haal je het lef vandaan om hier zonder mij terug te komen. Dit is een plaats delict. Ik heb de leiding hier! Ik! Ik neem de beslissingen. Niemand kan iets doen zonder mijn...'

'Heb je godverdomme al niet genoeg problemen veroorzaakt?'

'Hoe durf je zo'n toon tegen me aan te slaan?'

'Je hebt van mijn beste vriend een voortvluchtige misdadiger gemaakt,' beet Augustin terug. 'Zolang je daar niks aan doet, sla ik godverdomme elke toon aan die ik wil.'

'Waar is Peterson?' vroeg Faroek. 'Waar is Griffin?' De vrouw trok zich terug in het donker. Faroek draaide zich met een ruk naar haar toe. 'En wie is zíj?'

'Een collega,' zei Augustin. 'Van de ORA.'

'Klopt dat?' vroeg Faroek, zich met een ruk tot Mansoor wendend. 'Werkt ze voor jullie?'

'Ik... eh... dat wil zeggen...'

'Ze hoort bij hen, niet?' zei Faroek triomfantelijk. Hij wendde zich tot Hosni. 'Arresteer haar. Breng haar naar het bureau. Het interesseert me niet hoe, maar krijg haar aan de praat.'

'Heb het lef niet!' schreeuwde Augustin, terwijl hij voor haar ging staan. 'Laat haar met rust.'

Maar Faroek trok zijn pistool en richtte het met zulke vastbeslotenheid op Augustin dat deze onwillig opzij ging. 'Obstructie van ambtsuitvoering,' zei hij vol leedvermaak, terwijl Hosni Claire wegvoerde. 'Als je niet oppast laat ik jou ook oppakken.'

IV

'Je ziet er bezorgd uit,' zei Jasmine, Naguib aan de deur begroetend.

'Niks aan de hand,' verzekerde hij haar. Hij trok zijn doornatte colbert uit, pakte Hoesniyah op en droeg haar naar de keuken. 'Ruikt goed,' zei hij met een knikje naar de pan.

Ze hing zijn colbert voor de kachel om het te laten drogen. 'Hoe was je dag?' vroeg ze. In plaats van te antwoorden staarde hij met nietsziende ogen naar de muur. Ze raakte zijn arm aan. 'Wat is er?' vroeg ze.

Hij slaakte een luide zucht. 'Een Engelsman met de naam Daniel Knox,' zei hij. 'De jongens aan de andere kant van de rivier zijn op zoek naar hem. Ik heb naar de radio geluisterd.'

'En?'

'Was dat niet de andere man op die persconferentie? Waarop ze aankondigden dat ze Alexanders graf gevonden hadden, bedoel ik. Met de secretaris-generaal en dat meisje dat gegijzeld is?'

Ze knikte. 'Ja. Daniel Knox. Dat klopt, geloof ik.'

'Ze zeggen dat hij een moordenaar is.'

'Daar zag hij niet naar uit.'

'Nee,' gaf Naguib haar gelijk.

'Hij leek me aardig.'

'Dat zei je inderdaad diverse keren,' zei Naguib nors. 'Maar het is de vraag wat hij hier doet.'

'Hoe bedoel je?'

'Een voortvluchtig moordenaar probeert moeilijkheden te vermijden. Deze zoekt ze zelf op. Waarom? Vanwege die gegijzelde vrouw, dat kan niet anders. Hij weet iets, en dat brengt hem hierheen.'

'Kom liever eten en maak je daar morgen maar weer zorgen over.'

'Er is iets aan de hand in Amarna, schat. Ik weet nog niet precies wat, maar het heeft iets te maken met die toeristenpolitie.'

'O nee,' zei ze. 'Niet dat weer.' Ze keek naar Hoesniyah. 'We zijn hier net een beetje ingeburgerd. Als je je baan kwijtraakt...'

'Als je zegt dat ik er niet achteraan moet gaan dan doe ik het niet.'

'Je weet dat ik dat niet zou zeggen. Hoe zit het met je collega's? Staan die achter je?'

Hij schudde zijn hoofd. 'Ik heb Gamal gevraagd. Die zei dat ik het moet laten zitten. Maar dat kan ik niet.'

Yasmine dacht even na. Toen haalde ze diep adem. 'Doe maar wat je moet doen. Hoesniyah en ik zullen je altijd blijven steunen, dat weet je.'

Zijn ogen fonkelden toen hij opstond. 'Dank je,' zei hij.

'Maar doe geen gekke dingen. Dat is het enige wat ik vraag.'

Hij knikte terwijl hij zijn colbert aantrok. 'Voor je het weet ben ik terug.'

46

Het water stroomde nog steeds langs de wanden, even hard, zo niet harder dan daarvoor. Lily en Stafford stonden samen op het eilandje dat ze gemaakt hadden, Lily tot aan haar dijen in het water, dat spoedig tot haar middel en, als er niet snel iets gebeurde, tot haar keel zou stijgen. Een rilling van angst trok door haar heen en ze klappertandde van de kou. Ze moest zich uit alle macht inhouden om niet hysterisch te worden. Ze was zo jong, ze voelde zich zo jong, en deze situatie was niet alleen onverdiend maar ook een verwijt. Het was één ding om je hele leven en al die oneindige mogelijkheden, voor je te hebben, maar heel iets anders om terug te blikken en te zien hoe weinig ze er tot nog toe van gemaakt had.

Gaille kwam boven water, snakkend naar adem na haar laatste poging om de talatatmuur uit te graven. 'Gaat het?' vroeg Lily.

'We moeten blijven werken.'

'Dit leidt nergens toe,' snauwde Stafford. 'Heb je dat nog steeds niet door?'

'Wat stel jij dan voor?'

'Onze krachten te sparen,' zei Stafford. 'Dat ga ik in ieder geval doen. Misschien kunnen we hieruit zwemmen.'

'Zwemmen!' riep Lily spottend.

'Als het zo blijft regenen.'

'Dan zijn we allang verdronken,' riep Lily. 'We zullen allemaal verdrinken.' Ze was zo verontwaardigd dat woorden niet genoeg waren en in haar woede haalde ze uit naar waar zijn stem vandaan kwam. Tot haar verbazing raakte ze zijn naakte borst. Hij had zijn overhemd uitgetrokken. 'Wat doe je?' vroeg ze.

'Niks.'

Ze stak een hand uit, voelde iets op het water drijven: een waterfles met de dop erop. Hij griste hem uit haar hand. Ze hoorde het geluid van natte stof, voelde de dichtgeknoopte mouw van zijn overhemd, dat opbolde van Popeyespieren. 'Je bent een reddingsvest aan het maken,' zei ze.

'Dat kunnen we allemaal gebruiken.'

'Hij maakt een reddingsvest,' zei Lily tegen Gaille. 'Hij gebruikt alle waterflessen.'

'Dat is een goed idee,' zei Gaille.

'Het zijn ónze flessen. Niet de zíjne.'

'Dit is voor ons allemaal,' zei Stafford weinig overtuigend. 'Ik wilde jullie alleen maar geen valse hoop geven voor ik wist of het zou werken. Maar is het jouw beurt niet om die verdomde muur van jullie uit te graven?'

Dat was het inderdaad. Lily zwom naar de andere kant van de schacht, haalde verscheidene keren diep adem en verdween onder water naar het gat in de talatatmuurt. Haar oren en sinussen deden pijn van de druk terwijl ze als een razende kraste. Haar nagels zaten vol pleister en ze vorderde pijnlijk langzaam, vooral nu het stijgende water het werk steeds moeilijker maakte, totdat het straks zelfs onmogelijk zou zijn om...

Plotseling stortte de wereld in. Het water kolkte. Iets viel zo hard op haar schouder dat ze een volle draai maakte. Instinctief trappelde ze met haar benen om naar het oppervlak te stijgen, al half beseffend wat er gebeurd moest zijn – de planken en lakens en dekens waren samen met de stenen die ze vasthielden door het toenemende gewicht van het water omlaag gesleurd. Sputterend kwam ze boven water en spartelde rond in het donker.

'Gaille!' riep ze. 'Charlie!' Geen antwoord. Ze tastte in het rond, voelde iets warms, een bovenlijf, de naakte tors van een man: Stafford. Ze voelde zijn nek, zijn hoofd, een groot gat in de schedel, zachte hete pulp als een kapotgevallen vrucht. Met een gil duwde ze hem weg. 'Gaille!' riep ze, met gestrekte armen en vingers door het duister tastend, langs lakens en dekens en een houten plank. Ze voelde een onderarm, voelde de blouse, wist dat het Gaille was, hees haar op het eilandje en tilde haar hoofd uit het water, zodat ze het water uit haar luchtwegen kon hoesten. Verder gaf ze amper een teken van leven. Toch trok Lily haar tegen zich aan, met luide uithalen huilend van verdriet, angst en eenzaamheid in het donker.

II

'Ik regel een advocaat voor je,' schreeuwde Augustin tegen Lily, terwijl hij achter haar de trap op strompelde. 'Geen woord tot hij komt. Begrepen?' Ze knikte terwijl ze op de achterbank van de politiewagen geduwd werd. Haar gezicht was alarmerend bleek. 'Ik kom meteen achter je aan,' beloofde hij. 'Ik zal je niet uit het gezicht verliezen.' Maar het portier sloeg dicht en de wagen reed weg en hij realiseerde zich te laat dat zijn motor verongelukt was.

Mansoor kwam naast hem staan. 'Maak je maar niet ongerust. Het komt allemaal vanzelf terecht.'

'Wat is dat voor onzin?' grauwde Augustin. 'Je weet hoe het hier gaat als mensen eenmaal in de molen zitten.'

'Waarom wind je je zo op over haar? Ze hoort immers bij hen.'

'Nee, ze hoort bij ons. Ze heeft haar keus gemaakt en voor ons gekozen.'

'Jawel, maar…'

'Je moet me terugbrengen naar Alexandrië. Ik moet haar vrij krijgen.'

'Onmogelijk,' gromde Mansoor. 'Dit hier heeft voorrang. Dat moet je begrijpen.'

'Lulkoek. We hebben al bewaking. Pak je telefoon en haal er nog meer bij als je wilt. De rest kan tot morgen wachten. Tenslotte wacht het al tweeduizend jaar.'

'Het spijt me, mijn vriend.'

'Ik heb haar mijn woord gegeven,' protesteerde Augustin. 'Ik heb haar beloofd dat ik bij haar zou blijven.'

'Jawel, maar…'

'Alsjeblieft, Mansoor. Ik heb een heleboel voor Egypte gedaan, niet?'

'Natuurlijk.'

'En voor jou ook.' Mansoors zoon studeerde medicijnen aan een vooraanstaande universiteit in Parijs, grotendeels dankzij de touwtjes waaraan Augustin getrokken had.

'Ja.'

'En ik heb je nooit iets teruggevraagd.'

'Je bent een mooie. Je vraagt me van alles. Wat dacht je van mijn gps, dat vliegtuigje? Waar is dat trouwens?'

Augustin wuifde zijn haarkloverij weg. 'Ik meen het, Mansoor. Claire treft geen blaam. Echt niet. Ze heeft in moeilijke omstandigheden de juiste beslissing genomen. Ze heeft haar hele toekomst op het spel gezet om alles recht te zetten. Je hebt Faroek gezien. Die zoekt een zondebok. Iemand om te ondervragen, af te bekken, zijn woede op te koelen. Als hij Peterson of Knox niet vindt, zal hij genoegen nemen met haar.'

Mansoor zuchtte. 'Wat kan ik doen?'

'Hem vertellen dat Claire een informante was, dat ze contact opgenomen had met de ORA omdat ze het idee had dat er iets niet klopte aan Peterson en zijn opgraving. Dat dat de reden was dat Omar en Knox een kijkje kwamen nemen.'

'Dat gelooft hij nooit.'

'Dat hoeft ook niet. Zolang hij maar niks kan bewijzen.'

Mansoor trok een ongelukkig gezicht. 'Denk je echt dat dat zal werken?'

'Er is maar één manier om daar achter te komen.'

'Dan sta je wel heel erg diep bij me in het krijt.'

'Inderdaad,' erkende Augustin. 'Heel erg diep.'

III

Knox was bezig hete lucht in zijn schoenen te blazen toen de mobiel eindelijk overging. 'Met mij,' zei Augustin. 'Sorry dat ik niet opnam. Problemen. Waar zit je?'

'Hermopolis. Lang verhaal. Luister, was jij dat, met dat vliegtuigje boven Petersons opgraving?'

'Heb je dat gezien? Ja. En we hebben de plaats gevonden. We hebben alles gevonden. Het mozaïek ook.'

'Je bent godverdomme een juweel.'

'Ik heb nog geen kans gehad om het te bestuderen, maar ik kan je een foto sturen. Dit nummer, ja?'

'Alsjeblieft.'

'Nog nieuws van Gaille?'

'Nog niet.'

'Je zult haar vinden,' zei Augustin. 'Dat weet ik zeker.' Hij zweeg, zoekend naar de juiste woorden. 'Er zijn niet veel dingen waar ik in geloof, maar ik geloof in jullie tweeën.'

'Dank je, makker,' zei Knox, onverwacht ontroerd.

De foto kwam een paar minuten later, maar het schermpje van de telefoon was te klein om alle details te zien. Daarom deed hij de binnenverlichting van de Toyota aan, haalde een pen en blocnoteje uit de doos achterin, schetste de figuur binnen de zevenpuntige ster en voegde er de Griekse letters aan toe. Maar hoe hij er ook naar staarde, hij zag er niets in. Gefrustreerd sloeg hij op het dashboard. Hij had verwacht dat alles op zijn plaats zou vallen als hij het mozaïek vond. Hij had verkeerd gedacht.

De blocnote was te klein om alles goed te kunnen zien. Hij ging terug naar de doos, haalde er een rolletje plakband en een goedkoop schaartje uit, tekende de figuur en de zeven lettergroepjes op aparte velletjes en plakte ze op de voorruit van de Toyota in ongeveer de vorm van een zevenpuntige ster. Zulke zevenhoeken waren geliefde symbolen van de alchemisten, die geloofden dat de loden ziel in zeven stadia omgezet kon worden in de gouden zon. Hij pijnigde zijn hersenen om het weinige wat hij er nog meer van wist op te halen. Ze vormden een talisman tegen het kwaad, een zinnebeeld van God, van de goddelijke vorm. *De goddelijke vorm*. Had Augustin dat niet gezegd van hermafrodieten? Als alles van één ding afkomstig was, moest dat ene ding per definitie zowel mannelijk als vrouwelijk zijn. Aton die in zijn hand masturbeert. De androgynie. Adam Kadmon. Zijn gedachten verzandden.

Hij verwisselde de lettergroepjes op de voorruit, zoekend naar patronen, anagrammen. Toen hoorde hij het brommen van een motor dicht in de buurt en zette de binnenverlichting snel uit. Een vrachtwagen kwam langzaam in zicht, draaiend van links naar rechts, zijn koplampen gebruikend als zoeklichten om grote delen van de suikerrietplantage af te speuren. Ze streken langs zijn schuilplaats en wierpen smalle strepen geel licht over de blocnotevelletjes. Ze bleven even hangen op twee van de groepjes, $\Theta\varepsilon$ en ΔI, alvorens verder te gaan. Als hij niet vlak daarvoor aan goddelijke vormen gedacht had, zou het hem nooit opgevallen zijn, maar $\Theta\varepsilon\Delta I$ was *thedi* en *theoeides* betekende 'goddelijke vorm' in het

Grieks. Een derde mogelijke verwijzing naar hetzelfde begrip in één diagram. Kon dat toeval zijn?

De koplampen verdwenen toen de vrachtwagen verder reed. Hij gaf ze een seconde of twintig totdat hij zijn ongeduld niet meer kon bedwingen en de binnenverlichting weer aandeed. Tot zijn teleurstelling zag hij dat Θε en ΔI niet naast elkaar stonden, maar even later realiseerde hij zich dat ze verbonden waren door de doorlopende lijn die de zevenpuntige ster vormde. Hij schreef de letters waar de figuur in het midden naar wees op de blocnote en volgde de omtrek van de ster.

KεN ΧΑΓ ΗΝ Θε ΔI ΤΡ ΣΚ.

Hij keek naar de letters, proberend zijn geest te dwingen met een oplossing te komen. Toen brak het antwoord door als zonlicht in zijn geest. Maar hij kreeg geen tijd om het te vieren. Op hetzelfde moment sprong het grote licht van de vrachtwagen aan en scheen recht door zijn voorruit, zodat hij volkomen verblind werd.

47

Knox ontstak zijn eigen koplampen, gaf plankgas en raasde het suiker-riet uit. Golven water spatten onder de wielen van de Toyota uit. Ge-schrokken gezichten in de vrachtwagen, de chauffeur rukte aan het stuur en zijn passagier belde om versterking. Knox racete door de plantage tot hij een pad zag. Hij volgde het op zijn gevoel. Suikerrietstengels zwiepten tegen de zijkant van de jeep.

Koplampen voor hem, een auto die met grote snelheid over een weg reed. Knox reed te hard om de bocht te maken, schoot door in de akker aan de overkant, maakte een bocht en scheurde verder. Toen hij door een scherpe bocht kwam, zag hij dat de weg versperd werd door twee politie-wagens. Hij stampte op de rem. Zijn bemodderde wielen blokkeerden en slipten op het doorweekte oppervlak. Hij wilde achteruitrijden, maar achter hem naderde met grote snelheid een derde politiewagen. Hij reed de berm in, daalde een korte helling af naar een modderige akker en schakelde de vierwielaandrijving in. De Toyota kroop over de modder, terwijl de politiewagen achter hem vastliep. Hij kwam bij een verlaten spoorweg, sloeg linksaf, hotste over de bielzen, keek in zijn spiegeltje, hoopte dat hij ontsnapt was. Maar hij zag een paar koplampen achter zich opdoemen, schokkend over de spoorweg, meteen gevolgd door een tweede. Hij keek om zich heen, maar aan weerszijden van de spoorweg lagen diepe sloten waar zelfs de Toyota amper uit zou kunnen komen.

Een langzaam voortdenderende goederentrein kwam in zicht, een monster met tientallen wagens. Hij probeerde de spoorwegovergang eerder te bereiken, maar de trein was er het eerst. Hij kon er niet over-heen en de trein reed zo langzaam dat het verscheidene minuten zou du-ren voor hij voorbij was. De politiewagens liepen snel op hem in, met loeiende sirenes en zwaailichten. Knox had geen keus. Hij propte de tele-foon, portefeuille, schaar, pen en alles wat hij nodig meende te hebben in zijn zakken, sprong uit de auto, rende naar de trein, greep een ladder en klom naar het dak. De trein was van links gekomen, wat inhield dat hij naar het zuiden reed, wie weet helemaal tot Assiut, waar naar Gaille gezocht werd. Maar Knox was niet langer geïnteresseerd in Assiut. Hij had het raadsel van het mozaïek opgelost, de reden dat Gaille er zijn aandacht op gevestigd had. En de oplossing wenkte hem niet naar het zuiden maar naar het oosten.

Hij vond een ladder aan de andere kant van het dak, klom omlaag, sprong van de rijdende trein. Hij smakte zo hard op de grond dat alle lucht uit zijn longen werd geslagen. De Nijl lag zeker twee kilometer verderop. Hij rende door struikgewas, een akker op, spattend door enkeldiep water. Het geheim van het mozaïek schroeide in zijn geest.

KεN XAΓ HN Θε ΔI TP ΣK.
Achenaten, Theoeides, Threskia.
Echnaton, Goddelijk van Vorm, Dienaar van God.

II

Naguibs politieradio viel voortdurend uit. Geërgerd gaf hij er een klap op met de muis van zijn hand. Even maakte het onverstaanbare gekraak plaats voor een verstaanbaar gesprek. 'Hij stapt uit. Hij stapt uit.'

'Ik heb hem gezien.'

'Hij rent naar de trein. Hou hem tegen.'

'Hij is erop geklommen! Hij is erop geklommen!'

'Volg hem.'

'Hou de trein tegen. Hou die verdomde trein tegen.' Luid gekraak. 'Wat bedoel je verdomme, hoe? Rij er achteraan, idioot. Rij hem voorbij. Zwaai naar de machinist. Weet ik veel.'

Naguib haalde zijn Lada van de handrem, liet hem een kleine helling afrollen en parkeerde in de beschutting van de bomen, zo dicht bij de Nijl als in dit afschuwelijke weer veilig was. Als hij het goed berekend had, speelde al dit gedoe zich ongeveer een kilometer verder stroomopwaarts af. Hij zette zijn groot licht aan. Zijn koplampen schenen omlaag langs de lichte helling, zodat ze felle gele ellipsen op het schuimende oppervlak van de Nijl tekenden. De reflectie verlichtte een miljoen regendruppels van onderen.

Een intens moment van serene kalmte, de kalmte die je voelt als je het antwoord nog niet helemaal hebt maar zeker weet dat het eraan komt. En toen had hij het.

Licht van onderen.

Ja!

Wat was hij blind geweest! Wat was iedereen blind geweest!

III

De plaatselijke vissers hadden hun roeiboten in afwachting van het onweer hoog op de Nijloever getrokken en ondersteboven gekeerd. Het duurde een paar minuten voordat Knox er een gevonden had met een paar stevige roeispanen. Hij draaide hem om, sleepte hem naar het snelstromende water, keek over zijn schouder. Geen enkel teken van achtervolgers. Met een beetje geluk dacht de politie dat hij nog op de trein zat.

Hij duwde de boot in de snelstromende rivier, sprong aan boord en begon te roeien, koortsachtig nadenkend over de implicaties van het mozaïek. Was het echt mogelijk dat de letters op Echnaton sloegen of begon zijn fantasie op hol te slaan? Hij had nooit veel geloof gehecht aan de theorieën die een verband legden tussen Amarna en de uittocht uit Egypte. Hoe aannemelijk ze op het eerste gezicht ook leken, er was veel te weinig fysiek bewijsmateriaal om ze te bevestigen. Hij was archeoloog. Hij zag graag tastbare bewijzen. Maar het mozaïek veranderde alles.

Achenaten, Theoeides, Threskia.

Niet alleen *theoeides* hield verband met Echnaton. Dat gold ook voor *Threskia*. De Grieken hadden geen woord voor godsdienst. *Threskia* kwam nog het dichtst in de buurt. Dat betekende alles wat in dienst van de goden gedaan werd, evenals de mensen die het deden, wat de reden was dat het soms vertaald werd als 'dienaren van de goden'. De geleerden waren nog steeds in een fel debat verwikkeld over de etymologie van het woord 'Esseen', maar het was heel goed mogelijk dat het iets soortgelijks betekende, evenals vrijwel zeker ook het woord 'Therapeutae'. En dan had je nog de naam Echnaton, de naam die de ketterse farao voor zichzelf gekozen had. Want die betekende letterlijk 'Hij die nuttig is voor de Aton', of eenvoudiger 'dienaar van God'.

De stroom was vreselijk sterk. De Nijl was gezwollen door het regenwater en raasde stroomafwaarts naar de Delta en de Middellandse Zee. En wie weet was dat eveneens van belang. Waarom zou er anders een mozaïek van Echnaton gevonden zijn in een oude nederzetting buiten Alexandrië? Als het verhaal van de uittocht ook maar een greintje waarheid bevatte en als de atonisten inderdaad de joden geworden waren, zag hij een verklaring.

In het tijdperk van Amarna werd Egypte geteisterd door de pest. Misschien was de epidemie al tijdens het bewind van Echnatons vader begonnen, want die had honderden beelden van Sechmet, de godin van ziekte, laten maken. En de pest had zeker voortgeduurd tijdens Echnatons bewind, want dat bleek duidelijk uit onafhankelijke Hittitische teksten en uit de menselijk resten die recentelijk in de begraafplaatsen van Amarna gevonden waren en die grimmige tekenen vertoonden van ondervoeding, onvolgroeidheid, bloedarmoede en een lage levensverwachting: alle klassieke indicaties van een epidemie. Dat paste precies bij het verhaal van de uittocht. God had de farao tenslotte gewaarschuwd dat hij zijn volk moest laten gaan door Egypte te bezoeken met een reeks plagen. Historici en wetenschappers probeerden al decennia die plagen te verklaren op grond van natuurverschijnselen. Een theorie stelde dat alles begonnen was als gevolg van een vulkanische uitbarsting, met name die van Thera in Santorini, ergens halverwege het tweede millennium voor Christus. Dat was een buitengewoon krachtige uitbarsting geweest, zes keer sterker dan die van Krakatau, het equivalent van duizenden atoomkoppen die honderd kubieke kilometer rots in de atmosfeer slingerde, zodat de brokstukken in een straal van honderden kilometers terugvielen op de aarde, precies als de regen van vuur die in de bijbel beschreven wordt. En in de daaropvolgende dagen en weken zou een enorme wolk van as en rook de zon verduisterd hebben, zodat de wereld donker werd, precies zoals beschreven in de tweede plaag.

Het stortregende nog steeds en regenwater verzamelde zich op de bodem van zijn roeiboot. Knox legde zijn riemen even weg om met beide handen te hozen.

Vulkanische as had een hoge zuurgraad. Te veel contact ermee veroorzaakte ziekte en zweren bij mensen en kon fataal zijn voor vee. Het hoge gehalte aan ijzeroxide zou de rivieren rood gekleurd hebben, zodat de vis stikte. Maar andere soorten zouden gedijen, vooral eierleggende dieren en insecten waarvan de natuurlijke vijanden uitgestorven waren. Al hun eieren zouden uitkomen, met als gevolg massale overlast van luizen, vliegen, sprinkhanen en kikkers. Een vulkanische uitbarsting kon dus een plausibele verklaring zijn voor alle bijbelse plagen behalve de moord op de eerstgeborenen, en zelfs daarvoor had Knox ingenieuze verklaringen gehoord.

Maar daar hield het niet mee op. Van een afstand zag een vulkanische uitbarsting eruit als een kolom van vuur bij nacht en een kolom rook bij dag – precies zoals de kolom die de joden op hun vlucht gevolgd hadden. En als ze werkelijk uit Amarna vertrokken waren, zou hun meest voor de hand liggende route noordwaarts langs de Nijl geweest zijn, in de richting van Thera. Sterker nog, volgens Knox' berekeningen zou een lijn tussen Amarna en Thera vrijwel precies door de nederzetting van de Therapeutae snijden.

Knox meende licht te zien, hoewel dat in de stortbui moeilijk te zeggen was. Toen realiseerde hij zich dat het koplampen waren die recht over de Nijl schenen. Misschien zochten ze hem. Hij hield meteen op met roeien, ging plat in de boot liggen en liet zich door de stroom voorbij de lampen voeren, hopend dat hij ver genoeg weg was om onzichtbaar te zijn. Ze werden weer opgeslokt door het donker. Hij nam de riemen weer ter hand en roeide naar de oever, zich opnieuw het hoofd brekend over antieke raadsels.

Het uitverkoren volk. Zo beschouwden de joden zichzelf. En als er één gebeurtenis was die de waarheid van hun speciale verbond bewees, was het ongetwijfeld het moment waarop God de wateren van de Rode Zee scheidde om ze te helpen ontsnappen en ze vervolgens terug liet komen om de farao en zijn leger te vernietigen. Alleen had God volgens de bijbel de wateren van de Rode Zee helemaal niet gescheiden. Dat was een vertaalfout. Hij had de wateren gescheiden van iets wat de 'Zee van Riet' genoemd werd.

Er werd door de geleerden druk gedebatteerd over waar die zee precies was. Veel historici plaatsten hem in de oude moerasgebieden van de oostelijke Nijldelta, maar de naam zou zeker ook van toepassing geweest zijn op het meer van Mariut, want dat was destijds begroeid met riet en grensde op sommige plaatsen direct aan de Middellandse Zee. Er waren legio verslagen van vloedgolven langs dat deel van de kust, veroorzaakt door onderzeese aardbevingen of vulkaanuitbarstingen. Het eerste teken van een vloedgolf was dat de zee weggezogen werd in een enorme ebstroom die hectaren land drooglegde. En het kon uren droog blijven – tijd genoeg om een ontsnapping mogelijk te maken voordat een gigantische vloedgolf binnenrolde en alles op zijn pad vernietigde.

De oostelijke Nijloever kwam in zicht. Knox hield op met roeien en liet zich uitdrijven.

De Therapeutae hadden antifonen gezongen ter viering van de uittocht en de scheiding van de wateren van de Zee van Riet. Daarom stelde hij zichzelf nu een hoogst verrassende vraag: was het mogelijk dat ze die plek niet gekozen hadden uit angst voor pogroms of vanwege het verlangen met rust gelaten te worden? Dat de Therapeutae niet zomaar een onbetekenende tak van de Essenen vormden, maar dat hun nederzetting bij Borg el-Arab in feite een gedenkteken was van het grote wonder van de Uittocht zelf?

De kiel van de roeiboot schraapte over de grond. Hij sprong eruit, trok hem op de oever tot hij ver genoeg boven de waterlijn was en legde de riemen erin. Toen hij de helling op wilde klimmen hoorde hij een kenmerkend geluid. Iemand had zojuist de haan van een vuurwapen gespannen. Hij bleef stokstijf staan, stak zijn handen omhoog en draaide zich langzaam om.

48

Het was een zwoele avond, die er niet beter op werd door de gebrekkige airconditioning in Terminal 2 van het vliegveld van Caïro. Griffin transpireerde hevig tegen de tijd dat hij en zijn studenten bij de incheckbalie kwamen. Zijn zenuwen gierden door zijn keel en hij was er zeker van dat dit aan zijn gezicht te zien zou zijn. Maar de vrouw achter de balie onderdrukte een geeuw toen ze hem wenkte. Ze nam de waaier van paspoorten aan, printte hun instapkaarten, checkte hun bagage in en mompelde iets wat hij niet goed verstond vanwege het zoemen in zijn oren waar hij soms last van had als bij onder druk stond. 'Pardon?' zei hij. Hij boog zich naar haar toe toen ze het herhaalde, maar ze praatte met zo'n zwaar accent dat hij haar niet kon verstaan.

Ze slaakte een geïrriteerde zucht, krabbelde iets op een papiertje en draaide het om zodat hij het kon lezen. Zijn hart bonkte, hij voelde het vochtige zweet onder zijn oksels. Hij trok zijn portefeuille, trok er een stapel biljetten van twintig dollar uit en smeekte haar met zijn ogen zo veel te pakken als ze wilde, zolang ze hem maar doorliet. Ze keek over haar schouder, zag haar supervisor staan, wendde zich met neergeslagen ogen weer naar Griffin en pakte één biljet van zijn stapel. Daarna maakte ze een berekening op haar scherm en gaf hem geld terug in Egyptische ponden. Zijn hartslag nam iets af. Het begon opnieuw te hameren toen ze in de rij stonden voor de paspoortcontrole, maar ook daar kwamen ze heelhuids doorheen. Uitgeput en misselijk van opluchting zocht hij een toilet, leunde tegen de wasbak en bekeek zichzelf in de spiegel – de grauwheid van zijn huid, hoe oud hij eruitzag, het onbedaarlijke beven van zijn handen.

Hij voelde een steekje van wroeging toen hij aan Claire dacht, maar hij zette haar meteen weer uit zijn hoofd. Eén ding tegelijk. Over drie kwartier moesten ze instappen. Met een beetje geluk zouden ze over een uur of twee het Egyptische rechtsgebied hebben verlaten. Pas dan zou hij tijd hebben om zich ongerust te maken over Claire.

Hij liet water in zijn handen lopen en bracht ze naar zijn gezicht, bijna als in gebed. Hij droogde zich af met een papieren handdoek, die hij verfrommelde en naar een overvolle prullenmand gooide. Hij miste en de prop viel op de grond. Goed fatsoen dwong hem zich te bukken, hem op te rapen en in zijn zak te stoppen. Daarna oefende hij een glimlach in de spiegel en deed zijn best die vast te houden toen hij de toiletruimte uit liep en zich weer bij zijn studenten voegde.

II

Het duurde even voordat Knox de politieman zag die in het donker onder de bomen stond. Zijn pistool wees flauw in zijn richting. Hij was duidelijk bereid het te gebruiken, maar nog niet. Hij was klein en tenger maar straalde een kalme zelfverzekerdheid uit, zodat Knox niet eens overwoog om te vluchten. 'U bent Daniel Knox,' zei de man.

'Inderdaad,' beaamde Knox.

'Ik ga u een paar vragen stellen. U mag liegen als u wilt, dat staat u vrij. Maar het zou verstandiger zijn om de waarheid te spreken.'

'Wat voor vragen?'

'Om te beginnen, wat doet u hier?'

'Een vriend zoeken.'

'Wie?'

'Ze heet Gaille Bonnard. Ze is een paar dagen geleden gegijzeld door…'

'Ik weet wie dat is. Maar ze is ontvoerd in Assiut, dus wat doet u hier?'

'Ik geloof niet dat het in Assiut gebeurd is,' zei Knox. 'Volgens mij is het hier gebeurd.'

'Mijn naam is Naguib Hoessein,' zei de politieman. 'Mijn vrouw en ik hebben u een keer op de tv gezien. Dat was u toch, niet? Met die vrouw Gaille en de secretaris-generaal. U kondigde de ontdekking van Alexanders graf aan.'

'Dat klopt.'

'Mijn vrouw zei dat u zo aardig leek. Mijn maag doet zeer als mijn vrouw zoiets over een andere man zegt. Ik denk dat ze het daarom doet. Maar ik onthoud ook hun naam. Dus als ik op mijn radio hoor dat Daniel Knox de man is naar wie mijn collega's op zoek zijn, denk ik, ah, hij maakt zich zorgen over zijn vriendin en hij is gekomen om te zien of hij kan helpen.'

Knox maakte een hoofdbeweging in de richting van de andere oever. 'Hebt u dat tegen ze gezegd?'

'Ik verzeker u dat dat weinig uit zou maken. Mijn chef heeft geen erg hoge dunk van me. En hij heeft me vandaag al een keer opgedragen op te houden met hem lastig te vallen met mijn krankzinnige ideeën over de vreemde dingen die er in Amarna gebeuren.'

'Vreemde dingen?' vroeg Knox.

'Ik dacht wel dat dat u zou interesseren,' zei Naguib glimlachend. Hij liet zijn pistool zakken en gebaarde naar de oever. 'Mijn auto staat daar,' zei hij. 'Misschien kunnen we beter gaan schuilen en elkaar vertellen wat we weten.'

III

Al zo lang ze zich herinnerde worstelde Lily met gedachten aan zelfmoord. Meestal waren het alleen maar flitsen die even snel verdwenen als ze opkwamen en weer veilig in hun doos werden opgesloten. Maar soms wilden ze haar niet loslaten. Soms bleven ze haar uren, dagen, zelfs weken achtervolgen en drongen ze zich meer en meer op, zodat ze soms bang was dat ze haar zouden overweldigen. Als ze haar te veel werden, zocht ze ergens een veilig plekje, sloot de wereld buiten en liet de tranen komen. *Ik wou dat ik dood was*, schreeuwde ze dan. *Ik wou godverdomme dat ik dood was.* En ze meende het ook. Tenminste, haar hang naar de vergetelheid leek oprecht. Maar ze had er nooit veel meer aan gedaan dan naar de rand van het perron schuifelen als er een trein voorbij raasde of hongerig naar de balkons van de bovenverdieping van flatgebouwen kijken.

Het water bleef meedogenloos stromen. Lily knielde op de verhoging met haar armen om Gaille heen en tot haar nek in het water. Ze liet Gailles hoofd op haar schouder rusten en de rest van haar lichaam drijven. De kou was al een hele poos doorgedrongen tot haar botten, zodat er om de zoveel tijd een hevige rilling door haar heen voer.

Vreemde jeugdherinneringen. In de schaduw staan buiten een feestje, moed verzamelend om aan te kloppen. Een brandend gevoel in haar nek over half gehoorde opmerkingen. Een zwerfhond die ze een keer gezien had, opgesloten in een tuin door twee harteloze jongens, zodat ze hem met stenen konden bekogelen. Hoe ze zich er naar de grond kijkend voorbij gehaast had, bang voor wat ze zouden zeggen als ze probeerde tussenbeide te komen. Hoe dat janken en keffen haar dagen achtervolgd had, een smet op haar ziel. Haar hele leven bepaald door haar moedervlek, een moedervlek die niet eens meer bestond.

'Zo ben ik niet,' gilde ze tegen het donker. 'Zo ben ik godverdomme niet, oké? Zo ben ik niet gemaakt,'

Het was één ding om in het abstracte over de dood te denken. Dat vooruitzicht had iets nobels en romantisch, zelfs iets gerechtvaardigds. Maar de werkelijkheid was heel anders. Die bracht alleen maar doodsangst teweeg. Opnieuw voeren de rillingen door haar lichaam. Ze kneep haar ogen dicht in een poging niet te huilen en verstevigde haar greep op Gaille. Ze had nooit in God geloofd, had altijd alleen maar verbittering gevoeld ten opzichte van de wereld. Maar andere mensen geloofden wel, mensen voor wie ze respect had. Misschien wisten die wat ze deden. Ze klemde haar handen ineen onder het water. *Laat me alstublieft leven*, smeekte ze zwijgend. *Ik wil leven. Ik wil leven. Alsjeblieft God, ik wil leven.*

IV

Claire werd door de gangen van het politiebureau naar een klein verhoorvertrek met vettige gele muren en een smerige, bijtende stank gedreven. Faroek dwong haar op een harde houten stoel te gaan zitten die hij met opzet midden in het vertrek geplaatst had, zodat er zelfs geen tafel was om zich achter te verschuilen. Daarna liep hij om haar heen, priemend met zijn sigaret, zijn gezicht dicht bij het hare brengend en haar besproeiend met speeksel dat ze niet durfde af te vegen. Hij bleek een talent voor talen te hebben. Dat gebruikte hij om haar uit te schelden in het Arabisch, het Frans en het Engels. Hij noemde haar een hoer, een dievegge, een slet, een trut. Hij beval haar hem te vertellen waar Peterson en de anderen waren.

Claire had een hekel aan conflicten. Altijd gehad. Die maakten haar ziek en gaven haar een overweldigend verlangen mensen te verzoenen. Maar ze dacht aan wat Augustin tegen haar gezegd had. 'Ik wil een advocaat spreken,' zei ze tegen Faroek.

Faroek hief zijn handen ten hemel. 'Denk je dat een advocaat je kan helpen? Besef je niet in wat voor moeilijkheden je zit? Je gaat de gevangenis in, mens. Jaren de gevangenis in.'

'Ik wil een advocaat spreken.'

'Vertel me waar Peterson is.'

'Ik wil een advocaat spreken.'

'De anderen. Ik wil hun namen. Ik wil de naam van het hotel waar jullie logeerden.'

'Ik wil een advocaat spreken.'

'Ik ga koffie halen,' snauwde Faroek. 'Je kunt beter snel bij je verstand komen, stomme trut. Dat is je enige kans,' Hij stormde het vertrek uit, de deur zo hard dicht smijtend dat ze een luchtsprongetje maakte.

Hosni had al die tijd met zijn armen voor zijn borst tegen de muur geleund gestaan, zonder iets te vergoelijken of tussenbeide te komen, maar nu trok hij geamuseerd een wenkbrauw op, pakte een stoel en zette die schuin tegenover haar, zodat ze zich meteen minder geïntimideerd voelde. 'Ik heb de pest aan dit soort gedoe,' zuchtte hij. 'Het is niet juist, aardige mensen zo te koeioneren. Maar hij is mijn chef. Ik kan er niks aan doen.'

'Ik wil een advocaat spreken.'

'Luister, je moet iets begrijpen. Faroek is vandaag voor gek gezet. Hij heeft gezichtsverlies geleden ten overstaan van de jongens. Hij heeft een overwinning nodig, ongeacht hoe klein. Iets om ze te laten zien, snap je? Ik wil hem niet verdedigen. Ik zeg alleen maar hoe het is. Als je hem iets geeft, maakt niet uit wat, kan dit zomaar allemaal voorbij zijn.'

Ze aarzelde. Augustin had gezegd dat hij haar achterna zou komen, maar ze had voortdurend door de achterruit van de politiewagen gekeken en geen spoor van hem gezien. Ze herinnerde zich hoe kort ze hem pas kende, hoe weinig ze van hem wist en dat ze geen enkele reden had om hem te vertrouwen. Ze zou alleen op haar instinct en haar hart kunnen vertrouwen. 'Ik wil een advocaat spreken.'

'Het spijt me, dat is onmogelijk. Dat moet je inzien. Dit is Amerika niet. Dit is Egypte. Wij doen de dingen op de Egyptische manier. En de Egyptische manier is meewerken. Daar wordt iedereen beter van. Waar zijn je collega's?'

'Ik wil een advocaat spreken.'

'Hou alsjeblieft op met dat te zeggen. Het is onbeleefd, en je lijkt me geen onbeleefd persoon. Dat ben je toch niet, wel?'

'Nee.'

'Dat dacht ik al. Je lijkt me een aardige meid. Die een beetje te veel hooi op haar vork genomen heeft, dat wel. Maar aardig. Ik beloof je dat als je me vertrouwt, dat ik je kan helpen dit op te lossen.'

Ze keek naar de stalen deur, die niet alleen haar opsloot maar ook alle hulp buiten hield. 'Ik... ik weet het niet.'

'Alsjeblieft. Ik sta aan jouw kant., echt waar. Ik wil je helpen. Je hoeft me alleen maar een paar namen te geven. Meer vraag ik niet. We hebben ze toentertijd niet opgeschreven. Als je me wat namen geeft, zal ik zorgen dat Faroek je met rust laat. Dat beloof ik.'

'Dat kan ik niet.'

'Je moet. Iemand zal moeten boeten voor wat er gebeurd is. Dat moet je begrijpen. En als we niemand anders kunnen vinden, ben jij de zondebok.'

Tranen van zelfbeklag prikten in haar ooghoeken. Ze veegde ze weg met de rug van haar hand, zich afvragend hoe laat het was, of Griffin en de rest al in hun vliegtuig zouden zitten en veilig opgestegen zouden zijn. 'Dat kan ik niet,' herhaalde ze.

'Ik heb er een hekel aan vrouwen gekoeioneerd te zien worden. Echt een hekel. Dat is tegen onze cultuur. Geef me alsjeblieft de namen van je collega's. Dat is alles.'

'Dat kan ik niet. Het spijt me.'

'Dat begrijp ik,' zei hij, ernstig knikkend. 'Het zijn je collega's, je vrienden. Het zou je een slecht gevoel geven. Dat waardeer ik. Dat bewónder ik zelfs. Maar bekijk het nu eens van de andere kant: ze hebben jou hier alleen achtergelaten om de gevolgen van hún daden onder ogen te zien. Ze hebben je verraden. Je bent ze niks verschuldigd. Alsjeblieft. Eén naam maar. Meer niet. Als je me één naam geeft, kan ik Faroek ervan overtuigen dat je aan onze kant staat.'

'Een naam maar?' vroeg ze zielig. 'Is dat alles wat u wilt?'

'Ja,' drong Hosni voorzichtig aan. 'Eén naam maar.'

V

In de beschutting van Naguibs Lada zette Knox zijn gedachten op een rijtje. Er was zo veel gebeurd dat hij amper wist waar te beginnen. Hij vertelde Naguib over Peterson en de ondergrondse opgraving. Hij liet hem de foto van het mozaïek op zijn mobiele telefoon zien en vertelde dat de figuur erop precies in dezelfde houding zat als Gaille op de video. Daarna legde hij uit dat de Griekse letters op Echnaton en Amarna wezen.

Naguib knikte alsof deze conclusie overeenkwam met zijn eigen redenering. 'Twee dagen geleden hebben we het lijk van een jong meisje in de woestijn gevonden,' zei hij. 'Haar schedel was ingeslagen en ze was in zeildoek gewikkeld. Ze was een koptische christen, wat hier op dit moment zeer gevoelig ligt, dus mijn chef zei dat ik de zaak moest laten rusten. Hij houdt er niet van onnodige problemen te veroorzaken. Maar ik heb een dochter. Als hier ergens een moordenaar rondloopt…' Hij schudde zijn hoofd.

'Heel goed,' zei Knox.

'Het onderzoek liep niet zoals ik verwacht had. Ik was ervan uitgegaan dat het roof of verkrachting was, iets van dien aard. Maar ze bleek verdronken te zijn. En toen we een stuk van een beeldje uit Amarna in haar buideltje vonden, kwam er een ander scenario in mijn hoofd op. Een arm, wanhopig meisje dat gehoord heeft dat dit soort zware onweren soms waardevolle artefacten uit de wadi's spoelen. Ze gaat naar de koninklijke wadi, vindt een stuk van een beeldje, stopt het in haar buideltje. Misschien krijgt ze een steen op haar hoofd. Of misschien ziet ze een scheur in de rotswand en probeert ernaartoe te klimmen maar glijdt uit en valt. Hoe dan ook, ze ligt bewusteloos met haar gezicht in het water tot ze verdrinkt.'

'En dan vindt iemand haar,' ging Knox verder. 'En die ziet de scheur in de rotswand ook. Een nog nooit ontdekt graf dat er om smeekt leegge- haald te worden. En dus wikkelen ze het meisje in zeildoek en nemen haar mee de woestijn in om haar te begraven.'

'Zoiets begon ik ook te vermoeden,' beaamde Naguib. 'Daarom vroeg ik me het volgende af: stel dat uw vriendin Gaille en haar metgezellen iets zagen toen ze in Amarna opnamen maakten. Stel eens dat dát de reden van hun verdwijning was. Ik heb vandaag met een paar plaatselijke gaf- firs gepraat. Die mogen de koninklijke wadi niet meer in. De toegang is hun de dag na het laatste grote onweer ontzegd door het hoofd van de toeristenpolitie daar, ene kapitein Chaled Osman.'

'Jezus!' mompelde Knox. 'Hebt u dat tegen iemand gezegd?'

'Dat heb ik geprobeerd. Mijn chef wilde niet eens naar me luisteren. Je bouwt geen carrière op in de Egyptische politie door de zusterdiensten aan te vallen. En bovendien had ik geen enkel bewijs, alleen maar verden- kingen. Maar vlak voordat ik u zag, schoot me ineens iets te binnen. Her- innert u zich de opnamen van de gijzelaars?'

'Denkt u dat ik ze ooit zal vergeten?'

'Is u iets opgevallen aan de belichting?'

'Hoezo?'

'Denk terug. Je kon de onderkant van de kin van de gijzelaars zien, ja? Alle schaduwen werden naar boven geworpen. Dat komt doordat het licht van beneden kwam. Iedereen neemt aan dat ze gevangenzitten in een huis of appartement in of in de buurt van Assiut. Maar privéhuizen en privéappartementen hebben niet zulke vloerverlichting. In Egypte vind je maar één soort plaats met dit soort vloerverlichting.'

'Historische plaatsen,' zei Knox.

'Precies,' zei Naguib. 'Die opnamen zijn niet in Assiut gemaakt maar in Amarna.'

49

'Meneer Griffin?'

Griffin keek geschrokken op en zag twee geüniformeerde leden van de bewakingsdienst voor zich staan. Ze keken hem met een beleefd maar veelbetekenend glimlachje aan. Zijn maag verkrampte. Hij voelde zich misselijk. 'Ja?' zei hij vragend.

'Wilt u even met ons meekomen, alstublieft?'

'Waarheen?'

De langste knikte naar een kantoor met een glazen wand aan de andere kant van de vertrekhal. 'Ons verhoorvertrek.'

'Maar over een paar minuten moet ik naar mijn vliegtuig.'

De glimlachjes verstrakten. 'Kom mee, alstublieft.'

Verslagen liet Griffin zijn schouders zakken. Ergens had hij altijd geweten dat dit zou gebeuren. Hij was niet het soort mens dat veel kansen kreeg in het leven. Hij wendde zich tot Mickey. 'Jij hebt de leiding,' zei hij, terwijl hij hem zijn creditcard overhandigde. 'Zorg dat je iedereen veilig het land uit krijgt, oké?'

'En u dan?'

'Over mij hoef je niet in te zitten. Zolang jij maar zorgt dat iedereen thuiskomt. Ik kan toch van je op aan, niet?'

'Ja.'

'Brave jongen,' zei Griffin, hem een klopje op de schouder gevend. Met een bezwaard gemoed stak hij achter de twee bewakers de met tapijt beklede vloer van de vertrekhal over.

II

'Dus wat doen we nu?' vroeg Naguib.

'Kunt u het hier niet met uw chef over hebben?'

'Die luistert gegarandeerd niet. Niet naar mij. Je weet hoe dat gaat. Soms zien mensen je als een last die speciaal bedoeld is om ze op de proef te stellen. En wat kan ik hem in alle eerlijkheid vertellen? Bliksem? Een mozaïek?'

'Maar we hebben gelijk,' zei Knox protesterend.

'Dat wel,' beaamde Naguib. 'Maar dat is niet genoeg. U moet begrijpen hoe het er in Egypte aan toe gaat. Er is zo veel jaloezie en rivaliteit tussen de diensten. Als de toeristenpolitie ook maar zou hóren dat wij beweren dat zij hierachter zitten…' Hij schudde zijn hoofd. 'Ze zouden meteen terugslaan. Ze zouden het als een erezaak beschouwen. Ze zouden om bewijs vragen, er de spot mee drijven en dan zelf aanvallen door ons van allerlei boosdoenerij te betichten. Mijn chef is mijn chef omdat hij een meester is in het vermijden van dit soort confrontaties. U mag van mij aannemen dat hij me niet eens uit laat praten als ik geen onomstotelijke bewijzen heb.'

'Onomstotelijke bewijzen? Hoe moeten we daar verdomme áánkomen?'

'We zouden altijd kunnen proberen zelf de gijzelaars te vinden,' mompelde Naguib, min of meer bij wijze van grapje. Toen schudde hij zijn hoofd, de gedachte verwerpend. 'Amarna is gewoon te groot. En zodra Chaled merkt dat we ergens naar zoeken zal hij meteen alle sporen uitwissen.'

'Inderdaad,' knikte Knox, bij wie zich een vaag idee aandiende. 'Dat is zeker.'

III

Griffin voelde het beven van zijn handen zoals de grond een op handen zijnde aardbeving voelt. Hij klemde ze in elkaar in een poging ze stil te houden. 'Kunnen we dit alstublieft snel afwerken?' vroeg hij. 'Want mijn vlucht vertrekt…'

'Die vlucht kunt u vergeten.'

'Maar ik…'

'Die vlucht kunt u vergeten, zei ik.' Een van de twee trok een stoel naar zich toe, ging zitten, leunde naar voren. 'Ik vrees dat we een paar onregelmatigheden recht moeten zetten voor we u kunnen laten gaan.'

'Onregelmatigheden?'

'Inderdaad. Onregelmatigheden.'

'Wat voor onregelmatigheden?'

'Het soort dat we recht moeten zetten.'

Griffin knikte. Al zo lang hij volwassen was, voelde hij zich onbekwaam. Een leugen van je leven maken, noemden ze dat. De leugen dat je wel bekwaam was. Hij keek door het grote raam naar de vertrekhal, waar zijn studenten samendromden bij de uitgang, verhit discussieerden, bezorgd zijn kant op keken, zo lang mogelijk wachtten met aan boord gaan. Ze leken plotseling zo jong. Net kinderen. Ze wisten allemaal van de clandestiene aard van hun opgraving, maar dat deerde hen niet. Ze waren godvrezende mensen, ze waren Amerikanen, ze waren immuun voor consequenties. Maar nu hun immuniteit weggerukt was, beseften ze hoe kwetsbaar ze waren. Griezelverhalen over buitenlandse gevangenissen, gerechtelijke procedures waar ze geen woord van verstonden, hun hele toekomst overgeleverd aan de genade van mensen die hen verachtten als heidenen… Geen wonder dat ze bang waren.

Hij keek weer naar de bewakers. Hun informatie gold kennelijk alleen maar hem, anders zouden ze iedereen wel tegengehouden hebben. Zijn studenten waren zijn verantwoordelijkheid. Het was zijn taak hun meer tijd te geven, ongeacht de gevolgen voor zichzelf. En bij dat besef daalde er een serene kalmte over hem neer. 'Ik weet niet wat u bedoelt,' zei hij.

'Jazeker wel.'

'Ik verzeker het u.'

Ze wisselden een blik. 'Mogen we alstublieft uw paspoort zien?'

Hij viste het uit zijn zak, samen met zijn instapkaart. Ze bekeken het op hun gemak, langzaam van pagina naar pagina bladerend. Griffin keek opnieuw om zich heen. De vertrekhal was leeg, de uitgang werd gesloten. Zijn studenten waren aan boord. Een golf van opluchting, een kil gevoel van eenzaamheid. Appelvla met ijs.

'U komt vaak naar Egypte.' Een vaststelling, geen vraag.

'Ik ben archeoloog.'

De twee bewakers keken elkaar aan. 'Weet u welke straffen er staan op het meesmokkelen van oudheden?'

Griffin fronste zijn wenkbrauwen. Hij was schuldig aan een heleboel dingen, maar niet daaraan. 'Waar hebt u het over?'

'Kom op,' fleemde de man. 'We weten alles.'

'Alles?' En ineens voelde hij dat dit niets om het lijf had, dat ze alleen maar aan het vissen waren.'

'We kunnen u helpen,' zei een van de twee. 'Het is enkel een kwestie van het juiste papierwerk. Dat kunnen we zelfs voor u verzorgen. U hoeft alleen maar het uitstaande bedrag te betalen, verder niets.'

Griffins opluchting was zo intens dat hij van de weeromstuit onderuitzakte. Afperserij, niets anders. Na al die ellende, godverdomme alleen maar een poging tot afperserij. 'En op hoeveel komt dat precies?'

'Honderd dollar,' zei de ene.

'Elk,' zei de tweede.

'En kan ik dan mijn vliegtuig in?'

'Natuurlijk.'

Hij misgunde hun het geld niet eens. Hij had het vreemde gevoel dat ze boodschappers van een hogere macht waren, dat dit een soort penitentie was. En dat hield in dat hij nog steeds tijd had om het tij te keren: zijn studenten naar huis te brengen, ervoor zorgen dat Claire niets overkwam en daarna iets met zijn leven doen waar hij trots op kon zijn. Hij telde tien biljetten van twintig dollar neer en deed er een extra bij. 'Voor jullie vriendin bij de incheckbalie,' zei hij. Daarna liep hij de deur uit naar de uitgang. Een groot gewicht was van zijn schouders gevallen en zijn stappen hadden iets van hun veerkracht terug.

IV

Naguib vond kapitein Chaled Osman in zijn kantoor, waar hij het onweer uitzat en naar zijn mannen luisterde, die met honing gezoete tabak uit een waterpijp rookten.

'Jij weer,' zei Chaled geïrriteerd. 'Wat nu weer?'

Naguib deed de deur achter zich dicht om het onweer buiten te sluiten en veegde zijn mouwen af, zodat de waterdruppels op de vloer vielen. 'Vreselijk avondje,' zei hij.

'Wat wil je?' vroeg Chaled, overeind komend.

'Ik heb geprobeerd te bellen,' zei Naguib met een vaag gebaar naar het raam, 'maar ik had geen signaal. Je weet hoe dat gaat met mobiele telefoons.'

Chaleds kaakspieren spanden zich. Hij zette zijn handen op zijn heupen. 'Wat wil je?'

'Niks. Niks bijzonders tenminste. Ik wilde jullie alleen maar even op de hoogte brengen. Een poosje geleden kregen we een rapport.'

'Een rapport?'

Naguib trok geamuseerd een wenkbrauw op, alsof hij verwachtte dat zij zijn verhaal even vermakelijk zouden vinden. 'Een plaatselijke bewoner hier heeft stemmen gehoord.'

'Stemmen?'

'Mannenstemmen,' zei Naguib knikkend. 'Vrouwenstemmen. Stemmen van buitenlanders.'

'Waar?'

'Dat heb ik niet precies begrepen. Ik ken deze streek minder goed dan jullie. En hij was niet bepaald de welbespraaktste getuige. Ergens in Amarna.'

'En wat wil je dat wij daaraan doen?'

'Niks,' zei Naguib. 'Maar vanwege alles wat er de laatste tijd gebeurd is zal ik een onderzoek moeten instellen.'

Chaled keek hem ongelovig aan. 'Wil je in dit weer naar buiten gaan?'

Naguib lachte hartelijk. 'Waar zie je me voor aan? Nee, nee, nee. Maar als jullie het niet erg vinden zal ik hem morgen als eerste hier mee naartoe brengen, dan kan hij me de plek laten zien. Als je wilt kunnen jullie meekomen. De kans dat het iets oplevert is klein, dat weet ik, maar vanwege die gijzelaars en zo…'

'Inderdaad.' Chaled knikte stijfjes. 'Morgenvroeg. Geen probleem.'

'Dank je,' zei Naguib. 'Tot morgen dan.'

50

Kapitein Chaled Osman balde zijn vuisten terwijl hij bij het raam stond en de wegrijdende Naguib nakeek. Toen de achterlichten in het onweer verdwenen waren, draaide hij zich om naar Faisal en Abdoellah. 'Stemmen,' zei hij op ijskoude toon. 'Iemand heeft stemmen gehoord. Mannenstemmen. Vrouwenstemmen. Stemmen van búítenlanders. Leg dat maar eens uit, alsjeblieft.'

'Het moet een vergissing zijn, kapitein,' jammerde Abdoellah, achteruit schuifelend. 'Toeval. Toeristen. Journalisten.'

'Wil je daarmee zeggen dat je daar toeristen en journalisten toegelaten hebt?'

Abdoellah sloeg zijn ogen neer. 'Nee, kapitein. Maar misschien zijn ze binnengeslopen terwijl…' Hij maakte zijn zin niet af, beseffend dat zijn chef er niet intrapte.

Chaled sloeg zijn armen voor zijn borst en keek woedend van hem naar Faisal en terug. 'Jullie hebben niet gedaan wat ik vroeg, wel?'

'Jawel, kapitein,' zei Abdoellah. 'Ik zweer het.'

'Heb je ze doodgeschoten?'

Abdoellahs gezicht werd nog een graadje bleker. 'Doodgeschoten, kapitein?' vroeg hij slikkend. 'Daar had u niks over gezegd.'

'Wát?'

'U zei dat we ze het zwijgen op moesten leggen,' droeg Faisal zijn steentje bij. 'En dat is precies wat we gedaan hebben.'

Chaleds gezicht was als uit steen gehouwen. 'Ze het zwijgen opleggen? En hoe hebben jullie dat precies gedaan?'

'We hebben die planken over de schacht gelegd,' zei Faisal knikkend, 'en er lakens en dekens over uitgespreid. Niemand kan ze gehoord hebben.'

'Maar toch heeft iemand ze wél gehoord,' wees Chaled hem terecht. 'En morgenvroeg komt de politie ze zoeken. En dan horen ze die stemmen opnieuw.' Hij bracht zijn gezicht vlak bij dat van Faisal. 'En wij zullen allemaal hangen omdat jij een direct bevel van mij genegeerd hebt. Hoe vóélt dat? Ben je tróts op jezelf?'

'Ze komen pas morgen terug,' zei Nasser.

'Inderdaad,' beaamde Chaled. Dat was het eerste verstandige woord dat hij gehoord had. Hij keek op zijn horloge. Er was nog tijd. 'Haal houwelen en touw,' beval hij. 'En alle andere spullen die we nodig hebben om dat graf open en weer dicht te maken.' Zijn hand ging instinctief naar zijn Walther, maar hoe dol hij ook was op zijn wapen, het was niet het beste gereedschap voor deze klus. Hij trok zijn kastje open en hing twee handgranaten, souvenirs uit het leger, aan zijn riem. 'Kom op,' riep hij, nog steeds woedend, terwijl hij de deur naar de wolkbreuk opentrok. 'Werk aan de winkel.'

Ze renden door de stortregen, klommen in de cabine van de vrachtwagen en reden in de richting van de koninklijke wadi, zich niet bewust van de passagier die op het dak mee liftte.

II

Het water had intussen Lily's kin bereikt, zodat ze haar hoofd achterover moest houden om te kunnen ademen. Haar linkerarm deed zeer van het gewicht van Gaille, die oppervlakkig ademhaalde maar nog niet bij bewustzijn was. Ze verschoof het gewicht naar haar rechterarm. Ze was zo hoog mogelijk op de aarden wal geklommen, maar hij brokkelde langzaam af onder haar voeten. Een snik van angst en eenzaamheid ontsnapte aan haar mond.

Nog even en ze zou moeten kiezen. Misschien kon ze meegaan met het stijgende tij door zich vast te klampen aan het karige houvast in de kalkstenen wand, maar met Gaille zou dat onmogelijk zijn. Ze was de uitputting al nabij en hoe langer ze haar vasthield, hoe meer kostbare energiereserves ze opgebruikte. Haar loslaten was de enige verstandige optie. Niemand zou het zien. Niemand zou het ooit te weten komen. En zelfs als het wel bekend werd, zou iedereen het met haar eens zijn dat ze geen keus had.

Goed, zei ze tegen zichzelf. *Als ik tot tien geteld heb.*

Ze haalde diep adem en begon hardop te tellen. Maar bij zeven hield ze op, beseffend dat ze het niet kon doen. Gewoon niet kón.

Nog niet, althans.

Nog niet.

III

Naguib keek de vrachtwagen met Chaled en zijn mannen na, opgetogen dat de eerste fase van Knox' plan zo gesmeerd verlopen was. Hij pakte zijn mobiel en belde zijn chef.

'Jij weer!' zuchtte Gamal. 'Wat is er nu weer?'

'Niks,' zei Naguib. 'Dat wil zeggen, ik heb naar alle radioberichten geluisterd. Jullie zijn toch niet op zoek naar een ontvluchte westerling, wel?'

'Natuurlijk wel, verdomme. Dat weet je verrekte goed.'

'Ik denk namelijk dat hij best eens hier kon zijn. Een lange westerling, rond de dertig, vijfendertig. Met een behoorlijk toegetakeld gezicht.'

'Dat is hem! Dat is hem! Waar is hij?'

'In een vrachtwagen met een paar andere lui.'

'Wie?'

'Geen idee. Ik zag ze net wegrijden in de richting van de koninklijke wadi.'

'Volg ze, hoor je me?' schreeuwde Gamal. 'We komen eraan.'

'Bedankt.' Naguib verbrak de verbinding en knikte naar Tarek, die op de passagiersstoel zat met een AK-47 op zijn schoot.

'Klaar?' vroeg Tarek.

'Klaar,' bevestigde Naguib.

Tarek grinnikte, draaide zijn raampje omlaag en gaf een teken aan zijn zoon Mahmoud, die achter hen aan het stuur zat van een vrachtwagen met een dozijn tot de tanden gewapende gaffirs in de achterbak, allemaal popelend om deze kans om het Chaled betaald te zetten aan te grijpen.

Tijd om in actie te komen.

51

Claires celdeur vloog met een klap open en Augustin stormde naar binnen, op de voet gevolgd door een korte, slanke man in een uitstekend gesneden antracietgrijs pak. 'Heb je ze iets verteld?' vroeg Augustin.

'Nee.' Het was op het nippertje geweest. Juist toen ze op het punt stond om Hosni zijn zin te geven, kwam Faroek terug en begon haar weer af te snauwen. Hosni had wanhopig zijn ogen ten hemel geheven en zelfs samenzweerderig naar Claire gelachen. Ze wisten allebei hoe weinig het gescheeld had.

'Goed zo,' zei Augustin opgetogen, haar een kus op het voorhoofd gevend. Maar toen deed hij een stapje terug, alsof hij bang was dat hij te ver was gegaan. 'Ik bedoel alleen maar dat het belangrijk is dat je eerst een advocaat raadpleegt.'

'Natuurlijk,' zei ze instemmend.

'Prima. Kom mee dan.'

'Mag ik gaan?'

Augustin knikte naar zijn metgezel. 'Dit is Nafeez Zidan, de beste advocaat in Alexandrië. Ik heb hem zelf een paar keer in de arm moeten nemen. Je weet hoe dat gaat. Hij heeft alles geregeld. Het staat je vrij om te gaan, op voorwaarde dat je erin toestemt morgenmiddag terug te komen. Dat is toch geen probleem, wel?'

'Gaat u dan mee?'

'Natuurlijk. En Nafeez ook.'

'Dan is het in orde,' zei ze. Ze wendde zich tot Nafeez. 'Heel erg bedankt.'

'Het genoegen is geheel aan mijn kant,' zei Nafeez.

Ze klemde zich aan Augustins arm vast toen hij haar naar de hal leidde. Plotseling kon ze hier niet snel genoeg weg zijn. 'Ik vrees dat we met bepaalde voorwaarden in hebben moeten stemmen om je vrij te krijgen,' zei hij. 'Maar het belangrijkste was je vanavond nog vrij te krijgen.'

'Welke voorwaarden?'

'Om te beginnen hebben ze je paspoort geconfisqueerd en krijg je het pas terug als de politie tevreden is.' Hij maakte de voordeur voor haar open, loodste haar het trapje af en trok het achterportier van Mansoors auto open, die bij het trottoir op hen wachtte. 'En ik moest ze ook beloven dat je niet zult proberen voor die tijd het land te verlaten.'

'Dat zal ik niet,' beloofde ze, in de auto stappend. 'Maar hoe lang gaat dit allemaal duren?'

'Snel zal het niet gaan,' gaf Augustin toe, terwijl hij naast haar ging zitten. 'Vrijwel niets gebeurt snel in Egypte.' Hij pakte haar hand tussen de zijne en gaf er een geruststellend kneepje in. 'Maar je hoeft nergens over in te zitten. Alles komt terecht. Mansoor en ik hebben een verhaal bedacht dat...'

'Ai, ai, ai, ai, ai!' protesteerde Nafeez op de voorbank, zijn handen voor zijn oren slaand. 'Ik mag dit niet horen. Ik ben haar advocaat.'

'Vergeef me, mijn vriend,' lachte Augustin. Hij wendde zich weer tot Claire. 'Geloof me maar. Alles komt goed. In Egypte is het belangrijk wie je kent. Meestal heb ik daar de pest aan, maar vanavond ben ik er blij om. Ik ken namelijk een heleboel mensen, Claire. Een heleboel machtige mensen met connecties. En als het moet haal ik ze er allemaal bij.'

'Dank u,' zei ze.

'Ik heb nog meer voor je gedaan. Ik heb beloofd er persoonlijk op toe te zien dat je bij alle verhoren en rechtszaken komt opdagen... als het zo ver komt, wat niet zal gebeuren. Maar ik ben wel bang dat dit inhoudt dat je voorlopig mijn gast zult moeten zijn.'

'Zal ik u niet tot last zijn?'

'Natuurlijk niet. Eerder een genoegen.'

Ze keek naar haar hand, die hij nog steeds vasthield. Zich realiserend wat ze moest denken werd hij vuurrood, liet haar hand los en schoof een stukje opzij. 'Nee!' protesteerde hij. 'Zo is het helemaal niet bedoeld, echt waar. Je krijgt je eigen slaapkamer. Dat wil zeggen, je krijgt mijn slaapkamer, maar zonder mij, ik slaap op de bank in de huiskamer, ik neem gewoon een deken en een kussen. Het zou niet de eerste keer zijn, niks aan de hand, de bank is heel comfortabel, comfortabeler dan mijn bed zelfs, ik snap eigenlijk niet waarom ik er niet altijd op slaap, maar wat ik bedoel is dat je niks zal gebeuren, dat zweer ik je.' Hij hield op met zijn puberaal gewauwel, haalde diep adem, keek haar recht in de ogen om te zien of ze was overgehaald en kwam tot de conclusie dat ze nog één laatste zetje nodig had. 'Eerlijk, Claire,' zei hij met klem. 'Ik zou er niet aan dénken om je te na te komen na alles wat je voor me geriskeerd hebt.'

Een seconde stilte.

Nog een seconde.

'O,' zei ze toen.

II

Knox, geheel overgeleverd aan de woestheid van de elementen op het dak van de vrachtwagen, keek de weg af en realiseerde zich dat zijn spontane plan één grote zwakte had. Zelfs met groot licht zag je vrijwel niets en Naguib en Tarek zouden hun lichten niet kunnen gebruiken zonder zich meteen te verraden. En rijden zonder licht was in deze omstandigheden zo goed als ondoenlijk.

Een harde rukwind deed de vrachtwagen zo ver overhellen dat het water van het dak liep en Knox zich wanhopig moest vastklampen om niet te vallen. De banden kregen weer grip, maar de chauffeur minderde vaart en werd voorzichtiger. Knox keek om. Nog steeds niemand. Aan het eind van de weg parkeerden ze bij het generatorhuis. Een toepasselijke plaats om dit verhaal af te ronden. Geometrie was misschien een Grieks woord, maar het was een Egyptische wetenschap, ontwikkeld als gevolg op de jaarlijkse overstromingen van de Nijl die het omliggende land onder water zetten. Dit hield in dat de eigenaars van waardevolle grond een betrouwbare manier moesten hebben om vast te stellen welk land van wie was en de autoriteiten eerlijke manieren nodig hadden om te berekenen wie hoeveel belasting moest betalen.

Dat de architecten deze vaardigheden gebruikt hadden was te zien aan de ligging en proporties van de grote piramiden. Toch voelden egyptologen zich slecht op hun gemak als mensen over 'heilige geometrie' begonnen; dat deed ze te veel aan new-agejargon denken. En hoewel de Egyptenaren zowel de kennis hadden als het vermogen deze op hun stedenbouw en architectuur toe te passen, toonde de archeologische vondsten aan dat ze daar vaak niet voor voelden.

Op het eerste gezicht leek de stad Amarna ontworpen om in het landschap op te gaan, maar een Britse architect had kort geleden de belangrijkste plekken in kaart gebracht – met opmerkelijke resultaten. Amarna leek helemaal niet willekeurig gebouwd te zijn, maar was in werkelijkheid een gigantische rechtlijnige, op de zon georiënteerde openluchttempel aan weerszijden van de Nijl. En sterker nog, als je vanuit elke grensstèle rechte lijnen door de voornaamste paleizen en tempels trok, convergeerden ze allemaal op hetzelfde punt, precies zoals de zonnestralen samenkomen in de zon, een vaak gezien motief in de kunst van Amarna. En dat convergentiepunt was precies hier, bij Echnatons graf. Het was net alsof hij zichzelf beschouwde als de zon, eeuwig schijnend op zijn volk en zijn stad.

De portieren van de vrachtwagen gingen open. Chaled en zijn mannen haastten zich weggedoken onder waterdichte kleren weg. Het licht van hun zaklantaarns ging snel verloren in het stikdonker. Knox' mobiel had geen bereik vanwege het woeste onweer en de hoge wanden van de wadi. Hij was alleen, voorlopig althans. Water liep van het dak toen hij omlaag klom. Zijn schoenen maakten een zuigend geluid, dus hij schopte ze uit en smeet ze het donker in. Daarna volgde hij Chaled en zijn mannen over de bodem van de wadi, op blote voeten door het regenwater plassend dat als een woeste rivier over het losse puin stroomde.

III

Abdoellah keek kwaad naar Chaleds rug terwijl ze moeizaam de helling opklauterden en het plateau overstaken. Zijn voeten waren nat, pijnlijk en koud in zijn slecht passende laarzen. Wat was dit voor waanzin? Het was uitgesloten dat ze in deze slagregens dat armzalige pad konden nemen. Maar daar had Chaled aan gedacht. Boven de ingang van het graf stak een scherpe rotspunt uit de helling. Hij maakte een schuifknoop aan het eind van een rol touw, haakte de lus om de rotspunt en gooide de rest over de rand. 'Naar beneden, jij,' zei hij tegen Abdoellah.

'Ik?' protesteerde Abdoellah. 'Waarom ik?'

'Omdat deze vervloekte puinhoop niet gebeurd zou zijn als je mijn bevelen opgevolgd had.'

'U had duidelijk moeten zijn,' mompelde Abdoellah.

'Aan de telefoon? Aan de telefoon?'

Met tegenzin pakte Abdoellah het touw. Hij trok er een paar keer aan om het uit te proberen. Het gleed meteen langs de rotspunt en liet los. 'Kijk!' zei hij.

'Hou op met dat geklaag,' zei Chaled. Hij sloeg het touw opnieuw om de rotspunt en trok de lus aan. 'Naar beneden.'

'Maak je maar geen zorgen,' fluisterde Faisal. 'Ik hou er wel een oogje op.'

Abdoellah knikte dankbaar. Faisal was de enige die hij vertrouwde. Hij trok het touw door zijn riem, schoof de lus van zijn zaklantaarn over zijn pols en verruilde zijn AK-47 voor Nassers houweel, dat hij aan zijn schouder hing. Daarna liet hij zich van de rand zakken zoals hij dat op de tv gezien had, maar zijn schoen gleed van de natte rots, zodat hij met een klap tegen de rotswand sloeg. Even bleef hij hulpeloos hangen, terwijl Chaled en Nasser in lachen uitbarstten. Hij vloekte nog steeds voor zich uit toen hij de betrekkelijke veiligheid van de ingang van het graf bereikte.

De specie was droog, maar nog niet gehard en kwam meteen los toen hij het met de punt van zijn houweel bewerkte. Stof en grijze stukken gleden langs de rotswand. Hij maakte een gat dat groot genoeg was om zijn arm door te steken, legde zijn zaklantaarn onder een hoek op de grond en hakte verder. Een bliksemschicht verlichtte de hele wadi. Hij zette zich schrap voor de donderslag, maar vlak voordat die kwam, zou hij gezworen hebben dat hij een ander geluid hoorde: het geluid van een automatisch geweervuur. Zich vasthoudend aan het gat in de cementen wand leunde hij naar achteren en keek omhoog om te zien wat er verdomme aan de hand was. Maar er was niemand boven om zijn vraag te beantwoorden.

IV

Het was puur toeval dat Chaled de man zag. Hij keek achterom op het moment dat een bliksemschicht het gehele plateau verlichtte en zag hem op een meter of dertig zitten, in elkaar gedoken en met een mobiele telefoon in de hand.

Met een schok besefte Chaled dat hij in de val gelokt was, maar in plaats van angst voelde hij uitsluitend tomeloze woede. Hij griste de AK-47 uit Nassers hand en draaide zich weer naar de man. Hoewel het weer stikdonker was, besproeide hij het plateau met kogels, hopend dat de Voorzienigheid aan zijn kant zou staan.

'Wat is er, kapitein?' vroeg Nasser.

'Gezelschap.'

Een nieuwe bliksemschicht, in het licht waarvan Chaled de man op zijn buik zag kruipen als de slang die hij was. 'Daar!' schreeuwde hij, een nieuw salvo afvurend. 'Pak hem.'

52

Knox vluchtte weg terwijl de kogels hem links en rechts voorbij vlogen en de nacht verlicht werd door geweervuur en verre bliksemschichten. Toen het weer donker werd, dook hij opzij, tuimelde een helling af en rolde een holte in met op de bodem een ondiepe poel regenwater van de stortbui. Toen de drie mannen dichterbij kwamen probeerde hij onder water te duiken, maar de poel was niet diep genoeg.

'Hebben we hem geraakt?'

'Hij ging tegen de grond.'

'Waar is-ie dan, verdomme?'

'Hij moet hier ergens zijn.' Zaklantaarns priemden zoekend door het donker, gleden over het wateroppervlak, verguldden de dikke regendruppels met hun licht. 'Wie is het eigenlijk?'

'Hij moet in onze vrachtwagen gezeten hebben.'

'Denk je dat die politieman het weet? Denk je dat het een truc was?'

'Natuurlijk was het een truc!'

'De ellendeling. We zijn er geweest.'

'We zijn er niet geweest! We zijn er niet geweest! Deze vent is immers alleen. We hoeven hem alleen maar uit te schakelen. Meer niet. Als hij weg is, kan niemand deze plek vinden. Ze kunnen niks bewijzen.'

'Maar we...'

Een harde klets. Iemand had een klap in zijn gezicht gekregen. 'Doe verdomme wat ik zeg. Hij moet hier ergens zijn. Dat kan niet anders.' Chaled scheen opnieuw over het water en het licht van zijn zaklantaarn gleed opnieuw over de plek waar Knox half onder water lag. Maar ditmaal kwam de straal tot stilstand, keerde terug, bleef op hem rusten. 'Daar!' riep hij.

Knox krabbelde overeind, plaste door het water naar de rand van de poel en zette het op een lopen. Maar nu zat hij vast tussen de poel en de afgrond. Achter hem werd de nacht verscheurd door geweervuur. Hij liet zich onder de uitstekende rotspunt op de grond vallen, pakte het touw dat er omheen geslagen was en sprong van de rand. Gegeseld door harde windvlagen en half verblind door de regen die in zijn ogen striemde, liet hij de gladde, natte vezels door zijn vingers glijden. Hij slaagde erin zijn greep op het touw te verstevigen en kwam met schroeiende handpalmen tot stilstand. Omlaag kijkend zag hij Abdoellah op de smalle richel onder hem staan. Abdoellah schreeuwde iets onverstaanbaars en sloeg naar Knox' enkels met zijn houweel. Zwaaiend aan het touw wist hij hem te ontwijken, maar door de zijwaartse beweging gleed de lus van de rotspunt, zodat Knox als een steen langs de steile bergwand naar de rotsachtige bodem van de wadi tuimelde.

II

Naguib reed bijna op zijn gevoel, met alleen de stadslichten aan en zich oriënterend op de witgekalkte stenen langs de aan weerszijden door steile, met stenen bezaaide wallen omzoomde weg. Voortdurend bedrogen door zijn ogen, waar lichtende vlekjes voor dansten, moest hij doorlopend aan het stuur rukken als zijn wielen langs de stenen schraapten.

Ze moesten intussen ver achter zijn. Te ver. Een gebed mompelend ontstak hij het groot licht van de Lada en gaf plankgas. Dat was te veel gevraagd. Een plotselinge windvlaag tilde de auto op en gooide hem opzij, zodat hij over de stenen rand slipte en met een misselijkmakend geluid van kreukend metaal tegen een grote steen botste. Naguib en Tarek werden tegen de zich spannende veiligheidsgordels geworpen. Ze keken elkaar aan. Geen tijd voor verwijten of excuses. Ze sprongen de auto uit en renden naar de vrachtwagen, die naast hen tot stilstand was gekomen. Behulpzame handen trokken hen de laadbak in. Doornat, onder de modder en opgelaten zochten ze een zitplaatsje, waarna de vrachtwagen verder reed.

'Fraai staaltje stuurmanskunst,' mompelde iemand, wat hem een lachsalvo opleverde. Maar toen blies een nieuwe windvlaag de vrachtwagen bijna over de rand en was het gedaan met de vrolijkheid.

III

Knox tuimelde langs Abdoellah en viel langs de rotswand naar de bodem van de wadi. Maar hij had het touw nog in zijn handen, en het andere uiteinde was aan Abdoellahs riem geknoopt, zodat Knox' val door Abdoellahs gewicht gebroken werd. Knox sloeg tegen de rotsen, klemde zich vast aan de ruwe wand en liet het touw los. Abdoellah had minder geluk. Hij ging door de knieën, zijn rechtervoet gleed van de smalle, natte richel en hij verloor zijn greep op het gat in de gemetselde muur. Schreeuwend en graaiend in het luchtledige tuimelde hij voorbij Knox en sloeg met een misselijkmakende klap tegen de rotsgrond. Even bleef het doodstil.

Toen ratelde een waterval van stenen langs de rotswand omlaag. Knox keek omhoog en zag Chaled die boven hem stond, zijn zaklantaarn en pistool op hem richtte en vier kogels afvuurde die fluitend en gierend langs de rotswand schampten. Knox klauterde naar de plaats waar Abdoellah gestaan had en waar de overhangende rots hem enige bescherming bood. Hij zag een gapend gat in de wand, groot genoeg om doorheen te kruipen. Hij tuimelde aan de andere kant op de grond, zag een zaklantaarn liggen, raapte hem op en scheen om zich heen – een vertrek met een centimeter of vijftien water op de vloer met aan de andere kant een gang. Hij plaste door het water en rende de gang in. 'Gaille!' schreeuwde hij. 'Gaille!'

Een kreet aan het eind van de gang. De kreet van een vrouw, hoog, kort, doodsbang. Maar niet van Gaille maar van Lily, de andere gijzelaar. En meer paniek in haar stem dan opluchting. Hij versnelde zijn pas, rende zo hard als hij kon, zag de schacht bijna te laat, balanceerde even op de rand, waar het water als een waterval overheen stroomde, scheen omlaag en zag Lily een meter of vijf, zes beneden hem, waar ze zich aan de wand vastklampte, omringd door platgedrukte waterflessen en planken. Ze had haar arm om Gailles hals geslagen om haar hoofd boven water te houden, maar huilde van uitputting en pijn.

'Hou vol!' riep Knox.

'Ik kan niet meer. Ik kan niet meer.'

Hij keek om zich heen, zoekend naar een manier om af te dalen en weer omhoog te komen. Ongeacht hoe. Hij zag een in de vloer gehamerde ijzeren pen, maar hij had niets om eraan vast te binden. En Abdoellah had in zijn val het touw meegesleurd.

'Help!' riep Lily. 'Help!' Een straal regenwater viel in haar open mond en liep in haar keel, zodat ze hoestend en proestend met haar armen maaide en Gaille los moest laten. Gaille verdween meteen onder water.

'Gaille!' schreeuwde Knox. 'Gaille!'

Lily waadde naar de wand en klemde zich er met beide handen aan vast. 'Het spijt me,' huilde ze. 'Het spijt me.'

Knox had geen tijd om te denken. Geen seconde. Hij omklemde zijn zaklantaarn en liet zich met een schreeuw van angst in de schacht vallen.

IV

Chaled staarde naar het donker beneden hem en wachtte tot Nasser en Faisal bij hem waren.

'Wat is er gebeurd?' vroeg Faisal. 'Waar is Abdoellah?'

'Gevallen,' zei Chaled. Hij draaide zich om naar zijn twee mannen. Faisal was bleek. Abdoellah was zijn vriend geweest. Nasser daarentegen maakte een redelijk kalme indruk, gezien de omstandigheden althans. 'Hij heeft het touw meegesleurd,' zei Chaled tegen Nasser. 'Dat hebben we nodig. Ga het halen.'

'Maar ik…'

'Wil je hier heelhuids van afkomen of niet?'

'Natuurlijk.'

'Doe dan wat ik zeg,' snauwde Chaled. 'Ga dat touw halen.'

'Jawel, kapitein.'

V

Knox kwam neer in het water en ging kopje-onder. Hij trok zijn voeten op voordat hij met een klap de bodem van de schacht bereikte, pijnlijk neerkomend op zijn voetzolen en achterste. Zijn hoofd sloeg met een klap tegen de wand en hij haalde zijn kuit en arm open aan de ruwe steen.

De lucht was uit zijn longen geslagen en hij hapte water. Instinctief trapte hij met zijn benen om boven te komen, waar hij het water sputterend uit hoestte en dankbaar zijn longen vol lucht zoog. Hij keek om zich heen, scheen rond met de zaklantaarn. 'Gaille?' zei hij vragend.

Lily schudde vol ellende haar hoofd. Ze had al haar kracht nodig om zich aan de wand vast te klampen.

Knox zwom tastend om zich heen rond, wat niet meeviel in de waterval die van boven naar beneden stortte. Hij dook onder. De schacht was niet groot, maar hij kon haar niet vinden. Terug naar boven, opnieuw lucht happen en een nieuwe duik. Zijn tastende vingers voelden iets zachts. Hij probeerde het te pakken, maar het ontglipte hem. Hij zwom er achteraan, en toen had hij het: een blouse, een arm. Zijn hand sloot zich om een pols en hij trapte met zijn benen om boven te komen. Zijn longen snakten naar zuurstof. Hij sloeg een arm om Gaille heen, terwijl ze in een reflex water uit haar longen hoestte en lucht naar binnen zoog.

Zijn voeten vonden een steunpunt en hij klampte zich met zijn vrije hand vast aan de wand met het hoofd van de bewusteloze Gaille op zijn schouder. Hij scheen zijn vol water lopende gevangenis rond, terwijl Lily naast hem probeerde de hysterie het hoofd te bieden. Een onbeantwoordbare vraag vormde zich in zijn hoofd: *Wat nu?*

53

Nasser hijgde amechtig toen hij het touw terugbracht naar Chaled en Faisal op het plateau.

'Abdoellah?' vroeg Faisal.

'Nee,' zei Nasser.

Faisal keek verslagen. 'Het is gebeurd,' zei hij. 'We zijn er geweest.'

'Waar heb je het over?'

'Wat denkt u? Abdoellah is dood. Hoe gaan we dat uitleggen?'

'Gewoon door te zeggen dat we ons ongerust maakten toen die politieman bij ons kwam met dat verhaal over mysterieuze buitenlandse stemmen,' zei Chaled kwaad. 'En dat we besloten om ze zelf te gaan zoeken. En dat Abdoellah uitgleed en viel. Een tragedie, maar niet onze schuld. Het is de schuld van die politieman die ons verkeerde informatie gaf.'

'Dat gelooft niemand.'

'Nou moet je eens goed luisteren, snotterende kleine lafaard,' schreeuwde Chaled. 'We maken dit af. We maken dit samen af. Begrepen?'

'Ja.'

'Ja, wat?'

'Ja, kapitein.'

'Da's beter.' Chaled keek met een woedend gezicht van Faisal naar Nasser en gooide het touw opnieuw over de rotspunt, nadenkend over hoe hij zijn beperkte hulpmiddelen het best kon inzetten. Hij vertrouwde Faisal voor geen cent. Als hij hem hier alleen liet, zou de lafaard zodra hij de kans schoon zag de benen nemen. 'Nasser, jij blijft hier om ons in de rug te dekken. Faisal, jij gaat met mij naar beneden.'

'Maar ik…'

Chaled zette de loop van zijn Walther tegen Faisals wang. 'Je doet verdomme precies wat je wordt opgedragen,' schreeuwde hij. 'Is dat duidelijk?'

'Jawel, kapitein.'

II

'Er komen nog meer mensen,' zei Lily hijgend, zich vastklampend aan de wand. 'Zeg alsjeblieft dat er nog meer mensen komen.'

'Ja,' stelde Knox haar gerust. 'Er komen nog meer mensen.'

'Waar zijn ze dan?'

'Ze komen zo snel als ze kunnen,' beloofde hij. 'Het onweert verschrikkelijk buiten.'

'U bent Knox, niet? Daniel Knox?' Ze knikte naar Gaille. 'Ze zei dat u zou komen. Dat u ons zou redden.' Maar toen ze om zich heen keek, besefte ze dat hij allesbehalve in de positie was om hen te redden. Ze moest haar tranen verbijten.

'Het komt goed,' verzekerde hij haar. 'Het komt echt goed. Je hebt je kranig gehouden.' Hij scheen om zich heen met de zaklantaarn, voornamelijk om de sfeer te veranderen, zag de planken en lege waterflessen in het water drijven, de steile wanden, zeker vijf meter boven hun hoofd. Hij voelde in zijn zakken. Hij had nog steeds de schaar uit de auto. Maar zelfs als het lukte om gaten in de kalksteen te maken, zou de schacht nog veel te hoog zijn om uit te klimmen, en al helemaal als Gaille en Lily ook mee moesten.

Hij verschoof Gaille in zijn armen. Haar hoofd viel opzij en onthulde een lelijke snee in haar schedel, waar waterig bloed uit liep. 'Wat is er gebeurd?' vroeg hij.

'Die planken lagen over het gat,' snikte Lily. 'Ze moeten omlaag gevallen zijn. Ik was onder water om te proberen door de wand te breken.'

'Door de wand te breken?'

Lily knikte heftig, opnieuw hoopvol. 'We hebben daar een paar talatat gevonden. We hebben er een uitgehaald in de hoop dat het water weg zou lopen. Maar toen kwam alles naar beneden. Stafford was... hij was...'

Knox knikte. Hij moest een kijkje gaan nemen om te weten waar ze het over had. 'Kun je Gaille even vasthouden?' vroeg hij.

'Dat kan ik niet,' jammerde Lily. 'Dat kan ik niet. Dat kan ik gewoon niet.'

'Alsjeblieft. Heel even maar. Probeer het alsjeblieft.'

Ze trok een ongelukkig gezicht, maar knikte toch. Hij gaf Gaille aan haar door, pakte de schaar, kraste een diepe groef in de natte kalkstenen wand, duwde het eind van een plank erin en liet de andere kant als een ophaalbrug tegen de andere wand zakken tot hij onder een hoek vast kwam te zitten. Hij zwom naar de andere kant van de schacht, hees zich op de hoogste kant en sprong op en neer tot de plank zo klem zat dat hij doorboog. Lily begon te huilen van de inspanning. Hij nam Gaille weer van haar over, trok haar op de plank en legde haar op haar rug. Daarna hielp hij Lily eveneens op de plank en gaf haar zijn zaklantaarn. 'Ik moet die talatatmuur gaan bekijken,' zei hij. 'Ik ben zo terug.'

Hij haalde diep adem, dook naar de bodem van de schacht en tastte blindelings tussen het puin tot hij het gat vond waar de baksteen gezeten had. Met de schaar hakte hij in op de zacht geworden pleister om hem te verwijderen. Zijn longen begonnen te protesteren. Hij trappelde met zijn voeten, steeg op naar het oppervlak, vulde zijn longen opnieuw en dook weer onder water, zich pijnlijk bewust van hoe weinig tijd hij had als Chaled en zijn mannen besloten achter hem aan te komen.

III

Chaled klom als eerste langs het touw omlaag. Hij was van plan geweest op de richel te wachten tot Faisal eveneens afgedaald was, maar zijn nieuwsgierigheid kreeg de overhand. Na met zijn zaklantaarn de gang afgezocht te hebben naar een mogelijke hinderlaag ging hij voorzichtig naar binnen, ondanks alles opgewonden door de situatie.

Geluiden boven zijn hoofd. Hij verstijfde, dook in elkaar, hief zijn Walther. Maar het was alleen maar water dat in de schacht stroomde. Met een beetje geluk zou hem dat deze klus bespaard hebben. Hij liep verder. Nu hoorde hij een ander geluid, bijna hetzelfde als het eerste: een snikkende vrouw. Op zijn tenen liep hij naar de rand van de schacht en keek omlaag.

Gaille lag languit op een plank, die vlak boven het stijgende water hing, met haar hoofd op Lily's schoot. Geen spoor van Stafford, en ook niet van hun mysterieuze achtervolger. Maar toen begon het water te kolken en kwam hij boven, snakkend naar adem.

Chaled stopte zijn Walther geruisloos weg. Pistolen waren niet bedoeld voor dit soort situaties. Bovendien was hij altijd nieuwsgierig geweest naar wat een handgranaat in het echt zou uitrichten. Hij trok er een van zijn riem, verwijderde de pen met zijn tanden en gooide hem in de schacht.

54

Knox zag een beweging boven zich. Hij keek op, precies op tijd om Chaled de handgranaat in de schacht te zien gooien. Verstijfd keek hij naar de dodelijke boog die de granaat beschreef. Lily zag hem ook en kneep krijsend haar ogen dicht, zich schrap zettend tegen de onvermijdelijke verminking en dood. Haar gil bracht Knox tot zichzelf. Met uitgestrekte armen dook hij naar de handgranaat met het futiele idee te proberen hem terug te gooien, hoewel hij wist dat dat onmogelijk was.

De granaat viel op de muis van zijn rechterhand, harder dan hij verwacht had, zwaar als een loden bal. Hij wipte van zijn hand en viel met een plons in het water. Hij probeerde hem te pakken, had hem tussen zijn vingers, maar hij was diep onder water… geen tijd om te denken, alleen maar dieper duiken en de granaat in het gat van de talatat duwen, dan omkeren en naar het oppervlak stijgen en hopen dat de kalksteen hem zou beschermen tegen…

De explosie scheurde door het water. Zijn wereld begon te tollen, klokken beierden in zijn hoofd, zijn armen maaiden vruchteloos in het rond. Hij was zo gedesoriënteerd dat hij water hapte, niet meer wist wat boven of onder was. Zijn hoofd stiet tegen de rotswand, schraapte erlangs. Hij stabiliseerde zichzelf, trappelde met zijn benen tot hij hoestend en naar adem snakkend bovenkwam. Samen met Lily plaste hij rond in het water, want de plank was losgeslagen door de explosie. En toen zakte alles weg. Het water stroomde door het gat, zodat hij, Lily en Gaille tussen de planken op de vloer van de schacht belandden.

Hij keek omhoog. Chaled keek onthutst de schacht in, tastend naar zijn pistool. Vuur spatte uit de loop en kogels ricocheerden wild door de schacht. Lily herstelde zich als eerste en dook het gapende gat in dat de handgranaat in de wand van een nieuw vertrek geslagen had. Het stond half onder water. Knox raapte Gaille op en tuimelde achter Lily aan, onderweg tegen iets groots en zachts stotend – Stafford, die met zijn gezicht omlaag in het water dreef. Hij keek naar Lily. Haar zaklantaarn maakte vreemde patronen op het rimpelende water. Ze schudde haar hoofd en wendde zich af, niet in staat om erover te praten.

Een smalle, donkere gang leidde het vertrek uit. Lily zei iets wat hij niet verstond, want zijn oren tuitten nog steeds van de explosie. Maar wat ze bedoelde was duidelijk. Hij knikte ten teken dat zij voor moest gaan, pakte Gaille beter vast en liep achter haar aan.

II

Chaled herlaadde zijn Walther, terwijl hij naar het gat in de wand van de schacht staarde. *Wat hadden ze daar verdomme gevonden?* Voetstappen achter hem. Faisal kwam aanrennen, aangetrokken door de explosie, de schoten. 'Kijk!' zei Chaled, omlaag wijzend. 'Zei ik niet dat we gewoon door moesten graven?'

Faisal keek hem ongelovig aan. 'Maakt u zich dáár nu zorgen over?'

'We moeten de schacht in. We moeten dit afmaken. Ga het touw halen.'

'Touw? Welk touw?'

'Dat waar we langs omlaag geklommen zijn, idioot. Zeg tegen Nasser dat hij het omlaag gooit.'

'Maar we zullen het nodig hebben om hier weer uit te komen.'

'We gebruiken het pad wel. Het moet immers ooit ophouden met regenen, dacht je niet?'

'Maar…'

Chaled gaf Faisal met de loop van zijn Walther een klap in het gezicht. 'Dat was geen verzoek. Dat was een bevel. Schiet op.' Hij keek Faisal na, ongeduldig wachtend op het touw. Toen die terug was haakte hij de lus om de ijzeren pen en gooide de rest de schacht in. Hij stond op het punt om als eerste omlaag te klimmen, maar besefte toen wat een volmaakte mogelijkheid dat bood voor een hinderlaag. Hij pakte Faisal de AK-47 af. 'Jij gaat naar beneden,' zei hij. 'Ik zal je dekken.'

'Ongewapend?' snoof Faisal.

'Hier,' zei Chaled kwaad, hem zijn Walther toestekend. 'Neem dit maar dan.'

'Waarom kunnen we niet gewoon…'

'Wil je niet zien wat daar beneden is?'

'Jawel, maar…'

'We worden rijk,' zei Chaled nadrukkelijk. 'Wij drieën zullen meer geld hebben dan je ooit gedroomd hebt. En doe nu wat ik zeg.'

Faisal trok een gezicht als een nukkige muilezel, maar hij stak de Walther onder zijn broekriem, pakte het touw, gaf er een ruk aan om er zeker van te zijn dat het hield, klom over de rand en liet zich zonder ongelukken naar beneden zakken.

Een flauw glimlachje speelde om Chaleds lippen. *Wij drieën… zeker weten!* Eerst Abdoellah, dan Faisal. Het had er alles van weg dat het een tragische nacht voor zijn team zou worden.

III

Gailles hoofd rolde heen en weer op Knox' schouder terwijl hij zich voorzichtig een weg zocht over de verraderlijke, onzichtbare brokstukken op de grond. Lily liep voor hen. Haar zaklantaarn maakte schimmenspellen op de wanden. De gang liep iets omhoog, zodat het water even later nog maar tot hun kuiten kwam, wat het lopen vergemakkelijkte, maar Knox dwong nog beter uit te kijken waar hij zijn voeten zette. Misschien was het daarom dat Lily als eerste de wandschilderingen zag. 'Wat zijn dat?' vroeg ze, terwijl ze het licht van haar zaklantaarn over de met gips gepleisterde wand liet spelen.

Hij liep erheen om ze beter te bekijken. Verbleekte afbeeldingen van niet-volgroeide bomen. Rij na rij, kolom na kolom – een eindeloos herhaald motief, als antiek behang. En op de rechterwand eveneens.

'En?' vroeg Lily.

Knox schudde zijn hoofd. Hij had nog nooit zoiets gezien. Dat wil zeggen, bomen en andere vegetatie waren een vrij normaal motief in de antieke Egyptische kunst, maar alleen als onderdeel van een groter geheel, meestal gevuld met mensen, vee, water, vogels. Nooit één enkele boom die eindeloos herhaald werd zoals hier. *Of was het eigenlijk wel één boom?* Die aan de rechterkant leken duidelijk anders dan die links. De Egyptenaren waren erg nauwgezet op dit gebied. Alleen was dit niet bepaald een geschikt moment om een gedetailleerd onderzoek in te stellen. Ze liepen verder tot ze helemaal uit het water waren, zagen toen dat de gang niet omhoog liep maar uitgehouwen was in lange, lage treden die door de dikke laag zand, puin en stof in een zachte glooiing veranderd waren.

Er glinsterde iets op de grond waar Lily gelopen had. Toen hij er met zijn voet overheen ging, onthulde hij een metaalachtige strook precies in het midden van de gang. 'Hier,' zei hij. 'Kun je even bijlichten?'

Lily scheen omlaag. 'Jezus!' mompelde ze. 'Is dat... góúd?'

'Het lijkt erop.'

'Wat ís dit hier?'

Op dat moment kwam er een herinnering bij Knox boven. Kostas die de connectie beschreef tussen Harpocrates en Echnaton, de tempel in Luxor waarop wijzen afgebeeld stonden die uit het oosten gekomen waren om zijn geboorte te vieren, en de geschenken die ze meegebracht hadden. Die bomen op de wanden. Dat waren helemaal geen bomen. Het waren struiken; wierook en mirre om precies te zijn. En plotseling begonnen de stukjes op hun plaats te vallen, de stukjes van deze speurtocht naar de uittocht waar hij zonder het te weten aan begonnen was.

'Wat?' vroeg Lily, die het aan zijn gezicht zag. 'Weet u waar we zijn of zo?'

'Ik geloof van wel,' zei Knox langzaam. 'Volgens mij is dit de Grot der Schatten.'

55

Het onweer begon eindelijk af te nemen toen de vrachtwagen het eind van de koninklijke wadi bereikte en naast Chaleds vrachtwagen tot stilstand kwam. Naguib sprong eruit. Alles stond nog onder water en overal klonk het geluid van regenwater dat van de hellingen spatte en klaterde.

Tarek tikte op zijn arm en wees naar boven. 'Zag je dat?'

Naguib tuurde omhoog. Het wolkendek begon te breken en een paar sterren werden zichtbaar, genoeg om het silhouet van de rotsen aan weerszijden van de wadi te zien. Hij schudde zijn hoofd. 'Wat dan?'

'Een man. Hij is weggedoken. Hij hoopt dat we hem niet gezien hebben.'

'Kun je ons daarboven krijgen?'

Tarek knikte. Hij bracht hen naar de voet van de rotswand om te voorkomen dat ze een makkelijk doelwit vormden en vervolgens in oostelijke richting door de wadi. Mahmoud deed de akelige ontdekking dat een van Chaleds mannen met gespreide armen en benen op de natte rotsen lag. Naguib knielde bij hem neer. Eén blik was voldoende om te weten dat het te laat was voor deze man. Ze klommen tegen de wand van de wadi op, terwijl het om hen heen steeds lichter werd. 'Verspreiden,' fluisterde Tarek toen ze boven waren.

'En als we iemand tegenkomen?' mompelde iemand.

'Dan beveel je hem zich over te geven,' zei Naguib.

'En als hij weigert?'

'Je hebt toch een wapen, niet?' zei Tarek.

II

'De Grot der Schatten?' vroeg Lily.

'Een beroemde plaats in de joodse legenden,' zei Knox. 'Een grot in een woestijn naast een grote rivier. Adam en Eva werden erheen gestuurd nadat ze uit het paradijs verdreven waren. Maar dat was pas het begin. Er is een hele rits boeken over geschreven, niet in het minst omdat veel van de Hebreeuwse patriarchen er begraven heten te liggen. En Adam en Eva zelf. En Abel, nadat Kaïn hem vermoord had. En Noach, Abraham, Jacob, Jozef. Er wordt zelfs beweerd dat Mozes er ligt.'

'Een verdomd grote grot dan.'

Knox knikte. 'Joodse archeologen zoeken er al eeuwen naar. Dat zou wat zijn, de graven van al die bijbelse legenden vinden.'

'Wat doet hij dan in Egypte? Zou hij niet in Israël moeten liggen?'

Geluiden achter hen. Iemand die door water waadde. Het leek er niet op dat de gang ophield, hoewel hij kronkelde als een slang, zodat ze niet ver vooruit konden zien. 'Je moet begrijpen,' zei hij, 'dat de bijbel geen historisch document is, maar een verzameling volksverhalen die bedoeld zijn om de joden ervan te overtuigen dat ze hun Babylonische ballingschap en de verwoesting van de tempel over zichzelf afgeroepen hadden. Daarom hebben zo veel van de verhalen in grote lijnen dezelfde zedelijke moraal.'

'De mens sluit een verbond met God,' mompelde Lily. 'De mens verbreekt het verbond. God straft de mens.'

'Precies,' zei Knox. Hij legde Gaille even op de grond om zijn armen uit te laten rusten, bewoog met zijn vingers om ze los te maken. 'Eén verklaring is dat de bijbel is samengesteld door een persoon of meerdere personen en er is gezocht naar verhalen die in dit patroon pasten. Maar er is nóg een mogelijkheid. Neem Adam en Eva. De eerste man en vrouw, oké? Maar toch geeft zelfs de bijbel stilzwijgend toe dat er andere mensen waren.' Hij pakte Gaille weer op en liep verder. 'Kaïn werd bijvoorbeeld gebrandmerkt voor het doden van Abel om andere mensen te laten weten dat ze hem geen kwaad mochten doen. Welke andere mensen? Hij trouwde en kreeg een zoon, Henoch, die een stad stichtte, iets wat niet direct mogelijk is als je alleen op de wereld bent. Dus misschien waren Adam en Eva niet de eerste mensen in biológische zin, alleen maar in spirituéle zin. Wat wil zeggen dat ze misschien de eerste mensen waren die de ware aard van God kenden.'

'Echnaton en Nefertite?' vroeg Lily twijfelend.

'Ga maar na,' zei Knox. 'Stel je woont hier, in Amarna. Het is jouw paradijs, jouw Eden, jouw beloofde land. Je weet zeker dat er niks fout kan gaan omdat dit het huis op aarde van de Ene Ware God is en je onder Zijn bescherming staat. Maar er gaat wél iets fout. Je wordt verdreven, gedwongen 's nachts te vluchten en vervolgens zelfs het land te verlaten. Hoe kan dat? De enig mogelijke reden is dat je je God op de een of andere manier voor het hoofd gestoten hebt, dat je op de een of andere manier tekortgeschoten bent. Je zweert dat je dit nooit meer zult laten gebeuren. Je hernieuwt je verbond en in ruil daarvoor geeft God je een nieuw Amarna, een nieuw Eden, een nieuw Beloofd Land. Maar niet in Egypte ditmaal. In Kanaän. Decennia gaan voorbij. Eeuwen. De mensen van de uittocht vallen uiteen in verschillende nederzettingen, verschillende stammen, elk met zijn eigen identiteit, zij het nog steeds met die band van de vlucht uit Egypte. Ze geven hun verhalen door van vader op zoon, keer op keer op keer, zodat er geleidelijk verzinsels en elementen uit de plaatselijke folklore aan toegevoegd worden en ze honderden jaren later niet alleen helemaal losstaan van wat er echt gebeurd is, maar ook van de volksverhalen van hun buren, hoewel ze dezelfde gebeurtenissen beschrijven. Dan komen de Babyloniërs. Ze verslaan de Israëlieten op het slagveld, verwoesten hun tempel, voeren hen mee in ballingschap. Dan gaan de joden nadenken en vragen zich wederom af hoe het mogelijk is dat Gods uitverkoren volk opnieuw door zo'n rampspoed getroffen is. Ze zoeken naar antwoorden in hun overlevering, brengen alle tradities bij elkaar en verweven die met hun geliefdste Mesopotamische en Kanaänitische mythen om tot één samenhangend verhaal te komen over Adam en Eva, Abraham en Mozes, al die reizen heen en weer tussen Egypte en Kanaän, al die Edens en Beloofde Landen en nieuwe Jeruzalems. Maar in werkelijkheid gaan al die verhalen helemaal niet over een heleboel patriarchen en tijdperken en plaatsen. Ze gaan over één patriarch, één tijdperk, één plaats. Ze gaan over Echnaton en Amarna.'

'Onmogelijk,' mompelde Lily zwakjes.

'Wist je dat Echnaton exotische dieren ten geschenke vroeg van zijn collega-koningen? Hij hield ze hier. De hele vlakte van Amarna liep onder tijdens de jaarlijkse overstroming van de Nijl. Al die dieren moesten dan op vlotten geladen worden. Doet je dat toevallig niet aan een bijbelverhaal denken?'

'Onmógelijk.'

'Toen Adam en Eva in de Grot der Schatten waren, gaf God ze de eerste dingen die de mens ooit bezeten had: goud, wierook en mirre. We weten zelfs hoeveel goud ze kregen. Zeventig roeden. Wat heel vreemd is omdat een roede geen eenheid van gewicht is maar een léngtemaat. Ongeveer vijf meter, toevallig. Wat ongeveer de lengte is van deze treden.'

'Dus zeventig roeden zou driehonderdvijftig meter zijn,' fluisterde Lily.

'Inderdaad.'

Iets verderop kwam de gang uit in een vertrek, waar het gouden lint bij de tegenoverliggende muur doodliep. 'Hoe ver denk je dan dat we gelopen hebben?' vroeg ze.

'Ongeveer driehonderdnegenenveertig, denk ik.'

III

Chaled voegde zich bij Faisal op de bodem van de schacht en keek door het gat het nieuwe vertrek en de gang in. Een dode man dreef op zijn buik op het water. Chaled tilde het hoofd op aan een lok bebloed haar om te kijken wie het was. Stafford, de tv-presentator. Nog drie te gaan. Hij liet hem weer vallen en waadde met zijn zaklantaarn en de AK-47 in de aanslag door het vertrek de gang in. 'En?' beet hij de achterblijvende Faisal toe. 'Kom je nog of niet?'

'Waarom gaan we niet gewoon weg,' smeekte Faisal. 'We hebben nog tijd.'

'En dan?'

'Wat dacht u? Dan verdwijnen we.'

Chaled aarzelde. Een nieuw leven waar niemand hem kende. Port Said. Aswan. Of de grens over naar Sudan of Libië. Het was een klein kunstje om een nieuwe identiteit te kopen als je connecties en baksjisj had. Maar een nieuwe identiteit was nog maar het begin. En het vooruitzicht in een nieuw land met helemaal niets een nieuw leven op te moeten bouwen, ontnam hem alle moed.

Als hij nu wegging zou hij zijn hele leven arm zijn. Hij was niet gemaakt voor armoede. Hij was gemaakt voor de goede dingen van het leven. En ze waren er zo dichtbij. Hij moest in ieder geval zien wat er aan het eind van deze gang lag. 'We maken dit af,' zei hij. 'Geloof me. Niemand die er ooit achter komt.' Hij glimlachte bemoedigend, draaide Faisal zijn rug toe en liep verder, ervan overtuigd dat de man zwak was, dat hij door de knieën zou gaan en hem zou volgen.

Wat ook gebeurde.

56

Knox legde Gaille op de grond en veegde het haar van haar voorhoofd en wang. De snee in haar schedel bloedde niet meer, ze zag er duidelijk beter uit en haalde krachtiger adem. Hij richtte zich op, pakte de toorts uit Lily's handen, scheen om zich heen in het nieuwe vertrek en liep naar de linkerwand. Die was bepleisterd met gips, en afbeeldingen schemerden door de dikke laag stof. Hij trok zijn natte overhemd uit, veegde het stof weg en onthulde een levendig nachttafereel: mensen die ineengedoken in bed lagen terwijl rovers door hun huizen zwierven. Buiten slopen leeuwen, kronkelden slangen, loerden krokodillen.

Hij liep naar de tegenoverliggende muur en maakte die eveneens schoon. Een dagtafereel. Echnaton en Nefertite die gouden halskettingen uitdeelden vanaf een paleisbalkon, terwijl boeren op het land werkten, vee in de weilanden graasde, eenden over de rietvelden vlogen en vissen opsprongen in de meren – allemaal badend in het gouden licht van de zon.

'*De Hymne van de Aton,*' fluisterde hij. 'Echnatons gedicht aan zijn zonnegod.' Hij richtte zijn zaklantaarn op de linkerwand. 'Dat is de wereld 's nachts,' zei hij. 'Leeuwen die uit hun hol komen, slangen die zich opmaken om te bijten.' Hij wees naar rechts. 'En dit is overdag.' Vee en schapen verwelkomen de dageraad, vogels vliegen op als je buitenkomt. Boten varen op het water, alle paden openen zich door jou.'

'Wat hebben we daaraan?' vroeg Lily met ietwat overslaande stem. 'We moeten hier weg zien te komen.'

Knox zag dat de zonnestralen samenkwamen in de linkerbovenhoek van de wand, maar zonder elkaar te ontmoeten. Ze kwamen tot het eind van de muur voor ze hun brandpunt bereikten en verdwenen. Hij richtte zijn zaklantaarn op de andere muur en zag iets wat hem nog niet eerder opgevallen was. In tegenstelling tot zijn eerste indruk was de muur niet helemaal vlak. Halverwege de wand zat een V-vormige holte van een kleine twee centimeter diep, en de gouden draad op de grond liep dood in de wigvormige opening.

Hij legde er zijn hand op – kouder, gladder en veel metaalachtiger dan hij verwacht had. Hij deed een stap achteruit en verlichtte de hele muur en de gouden draad in de vloer. Dit deed hem ergens aan denken. 'Het is net een wadi,' zei hij, Lily op de wig wijzend. 'Je weet wel, die waar de zon boven oprijst om het teken van de Aton te maken.'

'Waar is de zon dan?'

'Precies,' knikte Knox. Hij liep terug naar de muur, klopte er met zijn knokkels tegenaan, luisterde aandachtig naar de echo. Hij klopte opnieuw. Jazeker. Geen twijfel mogelijk. Hij was hol.

II

Naguib, Tarek en de gaffirs slopen voorzichtig dichterbij over het plateau, beurtelings van dekking naar dekking kruipend, zo diep mogelijk gebukt om niet af te steken tegen de hemel.

'Blijf staan!' riep een paniekerige stem uit het donker. 'Hou afstand!'

Kogels kletterden links van Naguib tegen de rotsen en het vuur uit de loop liet dansende oranje vlekken na op zijn netvlies. 'Stop!' riep hij. Hij wendde zich tot Tarek. 'Hij heeft informatie. We moeten hem levend gevangennemen.'

Tarek schreeuwde het bevel. Het werd doodstil.

'Luister,' riep Naguib. 'Ik ben inspecteur Naguib Hussein. Je hebt me eerder gezien. We weten wat hier gaande is. We weten alles. Gooi je wapen weg. Leg je handen op je hoofd en sta op.'

'Ga weg. Laat me met rust.'

Dat absurde idee leverde hem een lachsalvo op. 'Je hoeft niet dood te gaan,' riep Naguib. 'Je kunt je overgeven. Een proces. Een advocaat. Ik zal de rechter vertellen dat je ons op het laatst geholpen hebt. Wie weet hoe het zal aflopen? Maar anders… je hebt geen schijn van kans.'

'Hij zal me doodschieten.'

'Wie zal je doodschieten?'

'Kapitein Chaled natuurlijk. Die is gek. Hij heeft ons gedwongen dit te doen. Wij wilden niet meewerken. Het was allemaal zijn idee.'

'Help ons dan om hem tegen te houden. De rechtbank zal je clementie betonen. Maar nu moet je meteen je geweer neerleggen en je overgeven. Begrepen?'

'Zullen jullie niet schieten?'

'Ik geef je mijn woord.'

Er kletterde iets op de stenen. Een man kwam met zijn handen omhoog kwam in het duister voor hen tevoorschijn. Enkele seconden later werd hij aangevlogen en op de grond gegooid. Naguib knielde naast hem neer en vroeg hem waar de anderen waren.

III

Knox zette zijn schouder tegen de wand en probeerde hem opzij te schuiven, op te tillen, omlaag te drukken. Niets werkte. In de gang maakten de plassende geluiden plaats voor het schrapen en klikken van voetstappen. Knox schatte dat ze op zijn hoogst één minuut hadden. En er was nergens een schuilplaats, nergens een plek om een hinderlaag te leggen. Ze moesten door deze muur heen of het was afgelopen.

'Kijk!' zei Lily. Ze richtte de zaklantaarn in zijn hand naar de onderkant van de muur. Het was moeilijk te zien, iets donkers tegen een zwarte achtergrond, maar er zat daar een ankhvormig gat, ongeveer zo groot als een mannenhand. Hij voelde zich koud worden. Het ankh-kruis was een belangrijk Egyptisch symbool van het leven. Het had zich ontwikkeld uit een hiëroglief voor magische bescherming, hoewel er nog steeds een furieus debat gaande was over wat die hiëroglief oorspronkelijk symboliseerde. Een ceremoniële knoop, zeiden sommige geleerden. Of misschien een sandaal. Anderen beweerden dat het een zinnebeeld was voor de zon die opgaat boven de horizon, of zelfs een versmelting van de mannelijke en vrouwelijke geslachtsdelen, een soort geheel op zichzelf staande hermafrodiet. Maar nu Knox ernaar keek, kon hij zich niet aan de indruk onttrekken dat het heel erg op een sleutelgat leek.

'Schiet op,' zei Lily. 'Ze komen eraan.'

Mechanische sloten waren in Egypte zeker vijfhonderd jaar voor Echnaton uitgevonden. Doorgaans waren het eenvoudige houten gevallen met een cilinder en tuimelaar, die aan de deurstijlen bevestigd werden.

Maar er was geen enkele reden dat ze geen ingewikkelder exemplaren gemaakt hadden. Hij zakte op zijn knieën, legde zijn gezicht op de kalkstenen vloer en scheen naar binnen. Het viel moeilijk te zeggen, maar hij meende kartelige tanden en een cilinder te zien, onderdelen die zo groot waren als kinderspeelgoed.

Er kwamen herinneringen boven aan een rit door de woestijn met zijn overleden vriend Rick, een veteraan van de Australische commando's. De tijd doden door te praten over methoden om sloten te openen, het gereedschap dat daarbij kwam kijken. Hij opende de schaar en draaide en rukte aan de twee bladen tot hij ze uit elkaar getrokken had. Veel te groot en lomp voor een modern slot, maar niet voor dit. Hij drukte een blad tegen de cilinder en tikte zacht tegen de tuimelaars met de andere, aandachtig luisterend hoe ze op hun plaats vielen.

'Snel,' zei Lily smekend. 'Ze komen dichterbij.'

'Alsjeblieft,' zei hij. 'Ik heb stilte nodig.'

De laatste tuimelaar viel op zijn plaats. Hij probeerde de cilinder rechtsom te draaien. Geen beweging in te krijgen. Hij probeerde het linksom. Met tegenzin draaide hij mee, protesterend na zo lang met rust gelaten te zijn. Dertig graden, zestig, negentig. En toen liep hij vast, hoe hard hij ook drukte.

'Kom op!' jammerde Lily.

Hij ging op zijn rug liggen en stampte met zijn blote voeten tegen de wand. Niets. Hij trapte opnieuw, een derde keer, een vierde. Binnen klikte iets. Een pal die losschoot misschien. De vloer begon te trillen, zodat het stof omhoogvloog. Een door merg en been gaand krassen van metaal op steen toen contragewichten in beweging kwamen. De metalen wand ging pijnlijk langzaam omhoog, als het doek in een schouwburg. Het metaalachtige oppervlak lichtte op in het licht van de zaklantaarn – een geelachtige tint die steeds feller werd, te goud om zilver te zijn, te zilver om goud te zijn. Elektrum dan, een in de natuur voorkomende legering van de twee metalen waarop de Egyptenaren vanwege haar verblindende glans zo dol waren dat ze de dekstenen van hun piramides ermee bekleedden. En toen verscheen de schijf van de Aton zelf, langzaam langs de wand omhoogklimmend. De zon ging op boven Amarna.

57

Knox scheen met de zaklantaarn onder het nog steeds omhooggaande elektrum gordijn en verlichtte de artefacten waarmee de grond erachter bezaaid lag, dof onder een dikke laag zand en stof, maar toch glanzend genoeg om een idee te geven van het materiaal waarvan ze gemaakt waren. Ivoor, porselein, alabaster, luipaardvel, schelpen, halfedelstenen. En goud. Overal het blinken van goud.

Nu was het gordijn zo ver van de grond dat Lily er onderdoor kon kruipen. 'Kom op dan,' zei ze, een hand naar achteren stekend voor de zaklantaarn. Knox pakte Gailles armen en trok haar achter zich aan onder het gordijn door het overvolle vertrek in, een nauw gangetje dat tussen hoge stapels artefacten door kronkelde. Hij pakte haar op. Er was zo veel te zien dat het hem duizelde. Bronzen kandelaars, een staf van ebbenhout, een miniatuurzeilboot, een koperen slang, een houten hoofdsteun, een ankh-kruis van groene jade. Twee levensgrote zwarte, met goud beklede, eeuwig wakende schildwachten wier ogen van lapis lazuli je strijdlustig en uitdagend aankeken. Lily snelde hem voorbij, het zwakker wordende licht van de zaklantaarn meenemend. De artefacten werden koninklijker. Een gouden strijdkar met reliëfversiering rustte op zijn disselboom naast een dubbele troon. Een gouden standbeeld in een nis. Een rijk versierde sofa waar een houten roeispaan tegenaan gevallen was. Schalen met robijnen en smaragden. Hij botste tegen Lily aan. Ze deed een stapje opzij en richtte de zaklantaarn om hem met eigen ogen te laten zien waarom ze stil was blijven staan. Een met elektrum beklede trap waarop twee enorme gouden sarcofagen stonden. Hij keek ernaar in zwijgend ontzag, wetend dat de wereld nooit meer helemaal hetzelfde zou zijn. Echnaton en Nefertite. Adam en Eva.

Maar hij had geen tijd om bij zijn ontdekking stil te staan. Hij zag het licht van zaklantaarns achter zich, hoorde een salvo automatisch geweervuur. Knox dook weg en probeerde Gaille over een gouden sofa te trekken. Maar hij gleed uit en liet Gaille uit zijn armen vallen. Precies op het moment dat hij haar weer wilde pakken kwam Chaled binnen. Hij had zijn zaklantaarn onder zijn oksel geklemd en vuurde vanaf zijn heup, zodat Knox gedwongen was zich terug te trekken in het donker en Gaille aan zijn genade over te laten.

Chaled kwam langzaam dichterbij. De Ali Baba-grot van schatten lichtte op en werd weer donker, terwijl Chaled zich van links naar rechts draaide. Knox zocht wanhopig tussen de ornamenten, edelstenen en meubels naar iets wat hij als wapen zou kunnen gebruiken. Het werd weer donker toen Chaled zich omdraaide. Grafgiften van de Achttiende Dynastie waren ritueel van aard, wist Knox, bedoeld om de farao uit te rusten voor de beproevingen van het hiernamaals. Howard Carter en Lord Carnarvon hadden een boog van composietmateriaal in Toetanchamons graf gevonden. En een dolk van gehard goud. Wat zou hij daar niet voor gegeven hebben!

Hij tastte blindelings en zo geruisloos mogelijk om zich heen. Zijn hand viel op een soort beeldje. Hij pakte het beet, maar het hout waarvan het was gemaakt was door wormen verteerd, te licht voor zijn doel. Hij zette het terug en zocht verder. Zijn vingertoppen gleden langs iets kouders en zwaarders. Hij voelde zich meteen beter toen hij besefte wat het was: een strijdknots van het soort waarmee farao's hun vijanden doodsloegen. Zijn lippen krulden bijna op in een glimlach. Dit leek er meer op.

II

Toen Nasser eenmaal begon te praten, hield hij niet meer op. Hij wilde Naguib alles vertellen, alle schuld op Chaled schuiven.

'Het pad?' riep Naguib. 'Waar is dat verdomde pad?'

Nasser wees het hem aan. Naguib rende naar de rand en scheen omlaag. Zijn hart klopte in zijn keel bij het zien van de val waarmee elke misstap afgestraft zou worden. Maar hij onderdrukte zijn paniek en gleed niet uit en schuifelde uiteindelijk over de gevaarlijk gladde kalksteen van het rotspad en de opening van het graf in. Daarna rende hij zo hard als hij kon door de gang naar de rand van de schacht. Automatisch geweervuur weergalmde door de ruimte beneden, zo te horen heel ver weg.

Een touw hing aan een metalen pen in de grond. Hij pakte het, liet zich over de rand zakken. Opnieuw een salvo. In ieder geval was het nog niet voorbij – hij had nog tijd. Een gat in de wand, water tot aan zijn borst. Hij waadde er zo snel mogelijk doorheen met zijn pistool voor zich uit en zichzelf luidkeels aanmoedigend, hoewel hij half en half verwachtte ontvangen te worden door een hagel van kogels. Hij was ziek van angst en vroeg zich af hoe Yasmine en Hoesniyah op het nieuws zouden reageren als er iets gebeurde, maar weigerde die gedachte toe te staan hem te vertragen, want hij had Knox zijn woord gegeven en dit was zijn aard, en hij had liever dat zijn beminden om hem treurden dan dat hij zichzelf te schande maakte.

III

Chaled liep langzaam verder de schatkamer in. Artefacten blonken op zodra het licht van zijn zaklantaarn erop viel, alvorens weer weg te sterven in een zachte rode gloed. Hij kon zijn ogen niet geloven. Meer goud dan hij ooit gedroomd had, en hij had heel wat gedroomd. Dit alles zou hem de rijkste man in Egypte maken, de rijkste man ter wereld. Huizen, jachten, vliegtuigen, vrouwen, macht, alles wat hij ooit begeerd had, waarvan hij altijd gevonden had dat het hem toekwam. Maar hoe het zich toe te eigenen? Hoe het zich toe te eigenen en hier weg te komen?

'Dek mijn rug,' beval hij Faisal. 'Niemand komt erdoor, begrepen?'

'Maar we kunnen nog steeds…'

Hij bracht zijn gezicht vlak bij dat van Faisal, ramde de loop van de AK-47 in zijn buik. 'Dat was een bevel,' schreeuwde hij. 'Zul je gehoorzamen?'

'Ja, kapitein.'

Hij wendde zich weer naar de schatkamer, zoekend in de gouden hoeken en gaatjes met zijn zaklantaarn. De vrouw Gaille lag op de grond. In eerste instantie dacht hij dat ze dood was, maar hij zag weinig bloed of verwondingen. Hij bukte zich, voelde aan haar keel, vond een zwakke hartslag. Ze leefde nog. Misschien kon hij haar gebruiken. Hij kwam overeind en richtte de loop van zijn geweer op haar gezicht. 'Kom tevoorschijn,' schreeuwde hij. Zijn stem galmde door het vertrek. 'Als je niet tevoorschijn komt schiet ik haar dood. Ik meen het. Kom tevoorschijn.'

Niets. Zo stom waren ze niet. Hij overwoog zijn dreigement uit te voeren, maar bedacht zich. Als hij haar doodschoot, zou dat de anderen alleen maar laten zien wat voor lot hun wachtte, ze alleen maar aanmoedigen nog harder te vechten. Hij liep verder, zijn zaklantaarn snel van links naar rechts bewegend in de hoop ze te verrassen. Een sissende ademtocht links van hem. Hij draaide zich ernaar toe en het licht van zijn zaklantaarn onthulde Lily, die met haar onderarmen voor haar gezicht in de smalle ruimte tussen een troon en een beschilderde houten koffer zat. Ze jammerde zacht toen ze besefte dat hij haar gezien had en zette het op een gillen. Ze hield niet op. Hij gaf haar een smak met de kolf van zijn AK-47 tegen haar voorhoofd, al was het alleen maar om haar stil te krijgen. Haar slaap sloeg tegen de koffer en ze viel bewusteloos aan zijn voeten. Twee vrouwen – dat veranderde de situatie. Nu kon hij er een doodschieten om te laten zien dat het hem menens was en dreigen de tweede neer te schieten om de man te dwingen zich over te geven. Hij richtte zijn wapen opnieuw op Gaille. 'Je hebt vijf seconden,' zei hij. 'Vier. Drie. Tw...'

Een schim in het spiegelende oppervlak van een van de sarcofagen, de man die achter de opgestapelde schatten vandaan kwam en zich op hem wierp, zwaaiend met een knots die hij met beide handen vasthield. Chaled bukte zich, maar niet snel genoeg. De knots trof zijn schouder en verdoofde zijn linkerarm, zodat de zaklantaarn op de grond kletterde. Hij sloeg met de AK-47 en trof de man op zijn wang. De knots viel uit zijn handen. Hij probeerde hem te grijpen, maar Chaled gaf hem een klap op zijn achterhoofd met de AK-47 en de man ging als een zak tegen de grond.

Verre geluiden in de gang. Een man die schreeuwend door het water plaste. Hij herkende de stem. Die vervloekte politieman Naguib! En over een minuut zou hij hier zijn, ongetwijfeld met een hoop anderen. Haat draaide Chaleds hart om als een handdoek die uitgewrongen wordt. Het enige wat hij wilde was een fatsoenlijk leven voor zichzelf opbouwen. Wat had hij die verdomde lui aangedaan dat ze zo hun best deden om het te ruïneren?

De man rolde zich kreunend op zijn zij. Chaleds arm was nog te verdoofd om te gebruiken, maar die had hij niet nodig om de AK-47 af te
vuren. Hij richtte de loop op het hoofd van de man, stond op het punt
om de trekker over te halen, maar kreeg een beter idee. Hij richtte het geweer op Gaille. Hij wilde dat de man deze twee vrouwen zag sterven, hem
duidelijk maken dat al zijn inspanningen vergeefs geweest waren. Hij
kreeg een wellustig gevoel in zijn buik toen zijn vinger zich om de trekker
spande. De hardheid van het schot in de kleine ruimte verbaasde hem, de
weergalm ervan, de oranje vlam uit de loop die door al dit fabelachtige
goud weerkaatst werd. De AK-47 viel uit zijn hand, sloeg kletterend tegen de grond. Tot zijn verbazing viel hij op zijn zij en bleef liggen. Speeksel droop uit zijn mond, hij proefde de zoutige smaak ervan. Het tweede
schot trof hem hoog in de borst en gooide hem op zijn rug. Toen hij opkeek, zag hij Faisal boven zich staan, uitgerekend Faisál, die zijn geliefde
Walther op zijn borst gericht hield en hem volmaakt kalm aankeek.

Hij probeerde de vraag te stellen, maar om de een of andere reden
werkte zijn mond niet meer. Hij moest het met zijn ogen vragen.

'Zij gaf me chocolade,' antwoordde Faisal. 'Wat heb jij me ooit gegeven?' Daarna richtte hij de loop op Chaleds gezicht en haalde de trekker
voor de derde en laatste keer over.

Epiloog

Het ergste moment van de dag voor Knox was toen hij bij het ziekenhuis kwam en niet wist of Gaille een goede of slechte nacht achter de rug had. Zijn hart begon te bonken toen hij de dubbele deuren naar de receptie openduwde, en zijn mond werd onaangenaam droog. Maar een verpleegster die tegen de balie leunde zag hem en knikte vriendelijk. 'Ze is wakker,' zei ze.

'Wakker?'

'Vlak nadat u gisteravond vertrok.'

'Wat?' protesteerde hij. 'Waarom heeft niemand me gebeld?'

De verpleegster schokschouderde, een gebaar van heb-ik-niks-mee-te-maken. Knox verbeet zijn ergernis. Er waren momenten dat hij gek werd van Egypte. Maar toen maakte zijn irritatie plaats voor opluchting; hij was te blij om kwaad te zijn. Met drie treden tegelijk rende hij de trap naar de eerste verdieping op, waar hij tegen een arts aanbotste die uit haar kamer kwam.

'Hoe maakt ze het?'

'Prima,' zei ze glimlachend. 'Ze is er zo weer bovenop. Ze heeft naar u gevraagd.'

Hij ging naar binnen, half en half verwachtend dat ze breed glimlachend rechtop in bed zou zitten, met alle kneuzingen genezen en alle zwachtels verwijderd. Maar zo was het natuurlijk niet. Haar ogen met zwarte kringen eronder bewogen om te zien wie er binnengekomen was, en ze wist zowaar een glimlach op haar gezicht te toveren. Hij liet haar de bloemen en het fruit zien die hij gekocht had en maakte er ruimte voor op de vensterbank. Daarna drukte hij een kus op haar voorhoofd en ging zitten. 'Je ziet er fantastisch uit,' zei hij.

'Ze hebben me verteld wat je gedaan hebt,' zei ze met ietwat dikke stem. 'Ik kan het niet geloven.'

'Dat moet je ook niet,' zei hij. 'Ik heb ze een fortuin toegeschoven.'

En lachje, een grimas van pijn. 'Dank je,' zei ze.

'Het was niets,' verzekerde hij haar, zijn hand op de hare leggend. 'En nu kun je beter je ogen dichtdoen en wat uitrusten.'

'Eerst vertellen.'

'Wat?'

'Alles.'

Hij knikte, leunde achterover, ordende zijn gedachten. Er was zo veel gebeurd dat hij amper wist waar hij moest beginnen. 'De groeten van Lily,' zei hij. Lily was met Staffords lijk naar Amerika gevlogen, maar dat kon wachten. 'En we zijn vrij vaak op tv geweest.' Een kandidaat voor het understatement van het jaar. Hij had geen seconde rust gehad sinds die nacht. Iedereen wilde de eer van de ontdekking van Echnatons graf opeisen, maar zich tegelijkertijd distantiëren van alle toestanden eromheen. Knox had het hen rustig laten uitvechten. Het enige wat hij wilde was Gaille naar het dichtstbijzijnde fatsoenlijke ziekenhuis brengen. Vanaf dat moment vrat de angst aan hem, de angst dat hij te laat was geweest – een angst die zo intens was dat hij zich gedwongen had gezien voor zichzelf toe te geven hoeveel dieper zijn gevoelens voor haar waren dan gewone vriendschap.

Maar zodra hij haar – en Lily – veilig in handen van competente en gemotiveerde artsen had weten te spelen, had hij zijn best gedaan de vragen waarmee de politie en de ORA hem bestookt hadden te beantwoorden. Hij had hun verteld over de Therapeutae en de Carpocratinianen, hun nederzetting bij Borg el-Arab, de figuur in het mozaïek en de Griekse letters die Echnatons naam vormden. Hij had hun verteld over zijn theorieën aangaande de uittocht uit Egypte en, toen zijn vermoeidheid hem parten begon te spelen, ook over zijn wilde ideeën over Amarna en de Hof van Eden.

Toen hij de ochtend daarop wakker werd stonden de media op hun kop. Het graf van Echnaton en Nefertite was op zich al genoeg om de belangstelling van alle grote netwerken ter wereld te wekken, maar iemand had bovendien zijn theorieën aan de pers doorgespeeld, en die hadden het verhaal naar een ander niveau getild. Achtenswaardige journalisten brachten opgewonden het feit dat Echnaton en Nefertite Adam en Eva waren, want hoe konden de details van hun laatste rustplaats anders zo exact beschreven staan in het *Boek van de Grot der Schatten*? En ze beweerden ook dat het raadsel van de uittocht definitief opgelost was: de joden waren de monotheïsten van Amarna geweest die door Echnatons reactionaire opvolgers gedwongen geweest waren Egypte te ontvluchten.

Maar de reactie kwam meteen. Historici dreven de spot met het vermeende verband tussen Amarna en Eden, erop wijzend dat het *Boek van de Grot der Schatten* twee millennia na Echnaton geschreven was, wat van elke overeenkomst puur toeval maakte. En de theologen hadden eveneens een duit in het zakje gedaan door het idee dat Adam, Abraham, Jozef en alle andere patriarchen allemaal Echnaton waren, weg te honen onder het motto dat Genesis geen harmonica was die zich op zo'n manier in elkaar liet schuiven.

Maar het commentaar van Joessoef Abbas, secretaris-generaal van de Opperste Raad voor Oudheden was het ontnuchterends geweest. Eerst deed hij Knox af als een op roem beluste sensatiezoeker die de naam van serieuze archeoloog niet waard was. Daarna merkte hij op dat de graftomben van Amarna in de eerste eeuwen na Christus door baanbrekende christelijke monniken bewoond waren geweest, en dat die een veel aannemelijker bron voor de gnostici van Borg el-Arab waren geweest om hun kennis over Echnaton aan te ontlenen. En zodra je hun mozaïek uit het verhaal verwijderde, was de rest louter giswerk. Zelfs Knox moest toegeven dat dit een plausibele verklaring was. En zo werd wat heel even glashelder geleken had binnen de kortste keren weer ondoorzichtig, een vruchtbare bodem voor de academici om de volgende honderd jaar over te redetwisten.

Dominee Earnest Peterson was na een nacht in de cel doorgeslagen. Volgens Naguib had hij zijn misdaden niet alleen bekend maar erover opgeschept, gepocht over zijn gewijde missie om het gelaat van Christus te vinden en de wereld het licht te brengen. Hij had toegegeven dat hij verantwoordelijk was voor Omars dood en verteld hoe vaak hij geprobeerd had Knox te vermoorden. En dat hij alles met plezier nog eens over zou doen. Een Soldaat Gods had hij zichzelf genoemd. Een Soldaat Gods die op het punt stond om de rest van zijn leven in een Egyptische gevangenis door te brengen. Knox was geen haatdragend man, maar er waren momenten waarop hij gewoon moest lachen.

Augustin had hem de middag daarvoor een bezoek gebracht. Hij was niet lang gebleven, want hij moest zijn nieuwe vriendin Claire terug-brengen naar Caïro. Knox vond haar op slag sympathiek. Lang en zacht-aardig en verlegen, maar met een grote innerlijke kracht, lichtjaren ver-wijderd van het sexappeal en de schoonheid van Augustins gebruikelijke veroveringen. Toch had hij zijn Franse vriend in alle jaren dat hij hem kende nog nooit zo duidelijk verliefd, zo trots op een ander gezien.

Gaille had haar ogen dicht gedaan. Hij bleef een poosje naar haar kij-ken, denkend dat ze in slaap gevallen was. Maar toen deed ze haar ogen plotseling weer open en stak een hand uit. 'Laat me niet alleen,' zei ze.

'Nee.'

Ze deed haar ogen weer dicht. Ze maakte een vredige indruk. Ze was beeldschoon. Hij keek op zijn horloge. Er stond hem een lange dag te wachten. De politie wilde hem opnieuw spreken. Joessoef Abbas had hem naar het hoofdkantoor van de ora in Caïro ontboden om zich te verantwoorden. En hij werd aan de lopende band opgebeld door rivali-serende krantenconcerns over de hele wereld die hem de aanlokkelijkste bedragen boden voor een exclusief verslag.

Laat ze maar bieden.

Hij trok een pocket uit zijn zak en begon op zijn gemak te lezen.